Gwyddoniaeth Ddwbl [illegible]AU

Ffiseg

Y Llyfr Adolygu

Lefel Sylfaenol

CGP

Y fersiwn Saesneg gwreiddiol:
GCSE Double Science: Physics
The Revision Guide Foundation Level

Cyhoeddwyd gan Coordination Group Publications Ltd

Golygwyd gan: Richard Parsons
Diweddarwyd gan: Suzanne Worthington, Dominic Hall, James Paul Wallis
Darluniwyd gan: Sandy Gardner a Bowser, Colorado, UDA
Argraffwyd gan: Elanders Hindson, Newcastle upon Tyne
Clipluniau: CorelDRAW a VECTOR

Y fersiwn Cymraeg hwn:

Cyhoeddwyd gan y Ganolfan Astudiaethau Addysg (CAA), Prifysgol Cymru Aberystwyth, Yr Hen Goleg, Aberystwyth, SY23 2AX (http://www.caa.aber.ac.uk). Noddwyd gan Lywodraeth Cynulliad Cymru.

Cyfieithydd/Golygydd: Lynwen Rees Jones
Dylunydd: Andrew Gaunt
Lluniau: tud 62, NASA
Argraffwyr: Argraffwyr Cambria

Diolch i Hywel Thomas am ei gymorth wrth brawfddarllen.

ISBN 978-1-84521-142-4

Cynnwys

Adran Un – Trydan a Magnetedd

Adran Dau – Grymoedd a Mudiant

Adran Tri – Tonnau

Adran Pedwar – Y Gofod Pell

Adran Pump – Egni

Adran Chwech – Ymbelydredd

Cerrynt, Foltedd a Gwrthiant

Onid yw trydan yn grêt. Serch hynny, gwae chi os yw'r termau canlynol yn golygu dim i chi ...

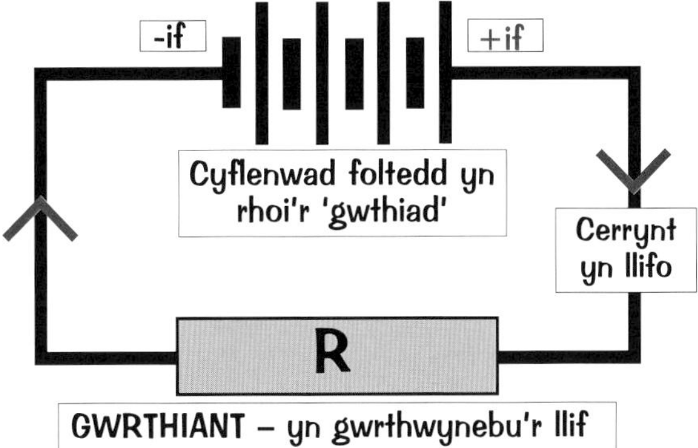

1) **CERRYNT** yw'r llif electronau o amgylch y gylched.

2) **FOLTEDD** yw'r grym gyrru sy'n gwthio'r cerrynt o amgylch. Math o "wasgedd trydanol".

3) **GWRTHIANT** yw unrhyw beth yn y gylched sy'n lleihau'r llif.

4) **MAE YNA GYDBWYSEDD:** mae'r foltedd yn ceisio gwthio'r cerrynt o amgylch y gylched, ac mae'r gwrthiant yn ei wrthwynebu – meintiau cymharol y foltedd a'r gwrthiant sy'n penderfynu pa mor fawr fydd y cerrynt.

Wrth gynyddu'r FOLTEDD – bydd MWY O GERRYNT yn llifo.
Wrth gynyddu'r GWRTHIANT – bydd LLAI O GERRYNT yn lifo.

Mae'n Union Fel Dŵr yn Llifo o Amgylch Set o Bibellau

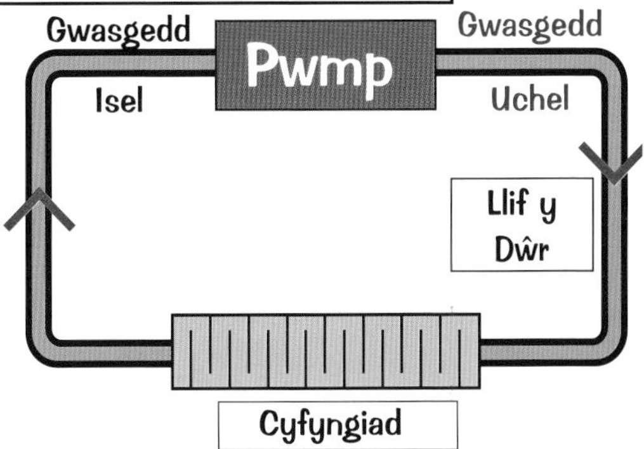

1) Yn syml, mae'r cerrynt fel dŵr yn llifo.
2) Mae'r foltedd fel y gwasgedd a gynhyrchir gan bwmp sy'n gwthio'r dŵr o amgylch.
3) Gwrthiant yw unrhyw beth sy'n cyfyngu ar y llif y mae'n rhaid i'r gwasgedd weithio yn ei erbyn.
4) Os byddwch yn troi'r pwmp i fyny ac yn creu mwy o wasgedd (neu "foltedd"), bydd y llif yn cynyddu.
5) Os rhowch ragor o gyfyngiadau ("gwrthiant"), bydd y llif (cerrynt) yn lleihau.

Cerrynt Union – CU

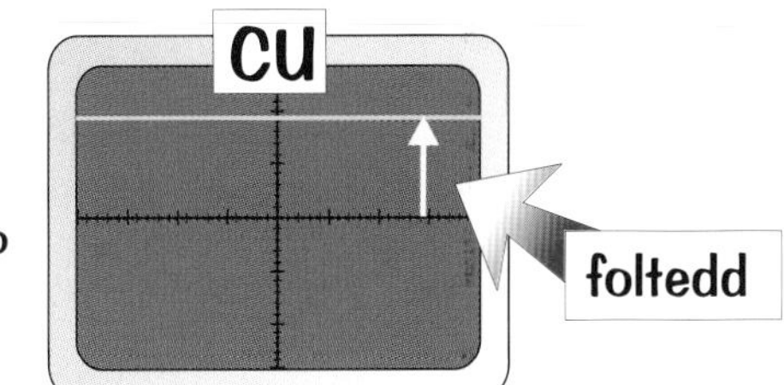

Yn achos Cerrynt Union, mae'r cerrynt yn dal i lifo i'r un cyfeiriad drwy'r amser.
Mae'r cerrynt normal o fatri yn gerrynt union, CU. Mae'r olin ar osgilosgop yn llinell lorweddol, fel y dangosir. Mae angen CU ar gylchedau electronig, e.e. setiau teledu, cyfrifiaduron, cyfrifianellau, chwaraewyr CD ac ati.

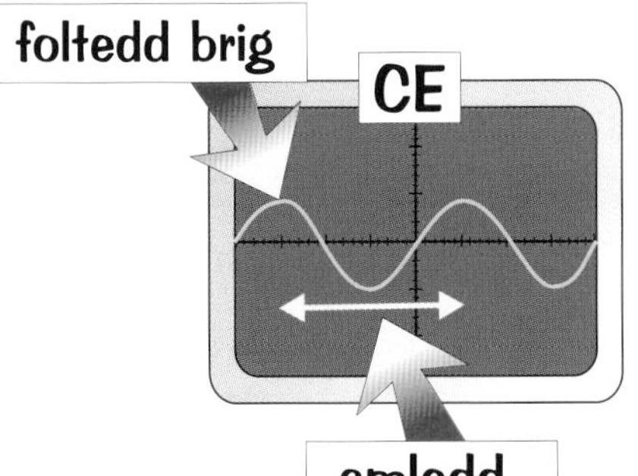

Cerrynt Eiledol – CE

Yn achos CE, mae cyfeiriad y cerrynt yn newid bob yn ail.
Mae dynamoau a gorsafoedd pŵer yn cynhyrchu cerrynt eiledol, CE. Mae trydan y prif gyflenwad yn CE, ag amledd o 50 Hz. Ystyr hyn yw bod y cyfeiriad yn cildroi 50 gwaith bob eiliad. Mae'r olin ar osgilosgop bob amser yn don.
Mae angen CE er mwyn i newidyddion weithio. (Gweler T.19) Gall moduron trydan weithio gydag CE neu CU.

Deall cerryntau – hawdd ...

Mae'r dudalen hon i gyd yn ymwneud â cherrynt trydanol – beth ydyw, beth sy'n peri iddo symud, a beth sy'n ceisio ei atal. Dyma'r wybodaeth fwyaf elfennol am drydan. Ddysgwch chi ddim byd arall am drydan oni bai eich bod yn gwybod hyn i gyd – iawn!

Gwefrau Trydan ac Egni

Yn syml iawn, dyna'i gyd yw ceryntau trydanol yw llif gwefrau trydanol. Dysgwch y manylion hyn:

Mewn Metelau caiff y Cerrynt ei Gludo gan Electronau

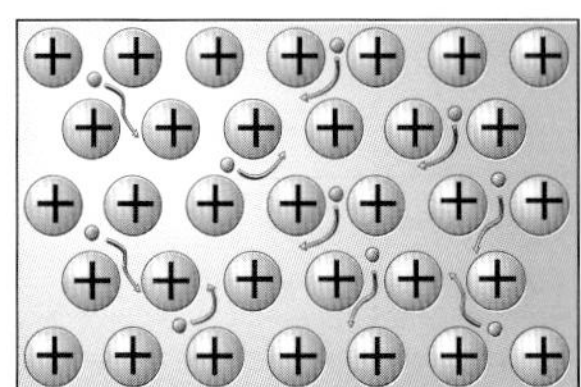

1) Dim ond os oes gwefrau sy'n gallu symud yn rhydd y bydd cerrynt yn llifo.
2) Mae metelau yn cynnwys "môr" o electronau rhydd (wedi'u gwefru'n negatif) sydd yn llifo trwy'r holl fetel.
3) Dyma sy'n caniatáu i gerrynt trydanol lifo cystal ym mhob metel.

Ond mae Electronau yn Llifo'n Groes i Gerrynt Confensiynol

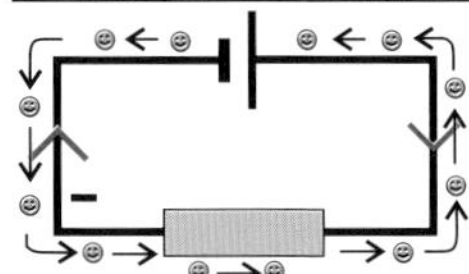

Fel arfer, dywedwn fod y cerrynt mewn cylched yn llifo o'r positif i'r negatif. Yn anffodus, darganfuwyd electronau ymhell ar ôl penderfynu hyn, a chafwyd eu bod wedi'u gwefru'n negatif – anlwcus. Mae hyn yn golygu eu bod, a dweud y gwir, yn llifo o –if i +if, yn groes i lif "cerrynt confensiynol".

Mewn Electrolytau, caiff Cerrynt ei Gludo gan Wefrau +if a Gwefrau –if

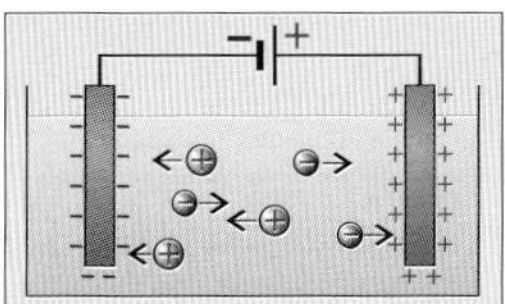

1) Electrolytau yw hylifau sy'n cynnwys gwefrau a all symud yn rhydd.
2) Maen nhw naill ai'n ïonau sydd wedi hydoddi mewn dŵr, megis hydoddiant halwyn, neu'n hylifau ïonig tawdd, megis sodiwm clorid tawdd.
3) Pan gaiff foltedd ei weithredu mae'r gwefrau positif yn symud tuag at y –if, ac mae'r gwefrau negatif yn symud tuag at y +if. Dyma yw'r cerrynt trydanol.

Caiff Egni ei Drosglwyddo o Gelloedd a Ffynonellau Eraill

Mae yna ddwy ffordd o edrych ar gylchedau trydan. Yn gyntaf, gellir dychmygu foltedd yn gwthio'r cerrynt o amgylch a'r gwrthiannau yn gwrthwynebu'r llif, fel ar T.1. Yn ail, gellir dychmygu cylchedau yn nhermau trosglwyddo egni. Dysgwch y ddwy, a byddwch yn barod i ateb cwestiynau ar y naill a'r llall.

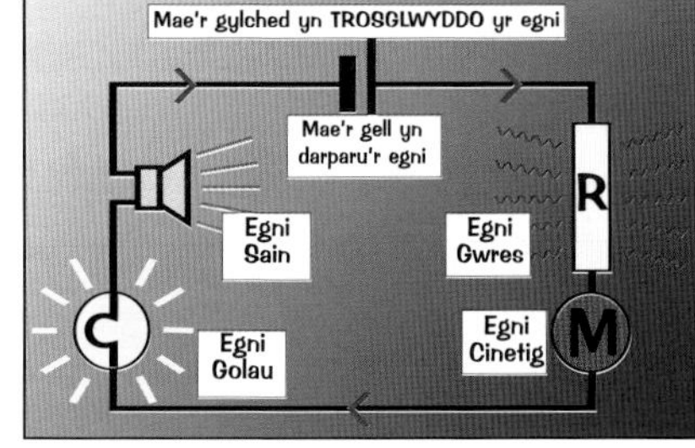

1) Mae unrhyw beth sy'n cyflenwi trydan hefyd yn cyflenwi egni. Mae yna 4 ffynhonnell sydd angen i chi eu dysgu:
   1) CELLOEDD 2) BATRÏAU 3) GENERADURON 4) CELLOEDD SOLAR
2) Bydd y gylched drydanol yn trosglwyddo'r egni i gydrannau, megis lampiau, gwrthyddion, clychau, moduron, LEDau, swnwyr, ac ati.
3) Mae'r cydrannau hyn yn trosglwyddo eu hegni eu hunain ac yn trawsnewid yr egni trydanol yn y gylched yn ffurfiau eraill ar egni: GWRES, GOLAU, SAIN neu SYMUDIAD.
4) Peidiwch ag anghofio bod angen cylched gyflawn er mwyn i'r cerrynt lifo. Os caiff y gylched ei thorri, ni fydd y cerrynt yn llifo ac ni chaiff egni ei drosglwyddo.

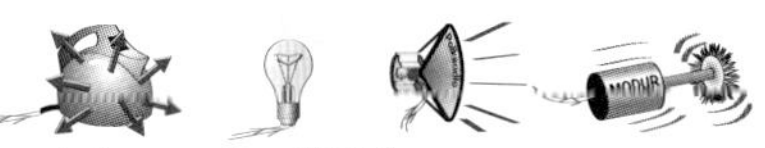

Gall Trydan Gynhyrchu Pedair Effaith

Dysgwch y pedair enghraifft hyn:

GWRES: Sychwr gwallt/tegell | GOLAU: bylbiau golau | SAIN: seinyddion | MUDIANT: moduron

Mae pob Gwrthydd yn cynhyrchu Gwres pan fydd Cerrynt yn Llifo Trwyddo

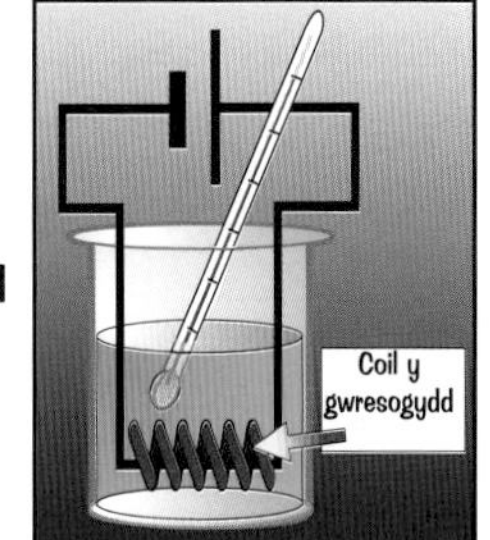

1) Mae hyn yn bwysig. Pa bryd bynnag y mae cerrynt yn llifo trwy unrhyw beth sydd â gwrthiant trydanol, (sef mwy neu lai popeth) mae egni trydanol yn cael ei drawsnewid yn egni gwres.
2) Po fwyaf o gerrynt sy'n llifo, y mwyaf o wres a gynhyrchir.
3) Hefyd, mae foltedd mwy yn golygu mwy o wresogi, gan ei fod yn gwthio mwy o gerrynt trwyddo.
4) Fodd bynnag, po uchaf yw'r gwrthiant, y lleiaf o wres a gynhyrchir. Mae hyn yn wir oherwydd bod gwrthiant uwch yn golygu y bydd llai o gerrynt yn llifo, a bydd hyn yn lleihau'r gwresogi.
5) Gellir mesur faint o wres a gynhyrchir trwy roi gwrthydd mewn cyfaint hysbys o ddŵr, neu y tu mewn i floc solet, a mesur y codiad yn y tymheredd.

Mae trydan fel bywyd – ewch gyda'r llif ...

Mae yna dipyn o bethau ar y dudalen hon a dweud y gwir. Mae pobl yn tueddu i anghofio hyn i gyd. Yn anffodus, sonnir amdano i gyd yn y maes llafur, sy'n golygu eu bod yn debygol o roi cwestiynau arno yn yr Arholiad. Felly dysgwch y cwbl.

Y Gylched Brofi Safonol

Hon, heb amheuaeth, yw'r gylched fwyaf safonol ar wyneb y Ddaear. Felly dysgwch hi.

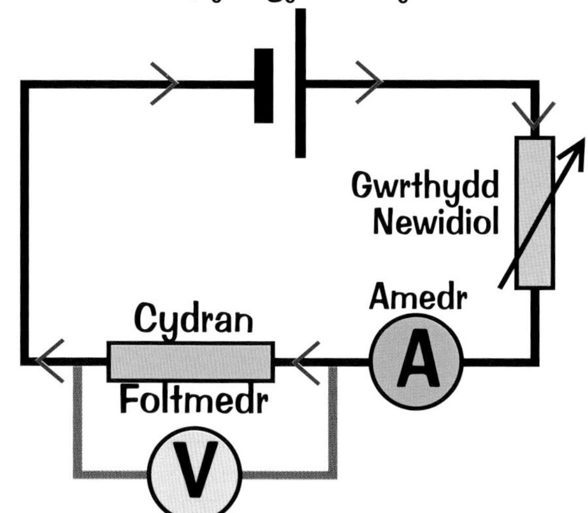

Yr Amedr

1) Mae'n mesur y cerrynt (mewn Amperau) sy'n llifo trwy'r gydran.
2) Rhaid ei osod mewn cyfres.
3) Gellir ei osod yn unrhyw le mewn cyfres yn y brif gylched, ond byth yn baralel fel y foltmedr.

Y Foltmedr

1) Mae'n mesur y foltedd (mewn Foltiau) ar draws y gydran.
2) Rhaid ei osod yn baralel ar draws y gydran sy'n cael ei phrofi – NID ar draws y gwrthydd newidiol neu'r batri!
3) Yr enw cywir am "foltedd" yw "gwahaniaeth potensial" neu "g.p.".

Pum Pwynt Pwysig

1) Defnyddir y gylched sylfaenol hon i brofi cydrannau, ac i gael graffiau V-I ar eu cyfer.
2) Mae'r gydran, yr amedr a'r gwrthydd newidiol i gyd mewn cyfres, sy'n golygu y gellir eu gosod mewn unrhyw drefn yn y brif gylched. Rhaid gosod y foltmedr, ar y llaw arall, yn baralel ar draws y gydran sy'n cael ei phrofi, fel y dangosir.
3) Wrth i chi amrywio'r gwrthydd newidiol mae'r cerrynt sy'n llifo trwy'r gylched yn newid.
4) Mae hyn yn eich galluogi i gymryd sawl pâr o ddarlleniadau o'r amedr a'r foltmedr.
5) Yna gallwch blotio'r gwerthoedd hyn ar gyfer cerrynt a foltedd ar graff V-I, fel y rhai isod.

Pedwar Graff Foltedd-Cerrynt Pwysig Dros Ben

Mae graffiau V-I yn dangos sut mae'r cerrynt yn amrywio wrth i chi newid y foltedd. Dysgwch y pedwar hyn yn dda:

Gwrthydd

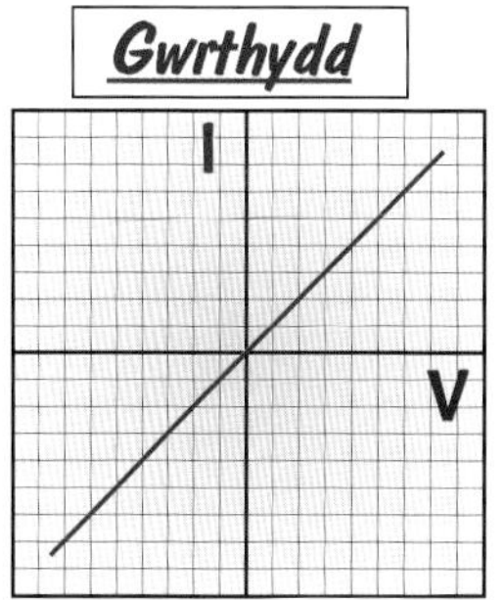

Mae'r cerrynt trwy wrthydd (ar dymheredd cyson) mewn cyfrannedd â'r foltedd.

Gwifrau Gwahanol

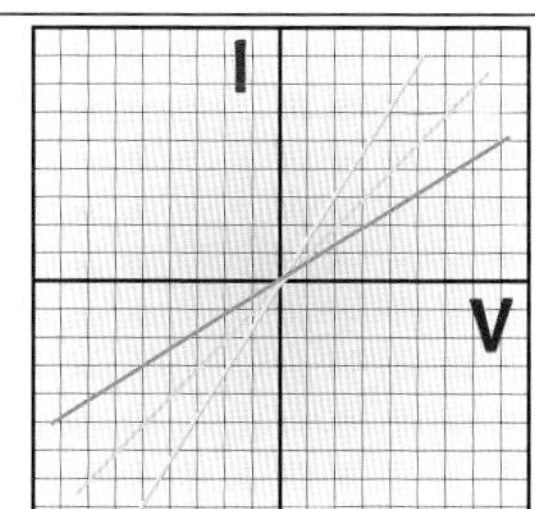

Mae gan wifrau gwahanol wrthiannau gwahanol, felly ceir goleddau gwahanol.

Lamp Ffilament

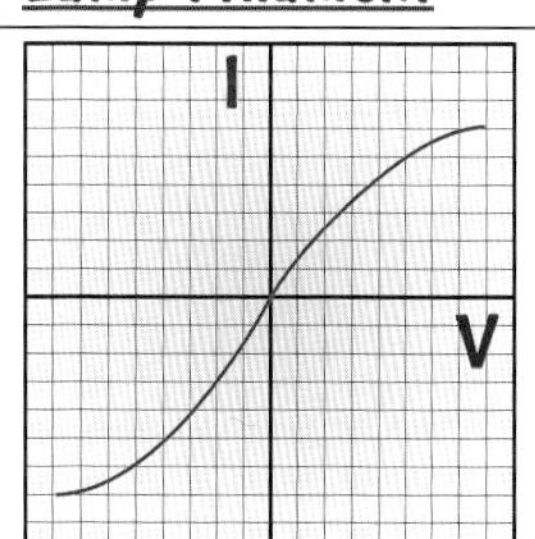

Wrth i dymheredd y ffilament godi, mae'r gwrthiant yn cynyddu, felly ceir cromlin.

Deuod

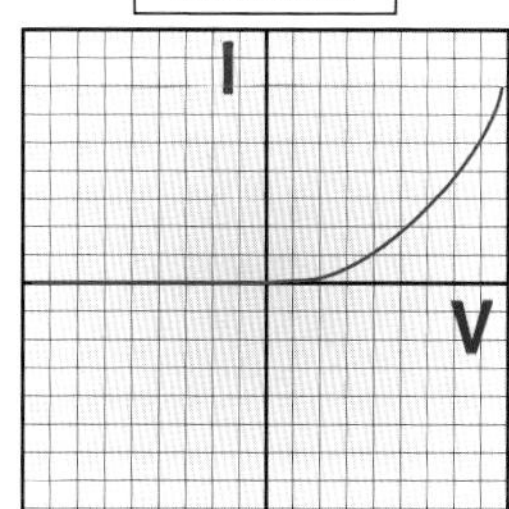

Mae cerrynt yn llifo trwy ddeuod i un cyfeiriad yn unig, fel y dangosir.

Cyfrifo Gwrthiant: R = V/I (neu R = "1/graddiant")

Ar gyfer graffiau llinell syth, mae gwrthiant y gydran yn gyson ac yn hafal i wrthdro graddiant y llinell, neu "1/graddiant". Mewn geiriau eraill, y mwyaf serth yw'r graff, y lleiaf yw'r gwrthiant. Os yw'r graff yn crymu, mae'r gwrthiant yn newid. Yn yr achos hwn, gellir darganfod R ar gyfer unrhyw bwynt trwy gymryd pâr o werthoedd (V, I) o'r graff a'u rhoi yn y fformiwla R = V/I (Gweler T.8). Hawdd.

Rhaid i chi ddysgu'r gwaith – a dyna ni ...

Mae yna nifer o fanylion pwysig ar y dudalen hon ac mae angen i chi eu dysgu i gyd. Yr unig ffordd o wneud yn siŵr eich bod yn gwybod popeth yw trwy guddio'r dudalen a gweld faint gallwch chi ei ysgrifennu oddi ar eich cof. Nid yw'n hawdd – ond dyna'r unig ffordd. Mwynhewch.

Cylchedau Cyfres

Mae angen i chi fedru dweud y gwahaniaeth rhwng cylchedau cyfres a chylchedau paralel wrth edrych arnynt. Mae angen i chi wybod y rheolau ar gyfer beth sy'n digwydd yn y naill fath a'r llall hefyd. Darllenwch ymlaen.

Cylchedau Cyfres – y cyfan neu ddim

1) Mewn cylchedau cyfres, mae'r cydrannau wedi'u cysylltu mewn llinell, ben wrth ben, rhwng +if a –if y cyflenwad pŵer (ac eithrio foltmedrau, sydd bob amser wedi'u cysylltu'n baralel, ond nid ydynt yn cyfrif fel rhan o'r gylched).
2) Os caiff un gydran ei symud ymaith neu ei datgysylltu, torrir y gylched ac mae'r cyfan yn stopio.
3) Yn gyffredinol, nid yw hyn yn hwylus iawn ac, yn ymarferol, ychydig iawn o bethau sy'n cael eu cysylltu mewn cyfres.

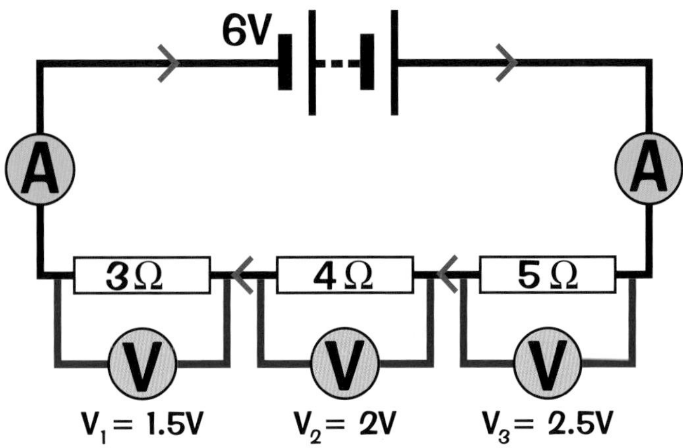

Mae'r folteddau'n adio i faint y cyflenwad: 1.5 + 2 + 2.5 = 6 V
Cyfanswm y gwrthiant = 3 + 4 + 5 = 12 Ohm
Cerrynt = V/R = 6/12 = 0.5 A

Mewn Cylchedau Cyfres:

1) Cyfanswm y gwrthiant yw swm yr holl wrthiannau.
2) Mae'r un cerrynt yn llifo trwy holl rannau'r gylched.
3) Penderfynir maint y cerrynt gan gyfanswm g.p. y celloedd a chyfanswm gwrthiant y gylched: h.y. I = V/R
4) Caiff cyfanswm g.p y cyflenwad ei rannu rhwng y gwahanol gydrannau, fel bo'r foltedd o amgylch cylched gyfres bob amser yn adio i faint y foltedd a gyflenwir.
5) Po fwyaf yw gwrthiant y gydran, y mwyaf yw ei rhan o'r g.p. cyflawn.

Cyfanswm y g.p., Foltmedrau ac Amedrau

1) Cyfanswm y g.p. a ddarperir gan gelloedd mewn cyfres yw swm pob g.p. unigol.
2) Caiff foltmedrau bob amser eu cysylltu mewn paralel ar draws cydrannau. Mewn cylched gyfres, gellir rhoi foltmedrau ar draws pob cydran. Bydd y darlleniadau o bob un o'r cydrannau yn adio i roi darlleniad foltedd y ffynhonnell (y celloedd). Mae'n hawdd, felly dysgwch hyn.
3) Gellir rhoi amedrau mewn unrhyw fan mewn cylched gyfres, a bydd pob darlleniad yr un peth.

Mae Goleuadau Nadolig wedi'u Gwifrio mewn Cyfres

Goleuadau Nadolig yw bron yr unig enghraifft mewn bywyd pob dydd o bethau wedi'u cysylltu mewn cyfres, ac rydym ni i gyd yn gwybod pa mor drafferthus y gallant fod pan fydd y cyfan yn methu am fod nam ar un o'r bylbiau.

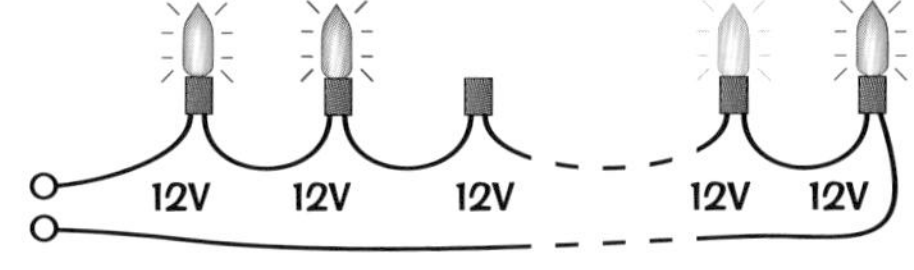

Yr unig fantais yw y gall y bylbiau fod yn fach iawn gan fod y cyfanswm o 230 V yn cael ei rannu rhyngddynt, felly nid oes gan bob bwlb ond foltedd bychan ar ei draws.

Ar y llaw arall, caiff rhes o oleuadau, fel y rhai a ddefnyddir ar safle adeiladu dyweder, eu cysylltu yn baralel fel bo pob bwlb yn derbyn y 230 V llawn. Os caiff un ei symud ymaith, bydd y gweddill yn parhau i oleuo – cyfleus iawn.

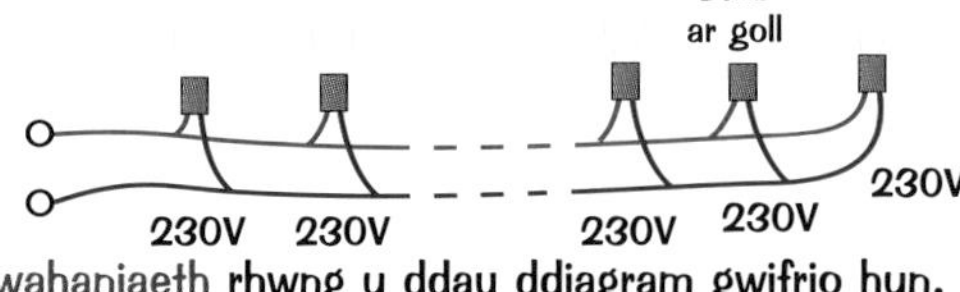

Gwnewch yn siŵr eich bod yn gwybod y gwahaniaeth rhwng y ddau ddiagram gwifrio hyn.

Cylchedau Cyfres – un peth ar ôl y llall ...

Maen nhw wir eisiau i chi wybod y gwahaniaeth rhwng cylchedau cyfres a chylchedau paralel. Nid yw mor anodd â hynny ond i chi ddysgu'r manylion i gyd. Dyna bwrpas y dudalen hon. Dysgwch yr holl fanylion, yna cuddiwch y dudalen a'u hysgrifennu. Yna ceisiwch eto ...

Cylchedau Paralel

Mae cylchedau paralel yn fwy synhwyrol o lawer na chylchedau cyfres, ac felly maen nhw'n fwy cyffredin.

Cylchedau Paralel – Annibyniaeth ac Arwahaniad

1) Mewn cylchedau paralel, mae pob cydran wedi'i chysylltu ar wahân â +if a –if y cyflenwad.
2) Os ydych yn symud ymaith neu'n datgysylltu un ohonyn nhw, prin iawn fydd yr effaith ar y gweddill.
3) Mae'n amlwg mai fel hyn y dylid cysylltu'r rhan fwyaf o bethau, er enghraifft mewn ceir ac yn y cartref. Dylech fedru cynnau a diffodd pethau ar wahân.

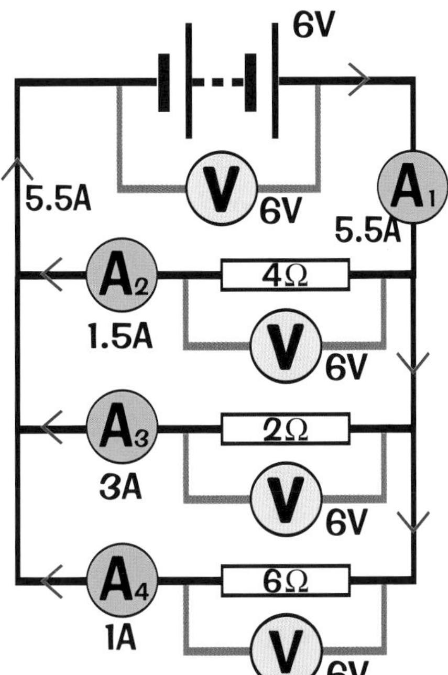

Mewn Cylchedau Paralel:

1) Mae pob cydran yn cael g.p. llawn y cyflenwad, felly mae'r foltedd yr un faint ar draws pob cydran.
2) Mae'r cerrynt trwy bob cydran yn dibynnu ar ei gwrthiant. Po leiaf yw'r gwrthiant, y mwyaf yw'r cerrynt sy'n llifo drwyddi.
3) Mae cyfanswm y cerrynt sy'n llifo o amgylch y gylched yn hafal i gyfanswm yr holl geryntau sydd yn y gwahanol ganghennau.
4) Mewn cylched baralel, mae cysylltau lle mae'r cerrynt naill ai'n hollti neu'n uno. Mae cyfanswm y cerrynt sy'n mynd i gyswllt bob amser yn hafal i gyfanswm y cerrynt sy'n ei adael – amlwg braidd.
5) Mae'n anodd cyfrifo cyfanswm gwrthiant y gylched, ond mae bob amser yn llai na'r gangen sydd â'r gwrthiant lleiaf.

Mae'r folteddau i gyd yn hafal i foltedd y cyflenwad: = 6V
Mae cyfanswm R yn llai na'r lleiaf, h.y. llai na 2 Ohm
Cyfanswm y Cerrynt (A1) = swm yr holl ganghennau = $A_2 + A_3 + A_4$

Cysylltu Foltmedrau ac Amedrau

1) Unwaith eto caiff y foltmedrau eu cysylltu yn baralel ar draws y cydrannau.
2) Gellir gosod amedr ym mhob cangen i fesur y gwahanol geryntau sy'n llifo trwy pob cangen, yn ogystal ag un yn agos i'r cyflenwad i fesur cyfanswm y cerrynt sy'n llifo allan ohono.

Mae Popeth Trydanol mewn Car wedi'i Gysylltu'n Baralel

Mae cysylltiad paralel yn hanfodol mewn car i gael y ddwy nodwedd hyn:

1) Gellir cynnau a diffodd popeth ar wahân.
2) Caiff popeth foltedd llawn o'r batri.

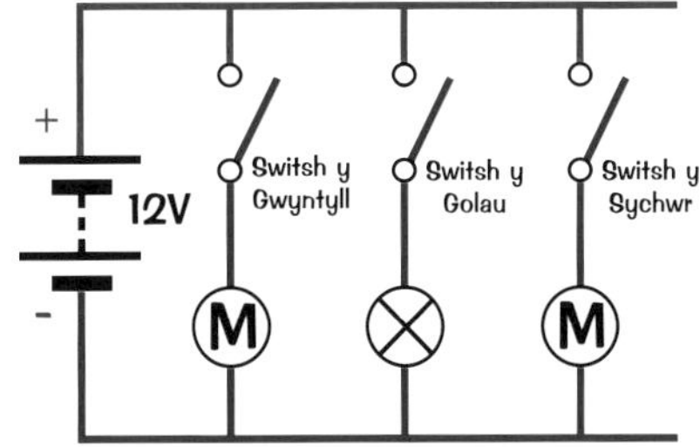

Yr unig effaith fechan yw pan fyddwch yn cynnau nifer o bethau bydd y golau'n pylu am na all y batri roi foltedd llawn ar gyfer llwyth trwm. Mae'r effaith yn fach iawn fel arfer. Gallwch weld yr un peth yn digwydd yn y cartref pan fyddwch yn cynnau'r tegell.

Cylchedau Trydan

Gwnewch yn siŵr eich bod yn gallu darlunio cylched baralel ac yn gwybod ei manteision. Dysgwch y pum pwynt pwysig a'r manylion ar gyfer cysylltu amedrau a foltmedrau, a hefyd pa ddwy nodwedd sy'n gwneud cysylltiad paralel yn hanfodol mewn car. Yna cuddiwch y dudalen a dechreuwch ysgrifennu ...

Trydan Statig

Mae trydan statig yn ymwneud â gwefrau nad ydynt yn rhydd i symud. Mae hyn yn achosi iddyn nhw gronni mewn un man ac yn aml ceir gwreichionen neu sioc pan fyddan nhw'n symud yn y diwedd.

1) Mae Ffrithiant yn Achosi i Statig Gronni

1) Pan gaiff dau ddefnydd ynysu eu rhwbio yn erbyn ei gilydd, caiff electronau eu crafu oddi ar un a'u rhoi ar y llall.
2) Bydd hyn yn gadael gwefr statig bositif ar y naill a gwefr statig negatif ar y llall.
3) Mae'r ffordd y mae'r electronau'n cael eu trosglwyddo yn dibynnu ar y ddau ddefnydd dan sylw.
4) Enghreifftiau clasurol yw rhodenni polythen ac asetad yn cael eu rhwbio â chadach o ddefnydd, fel y dangosir yn y diagram.

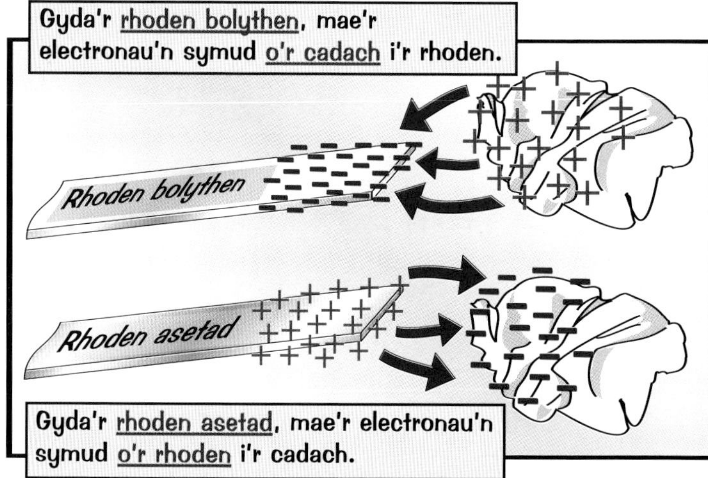

2) Dim ond Electronau sy'n Symud — Nid y Gwefrau Positif

Gwyliwch am hyn yn yr Arholiad. Caiff gwefrau electrostatig +if a hefyd rhai –if eu cynhyrchu bob amser o ganlyniad i symudiad electronau. Dydy gwefrau positif byth yn symud! Achosir gwefr statig bositif bob amser gan electronau yn symud i rywle arall, fel y dangosir uchod. Peidiwch ag anghofio hyn!

3) Mae Gwefrau Tebyg yn Gwrthyrru, mae Gwefrau Dirgroes yn Atynnu

1) Mae hyn yn hawdd ac, yn fy marn i, yn amlwg.
2) Bydd dau beth â gwefrau trydan dirgroes yn atynnu ei gilydd.
3) Bydd dau beth â'r un wefr drydan yn gwrthyrru ei gilydd.
4) Mae'r grymoedd hyn yn gwanhau y pellaf o'i gilydd y mae'r ddau beth – amlwg.

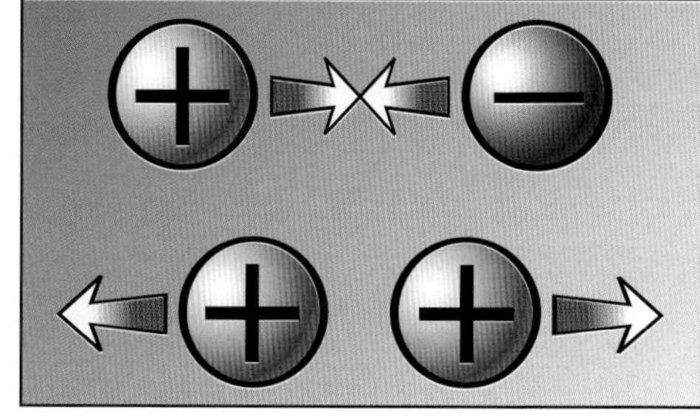

4) Wrth i Wefr Gronni, Felly Hefyd y Foltedd — Gan Achosi Gwreichion

1) Po fwyaf yw'r wefr ar wrthrych arunig, y mwyaf yw'r foltedd rhyngddo a'r Ddaear.
2) Os bydd y foltedd yn ddigon mawr bydd gwreichionen yn neidio ar draws y bwlch.
3) Oherwydd hyn gall ceblau foltedd uchel fod yn beryglus.

4) Mae yna achosion lle neidiodd gwreichion mawr o geblau uwchben i'r ddaear. Ond nid yn aml.
5) Gellir dadwefru dargludydd gwefredig yn ddiogel trwy ei gysylltu â'r ddaear â strap fetel.

Mae'n ddigon i godi gwallt eich pen ...

Yn gyntaf, dysgwch y pedwar pennawd nes gallwch eu hysgrifennu i gyd. Yna dysgwch fanylion pob un, a daliwch ati i guddio'r dudalen ac ysgrifennu pob pennawd a chynifer o'r manylion ag y gallwch eu cofio ar gyfer pob un. Dyfal donc ...

Trydan Statig – Enghreifftiau

Maen nhw'n hoff iawn o ofyn am enghreifftiau manwl yn yr Arholiad. Gwnewch yn siŵr eich bod yn dysgu'r manylion hyn i gyd.

Trydan Statig yn Gymorth:

1) Argraffydd Chwistrell

1) Caiff diferion bychan bach o inc eu gwthio trwy ffroenell fân, a bydd hyn yn eu gwefru'n drydanol.
2) Caiff y diferion eu hallwyro wrth deithio rhwng dau blât metel. Gosodir foltedd ar draws y platiau – mae un yn negatif a'r llall yn bositif.
3) Caiff y diferion eu hatynnu at y plât sydd â gwefr dirgroes a'u gwrthyrru gan y plât â'r un wefr.
4) Caiff maint a chyfeiriad y foltedd ar draws y ddau blât ei newid, a chaiff pob diferyn ei allwyro i daro gwahanol fan ar y papur.
5) Mae nifer fawr o ddiferion bychan bach yn creu'r print. Clyfar.

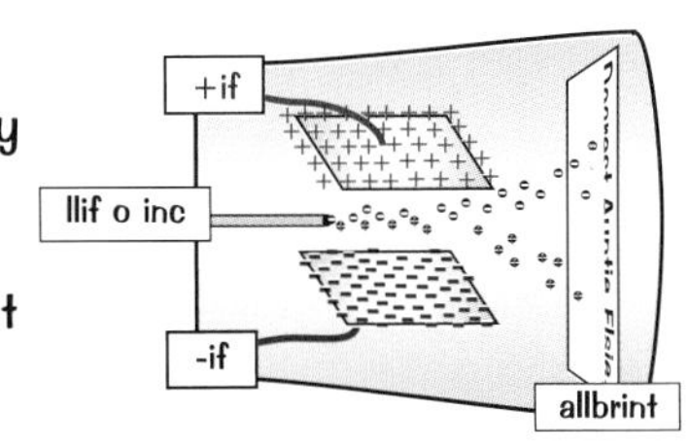

2) Peiriant Llungopïo:

1) Mae'r plât metel wedi'i wefru'n drydanol. Caiff delwedd o'r hyn rydych yn ei gopïo ei daflunio arno.
2) Mae'r rhannau mwy gwyn o'r peth rydych yn ei gopïo yn peri i oleuni ddisgyn ar y plât ac mae'r wefr yn dianc.
3) Mae'r darnau sydd wedi'u gwefru yn denu powdr du, a gaiff ei drosglwyddo i'r papur.
4) Caiff y papur ei wresogi, felly mae'r powdr yn glynu wrtho.
5) Voilà, llungopi o'ch darn o bapur (neu beth bynnag arall rydych wedi ei osod yn y peiriant).

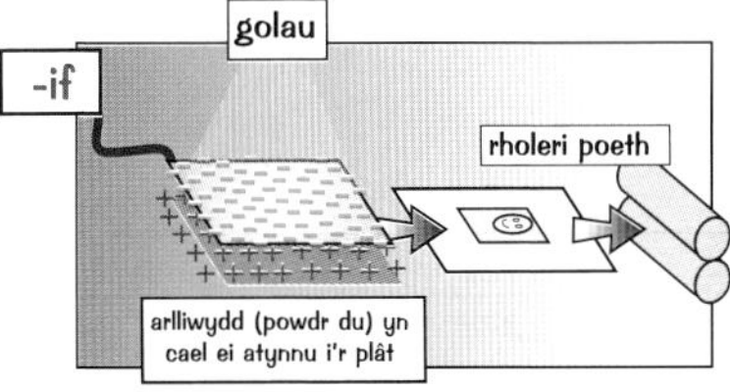

3) Chwistrellu Paent a Glanhau Simneiau ...

Dyma ddibenion eraill, ond peiriannau llungopïo ac argraffwyr chwistrell yw'r pethau maen nhw wir am i chi eu dysgu.

Trydan Statig yn Chwarae Triciau:

1) Siociau Car

Gall aer yn rhuthro heibio eich car roi iddo wefr +if. Pan ewch allan a chyffwrdd â'r drws, fe gewch sioc – yn yr Arholiad cofiwch ddweud bod "electronau yn llifo o'r ddaear, trwyddoch chi, i niwtralu'r wefr +if ar y car." Mae gan rai ceir stribedi rwber dargludol sy'n hongian y tu ôl i'r car. Mae hyn yn rhoi dadwefriad diogel i'r ddaear – ond yn difetha'r hwyl.

2) Dillad yn Craclo

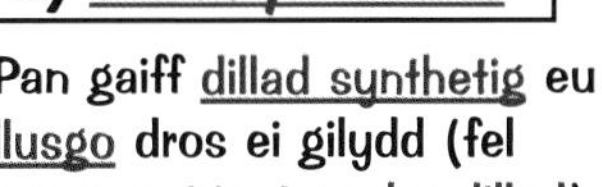

Pan gaiff dillad synthetig eu llusgo dros ei gilydd (fel mewn peiriant sychu dillad) neu dros eich pen, caiff electronau eu crafu ymaith, gan adael gwefr statig ar y ddwy ran. Mae hyn yn arwain at yr anochel – atyniad (maen nhw'n glynu wrth ei gilydd) a gwreichion/siociau wrth i'r gwefrau aildrefnu eu hunain.

Trydan Statig yn Creu Terfysg:

1) Mellt

Mae diferion glaw yn disgyn i'r Ddaear â gwefr bositif. Mae hyn yn creu foltedd enfawr a gwreichionen fawr.

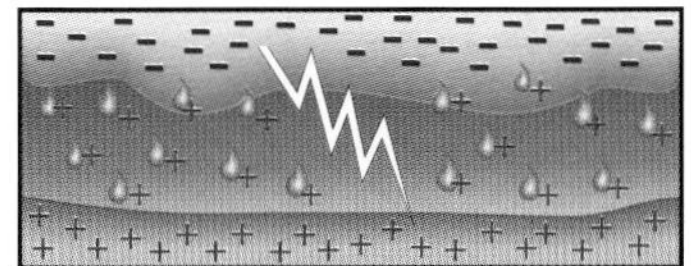

2) Cafnau Grawn, Rholeri Papur a Hunllef Llenwi â Thanwydd:

1) Wrth i danwydd lifo allan o bibell lenwi, neu i bapur lusgo dros roleri, neu i rawn saethu allan o gafn, yna gall statig gronni.
2) Gall hyn arwain at wreichionen, a mewn lleoedd llychlyd neu llawn mygdarth – CLEC!
3) Yr ateb: gwneud y ffroenellau neu'r rholeri o fetel fel y caiff y wefr ei dargludo ymaith, yn hytrach na chrynhoi.
4) Mae strapiau daearu rhwng y tanc tanwydd a'r bibell danwydd hefyd yn syniad da.

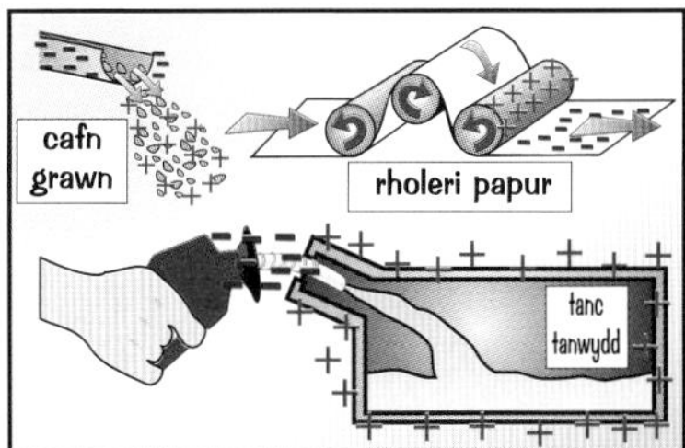

Trydan Statig – dysgwch y gwir gwefreiddiol ...

Mae gwir angen i chi ddysgu'r ddwy enghraifft ar ben y dudalen. Mae pob bwrdd arholi yn sôn am beiriannau llungopïo ac argraffyddion chwistrell felly mae'n siŵr y bydd cwestiwn arnyn nhw. Mae hyd yn oed yn berthnasol i fywyd pob dydd. Dysgwch y pwyntiau sydd wedi'u rhifo a'u hysgrifennu i'w gwirio.

Y Prif Gyflenwad Trydan – Plygiau a Ffiwsiau

Wyddech chi ... fod trydan yn beryglus. Fe all eich lladd. Byddwch yn ofalus, dyna'r cyfan.

Peryglon yn y Cartref – Gwaredwch Nhw cyn iddyn Nhw eich Gwaredu Chi

Yn yr arholiad mae'n bosib y cewch lun o ystafell mewn cartref ag amryw o beryglon trydanol megis plant â'i bysedd mewn socedi a phethau tebyg. Bydd gofyn i chi restru'r holl beryglon. Dylai synnwyr cyffredin eich helpu, ond bydd o werth i chi ddysgu'r canlynol:

1) Ceblau hir neu geblau wedi gwisgo/treulio.
2) Ceblau yn cyffwrdd â rhywbeth poeth neu wlyb.
3) Cwningod anwes neu blant (bob amser yn creu perygl).
4) Dŵr yn agos i socedi, neu wthio pethau i mewn i socedi.
5) Plygiau diffygiol, neu ormod o blygiau mewn un soced.
6) Socedi golau heb fylbiau ynddyn nhw.
7) Offer heb gaead neu orchudd arnyn nhw.

Plygiau a Cheblau – Dysgwch y Nodweddion Diogelwch

Gwifrio'n Gywir:

1) Gwnewch yn siŵr bod y wifren lliw cywir ym mhob pin wedi'i sgriwio'n dynn.
2) Dim gwifrau noeth yn dangos y tu mewn i'r plwg.
3) Y stribed dal cebl wedi'i osod yn dynn am yr haen allanol.

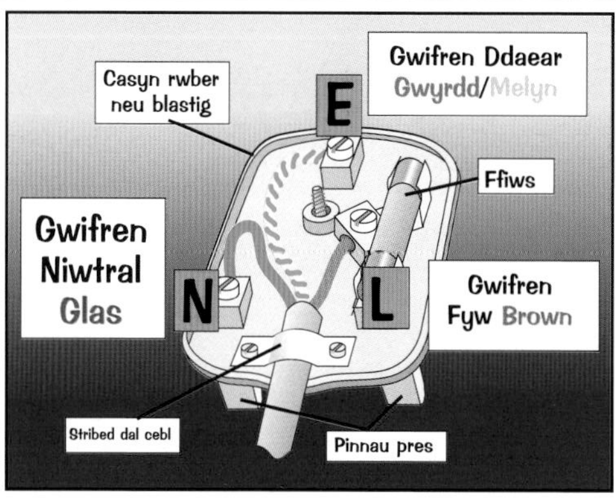

Nodweddion y Plwg:

1) Mae'r rhannau metel wedi'u gwneud o gopr neu bres gan eu bod yn ddargludyddion da iawn.
2) Mae'r casyn, y stribed dal cebl ac ynysydd y cebl i gyd wedi'u gwneud o blastig gan ei fod yn ynysydd da iawn a hefyd yn ystwyth.
3) Mae hyn oll yn cadw'r trydan i lifo lle y dylai.

Mae Daearu a Ffiwsiau yn Atal Tân a Sioc

Mae'r WIFREN FYW yn eiledu rhwng FOLTEDD +IF A –IF UCHEL, gyda gwerth cyfartalog o 230V. Mae'r WIFREN NIWTRAL bob amser ar 0 V. Fel arfer mae'r trydan yn llifo i mewn ac allan trwy'r gwifrau byw a niwtral yn unig. Mae'r WIFREN DDAEAR a'r ffiws (neu dorrwr y gylched) yno er diogelwch, ac maen nhw'n cydweithio fel hyn:

1) Os digwydd nam a bydd y wifren fyw rywfodd yn cyffwrdd â'r casyn metel, yna, gan fod y casyn wedi'i ddaearu, bydd cerrynt mawr yn llifo i mewn trwy'r wifren fyw, trwy'r casyn ac allan trwy'r wifren ddaear.
2) Bydd ymchwydd yn y cerrynt yn chwythu'r ffiws (neu'n tripio torrwr y gylched), a fydd yn torri'r cyflenwad byw.
3) Mae hyn yn arunigo'r teclyn cyfan gan ei wneud yn amhosibl i gael sioc drydanol o'r casyn. Mae hefyd yn atal tân allai gael ei achosi gan effaith wresogi cerrynt mawr.
4) Dylai cyfraddau ffiwsiau fod mor agos â phosib ond ychydig yn uwch na'r cerrynt gweithredu arferol (gweler T.9).

TOSTIWR
coil gwresogi
Nam
Yn caniatáu i'r wifren fyw gyffwrdd â'r casyn metel
Cerrynt mawr yn llifo allan trwy'r ddaear
Ymchwydd cerrynt yn llifo i'r ddaear
Ymchwydd mawr yn y cerrynt yn chwythu'r ffiws ...
... sydd yn arunigo'r ddyfais o'r wifren fyw
pop
diogel

Rhaid "daearu" pob teclyn sydd â chasyn metel er mwyn osgoi cael sioc drydanol. Ystyr "daearu" yw bod y casyn metel wedi'i gysylltu â'r wifren ddaear yn y cebl. Os oes gan y teclyn gasyn plastig, a does dim darnau metel i'w gweld, yna mae ganddo ynysiad dwbl. Does dim angen gwifren ddaear ar unrhyw beth sydd ag ynysiad dwbl, dim ond gwifrau byw a niwtral.

Mae rhai pobl mor ddiofal wrth ddefnyddio trydan ...

Gwnewch yn siŵr y gallwch restru'r peryglon i gyd yn y cartref, a hefyd eich bod yn gwybod sut i wifrio plwg. Yn bwysicach oll, gwnewch yn siŵr eich bod yn deall sut mae daearu a ffiwsiau yn cydweithio i wneud pethau'n ddiogel. Wedi ei ddysgu i gyd? Da iawn. Cuddiwch y dudalen ac ysgrifennwch bopeth i lawr.

Y Grid Cenedlaethol

1) Y Grid Cenedlaethol yw'r rhwydwaith o beilonau a cheblau sy'n estyn dros y wlad i gyd.
2) Mae'n cludo trydan o'r gorsafoedd pŵer, i'r union fannau y mae ei angen mewn cartrefi a diwydiant.
3) Gellir cynhyrchu pŵer yn unrhyw fan ar y grid, ac yna ei gyflenwi mewn mannau eraill ar y grid.

Mae pob Gorsaf Bŵer yn Debyg Iawn i'w Gilydd

Mae gan bob un foeler o ryw fath, sy'n cynhyrchu ager sy'n gyrru tyrbin sy'n gyrru generadur. Mae'r generadur yn cynhyrchu trydan (trwy anwythiad) trwy gylchdroi electromagnet y tu mewn i goiliau o wifren (gweler T.18).

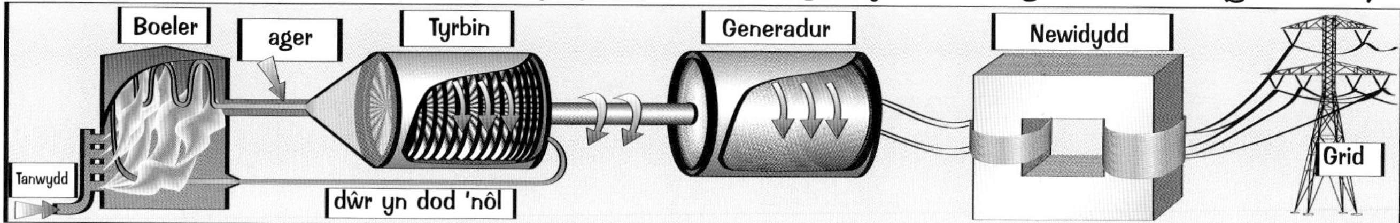

Dysgwch holl elfennau'r grid cenedlaethol – gorsafoedd pŵer, newidyddion, peilonau, ac ati:

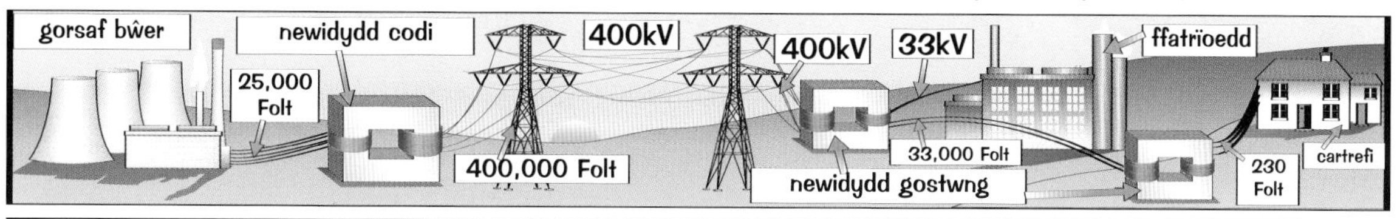

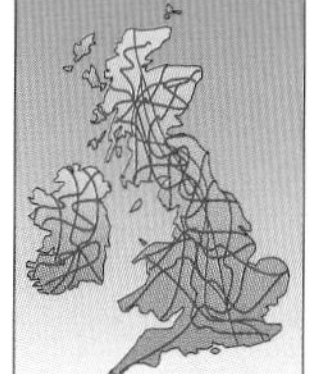

Mae Ceblau Peilon ar 400,000 V i gadw'r Cerrynt yn Isel

Mae angen i chi ddeall pam mae'r foltedd mor uchel a pham CE ydyw. Dysgwch y canlynol:

1) Y fformiwla ar gyfer pŵer a gyflenwir yw: Pŵer = Foltedd × Cerrynt neu: P = V × I.
2) Felly i drawsyrru llawer o bŵer, mae angen naill ai foltedd uchel neu gerrynt uchel.
3) Y broblem â cherrynt uchel yw'r golled (ar ffurf gwres) o ganlyniad i wrthiant y ceblau.
4) Y fformiwla ar gyfer y pŵer a gollir oherwydd gwrthiant y ceblau yw: $P = I^2R$.
5) Oherwydd y rhan I^2, os yw'r cerrynt 10 gwaith yn fwy, bydd y colledion 100 gwaith yn fwy.
6) Mae'n rhatach codi'r foltedd i 400,000 V a chadw'r cerrynt yn isel iawn.
7) I wneud hyn, mae angen newidyddion yn ogystal â pheilonau mawr ag ynysyddion mawr, ond mae'n dal i fod yn rhatach.
8) Rhaid i'r neiwdyddion godi'r foltedd yn un pen, i'w drawsyrru'n effeithlon, ac yna ei ostwng i lefelau defnyddio diogel yn y pen arall.
9) Dyma pam mae'n rhaid cael CE ar y Grid Cenedlaethol – fel bo'r neiwdyddion yn gweithio!
10) Mae prif gyflenwad trydan eich cartref yn CE 50 Hz – mae'r foltedd yn newid cyfeiriad 50 gwaith bob eiliad.

Cyfrifo Pŵer Trydanol a Chyfraddau Ffiwsiau

1) Y fformiwla sylfaenol ar gyfer pŵer trydanol yw: $P = VI$
2) O gyfuno hon â $V = I \times R$, gan roi "I × R" yn lle "V" cewch: $P = I^2R$
3) Os defnyddiwch $V = I \times R$, gan roi "V/R" yn lle "I" yn hytrach, cewch: $P = V^2/R$
4) Rydych yn dewis pa un o'r fformiwlâu hyn i'w defnyddio, trwy weld pa un sy'n cynnwys y tri mesur sydd yn y broblem dan sylw.

Cyfrifo Cyfraddau Ffiwsiau – Defnyddiwch y Fformiwla "P = VI" Bob Tro

Dangosir ar y rhan fwyaf o offer trydanol eu cyfradd pŵer a'u cyfradd foltedd. I benderfynu pa ffiws sydd ei angen, bydd rhaid cyfrifo'r cerrynt y mae'r teclyn fel arfer yn ei ddefnyddio. Defnyddiwch "P = VI", neu, yn hytrach, "I = P/V".

Enghraifft: Cyfradd peiriant sychu gwallt yw 240 V, 1.1 kW. Darganfyddwch y ffiws sydd ei angen.

Ateb: I = P/V = 1100/240 = 4.6 A. Fel arfer, dylai cyfradd y ffiws fod ychydig yn uwch na'r cerrynt arferol, felly bydd ffiws 5 A yn ddelfrydol yma.

400,000 Folt? – gwefreiddiol ...

Mae nifer o fanylion cymhleth ar y dudalen hon. Mae'r orsaf bŵer a'r Grid Cenedlaethol yn ddigon hawdd, ond mae egluro'n llawn pam mae ceblau peilon ar 400,000 Folt ychydig yn fwy anodd – ond rhaid i chi ei ddysgu. Mae'r un peth yn wir am y fformiwlâu pŵer a chyfrifo cyfraddau ffiwsiau. Pob lwc!

Pris Trydan yn y Cartref

Trydan yw'r ffurf fwyaf defnyddiol o egni o'r hanner. O'i gymharu â nwy, olew a glo ac ati, mae'n llawer haws ei drawsnewid yn un o'r pedwar prif fath o egni defnyddiol: Gwres, golau, sain a mudiant.

Darllen eich Mesurydd Trydan a Chyfrifo'r Bil

Ydy, mae hyn yn y maes llafur. Peidiwch â gofyn pam, mae'n annhebygol y bydd angen i chi ei wneud byth eto!

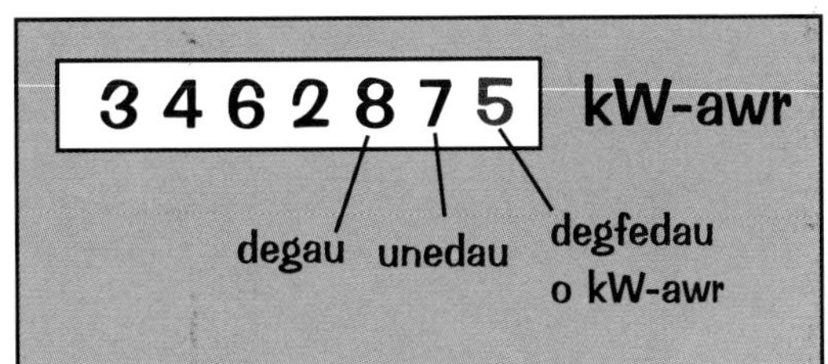

Mae'r darlleniad ar eich mesurydd yn dangos cyfanswm nifer yr unedau (kW-awr) a ddefnyddiwyd ers i'r mesurydd gael ei osod. Caiff pob bil ei gyfrifo ar y cynnydd yn y darlleniad ers iddo gael ei ddarllen ddiwethaf ar gyfer y bil blaenorol.
Bydd angen i chi astudio'r bil hwn nes byddwch yn gwybod beth yw pwrpas pob rhan a sut mae'n gweithio. Galloch gael un tebyg mewn arholiad.

Bil Trydan

Darlleniad blaenorol	345412.3
Darlleniad yma	346287.5
Nifer yr unedau a ddefnyddiwyd	875.2
Cost yr uned	6.3c
Cost y trydan a ddefnyddiwyd (875.2 uned × 6.3c)	£55.14c
Tâl sefydlog am y chwarter	£7.50
Cyfanswm y bil	£62.64
TAW @ 8%	£5.01
Cyfanswm terfynol	**£67.65**

Cilowat-awr (kW-awr) yw "UNEDAU" Egni

1) Mae eich mesurydd trydan yn cyfrif nifer yr "UNEDAU" a ddefnyddiwydd.
2) Enw'r "UNED" yw cilowat-awr, neu kW-awr.
3) Hwyrach bod "kW-awr" yn swnio fel uned o egni, ond nid dyna ydyw – mae'n swm o egni.

CILOWAT-AWR yw swm yr egni trydanol y mae TECLYN 1 kW yn ei ddefnyddio mewn 1 AWR.

4) Gwnewch yn siŵr y gallwch newid 1 kW-awr yn 3,600,000 Joule fel hyn

"E=P × t" = 1kW × 1 awr = 1000 W × 3,600 eiliad = 3,600,000 J (=3.6 MJ)

(Y fformiwla yw "Egni = Pŵer × amser", a rhaid trawsnewid yr unedau yn gyntaf i SI. Gweler T.12, 13 ac 14)

Y Ddwy Fformiwla Hawdd ar gyfer Cyfrifo Cost Trydan

Mae'n siŵr mai dyma'r ddwy fformiwla fwyaf hawdd ac amlwg y dowch ar eu traws:

UNEDAU (kW-awr) a ddefnyddiwyd = PŴER (mewn kW) × AMSER (mewn oriau) — Unedau = kW × oriau

COST = Nifer yr UNEDAU × PRIS yr UNED — Cost = Unedau × Pris

ENGHRAIFFT: Cyfrifwch gost goleuo bwlb trydan am a) 30 munud b) un flwyddyn.

ATEB: a) Nifer yr unedau = kW × oriau = 0.06 kW × ½ awr = 0.03 uned.
Cost = Unedau × pris yr uned (6.3c) = 0.03 × 6.3c = 0.189c am 30 mun.

b) Nifer yr unedau = kW × oriau = 0.06 kW × (24 x 365) awr = 525.6 uned.
Cost = Unedau × pris yr uned (6.3c) = 525.6 × 6.3c = £33.11 am flwyddyn.

D.S. Newidiwch y pŵer yn kW (nid Watiau) a'r amser yn oriau (nid munudau).

Ydych chi wedi gweld y golau eto?

Mae tair rhan ar y dudalen hon, a rhaid i chi ddysgu pob un. Dysgwch y penawdau yn gyntaf, yna ceisiwch gofio'r manylion sydd o dan bob pennawd. Yna cuddiwch y dudalen ac ysgrifennwch bopeth rydych yn ei wybod. Ewch 'nôl i weld beth rydych wedi ei golli, yna ceisiwch eto. Ac eto.

Symbolau Cylched a Dyfeisiau

Rhaid i chi wybod pob un o'r symbolau cylched hyn ar gyfer yr Arholiad.

Symbolau Cylched y Dylech eu Gwybod:

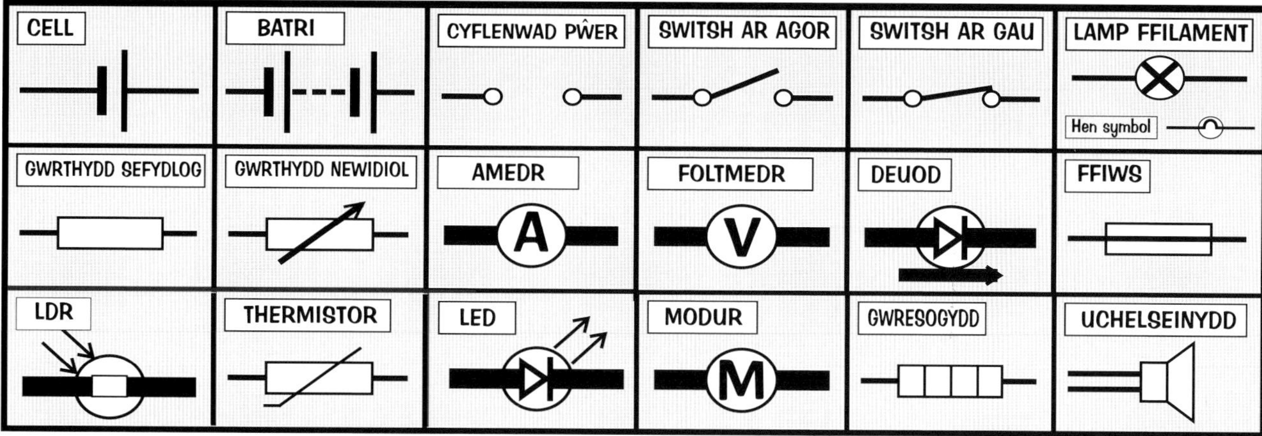

1) Gwrthydd Newidiol

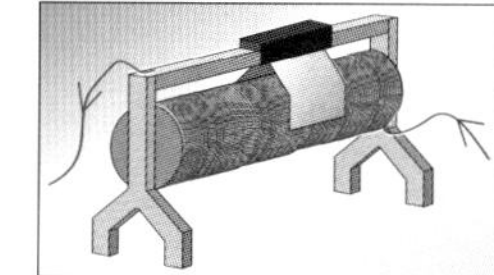

1) Gwrthydd y gellir ei newid trwy droi nobyn neu rywbeth tebyg.
2) Coiliau mawr o wifren â llithrydd yw'r math hen ffasiwn.
3) Mae'n nhw'n dda ar gyfer newid y cerrynt sy'n llifo trwy gylched. Trowch y gwrthiant i fyny ac mae'r cerrynt yn gostwng. Trowch y gwrthiant i lawr ac mae'r cerrynt yn codi.

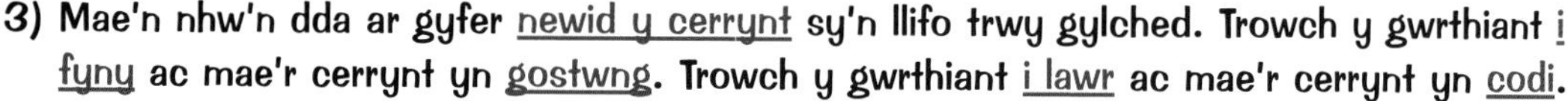

2) "Deuod Lled-ddargludol" neu dim ond "Deuod"

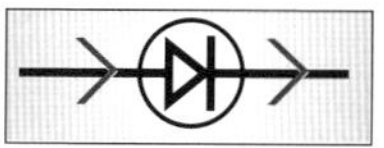

Dyfais arbennig wedi'i gwneud o ddefnydd lled-ddargludol megis silicon. Mae'n caniatáu i gerrynt lifo trwyddo i un cyfeiriad, ond nid i'r cyfeiriad arall (h.y. mae yna wrthiant uchel iawn i'r cyfeiriad gwrthdro). Mae hyn yn ddefnyddiol iawn mewn cylchedau electronig.

3) Deuod Allyrru Golau neu "LED" (light emitting diode)

1) Deuod sy'n cynhyrchu golau. Mae'n caniatáu i gerrynt lifo trwyddo i un cyfeiriad yn unig.
2) Pan fydd cerrynt yn llifo trwyddo, mae'n gyrru allan golau coch, neu wyrdd neu felyn.
3) Fel arfer mae gan stereos nifer o LEDau bach sy'n goleuo i sain cerddoriaeth.

4) Gwrthydd Golau-ddibynnol neu "LDR" (light dependent resistor)

1) Mewn golau llachar, mae'r gwrthiant yn gostwng.
2) Mewn tywyllwch, mae'r gwrthiant ar ei uchaf.
3) Mae hyn yn golygu ei bod yn ddyfais ddefnyddiol mewn cylchedau electronig e.e. goleuadau nos awtomatig; canfodyddion lladron

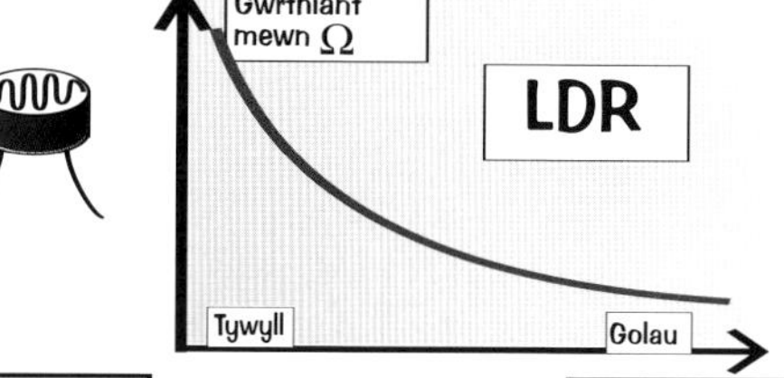

5) Thermistor (Gwrthydd Tymheredd-ddibynnol)

1) Dan amodau poeth, mae'r gwrthiant yn gostwng.
2) Dan amodau claear, mae'r gwrthiant yn mynd yn fwy.
3) Mae thermistorau yn ganfodyddion tymheredd defnyddiol, e.e. synwyryddion tymheredd peiriant car a thermostatau gwres canolog.

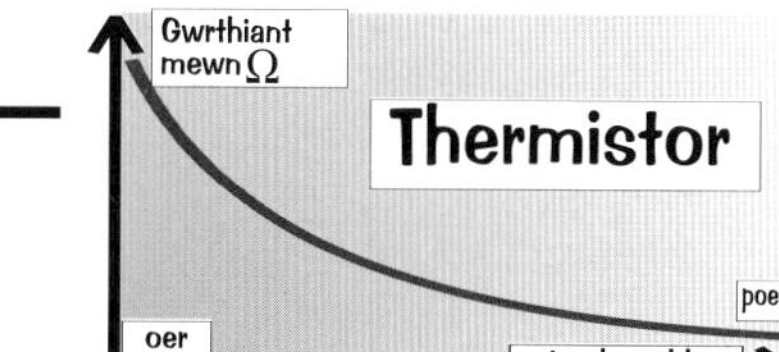

"Deuod" – nid yr athro Ffiseg, Dai Od ...

Tudalen arall o fanylion elfennol, ond pwysig, am gylchedau trydanol. Mae angen i chi wybod pob un o'r symbolau cylched hyn yn ogystal â'r manylion ychwanegol am y tair dyfais arbennig. Pan rydych yn credu eich bod wedi dysgu'r cwbl, cuddiwch y dudalen ac ysgrifennwch. Os oes angen, ceisiwch eto.

Symbolau, Unedau a Fformiwlâu

Mae hyn i gyd yn elfennol iawn, ac mae angen i chi ei ddysgu'n drylwyr. Os na wnewch chi, bydd ceisio gwneud unrhyw waith Ffiseg arall yn debyg i geisio ysgrifennu stori heb ddysgu'r wyddor yn gyntaf. Os casgliad o symbolau rhyfedd a nonsens yw hyn i gyd i chi, yna ni fydd Ffiseg yn dod yn rhwydd i chi o gwbl. Dyma'r wyddor Ffiseg, a hebddi ... gwae chi!

	Mesur	Symbol	Unedau Safonol	Fformiwla
1	Gwahaniaeth Potensial	V	Folt, V	$V = I \times R$
2	Cerrynt	I	Amper, A	$I = V / R$
3	Gwrthiant	R	Ohm, Ω	$R = V / I$
4	Gwefr	Q	Coulomb, C	$Q = I \times t$
5	Pŵer	P	Wat, W	$P = V \times I$ neu $P = I^2 R$
6	Egni	E	Joule, J	$E = QV$ neu $V = E/Q$
7	Amser	t	Eiliad, s	$E = P \times t$ neu $E = IVt$
8	Grym	F	Newton, N	$F = ma$
9	Màs	m	Cilogram, kg	
10	Pwysau (grym)	W	Newton, N	$W = mg$
11	Dwysedd	D	kg y m^3, kg/m^3	$D = m/V$
12	Moment	M	Newton-metr, Nm	$M = F \times r$
13	Cyflymder neu Buanedd	v neu s	metr/eiliad, m/s	$s = d/t$
14	Cyflymiad	a	metr/eiliad ^{2}, m/s^2	$a = \Delta v/t$ neu $a = F/m$
15	Gwasgedd	P	Pascal, Pa (N/m^2)	$P = F/A$
16	Arwynebedd	A	metr ^{2}, m^2	$P_1 V_1 = P_2 V_2$
17	Cyfaint	V	metr ^{3}, m^3	
18	Amledd	f	Hertz, Hz	$f = 1/T$ (T=cyfnod amser)
19	Tonfedd	λ neu d	metr, m	$v = f \times \lambda$ (fformiwla ton)
20	Gwaith a wneir	Wd	Joule, J	$Wd = F \times d$
21	Pŵer	P	Wat, W	$P = Wd / t$
22	Egni Potensial	EP	Joule, J	$EP = m \times g \times h$
23	Egni Cinetig	EC	Joule, J	$EC = \frac{1}{2}mv^2$

Mae effeithlonedd hefyd, sydd heb unedau:

$$\text{Effeithlonedd} = \frac{\text{Gwaith defnyddiol a allbynnir}}{\text{Cyfanswm yr egni a fewnbynnir}}$$

Ffiseg – mae'n wych ...

Mae'r dasg yn hawdd. Peidiwch â chuddio'r golofn "Mesur", ond cuddiwch y lleill i gyd. Yna llenwch y tair colofn ar gyfer pob mesur: "Symbol", "Unedau", "Fformiwla". Yna daliwch ati i ymarfer nes y gallwch wneud y cyfan. Mae hwn yn waith pwysig iawn. Felly ewch ati.

Defnyddio Fformiwlâu

Dydy Fformiwlâu ddim Cynddrwg â hynny – yr un yw'r Drefn Bob Amser

1) Yr hyn sy'n rhaid cofio wrth ddefnyddio fformiwlâu mewn Ffiseg, yw bod y drefn bob amser yr un fath.
2) Ar ôl i chi ddysgu sut i drin un fformiwla, gallwch drin unrhyw un arall.
3) Ac mae hynny'n gwneud pethau dipyn yn haws.
4) Wrth gwrs mae yna bob amser rywun sy'n gwneud môr a mynydd o bethau.
5) Dewch i ni ddechrau'n araf deg ...

Mae Trionglau Fformiwla yn Eithaf Defnyddiol i Gael Pethau'n Iawn

1) Mae'n bosib rhoi pob fformiwla y dowch ar ei thraws mewn Ffiseg mewn triongl fformiwla.
2) Mae'n bwysig eich bod yn dysgu sut i roi unrhyw fformiwla mewn triongl.
3) Mae yna ddwy reol hawdd iawn:

1) Os "$A = B \times C$" yw'r fformiwla, yna rhaid rhoi A ar y top a bydd $B \times C$ yn mynd ar y gwaelod.
2) Os "$A = B/C$" yw'r fformiwla, yna rhaid rhoi B ar y top (gan mai dyna'r unig ffordd y ceir "B wedi'i rannu â rhywbeth"), ac wrth gwrs bydd rhaid i A ac C fynd ar y gwaelod.

Tair Enghraifft Fach o Roi Fformiwlâu mewn Trionglau Fformiwla:

Mae $V = I \times R$ yn newid yn:

Mae $W = mg$ yn newid yn:

Mae $P = F/A$ yn newid yn:

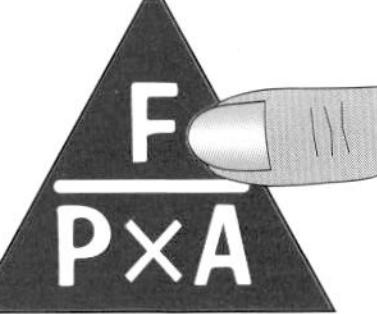

Defnyddio Fformiwlâu – Y Pum Rheol Syml

1) **DARGANFYDDWCH Y FFORMIWLA GYWIR** sy'n cynnwys yr hyn **RYDYCH CHI EISIAU EI DDARGANFOD** ynghyd â **DAU BETH ARALL** rydych yn gwybod eu **GWERTHOEDD**.
2) **NEWIDIWCH** y fformiwla hon yn **DRIONGL FFORMIWLA**.
3) **RHOWCH** y rhifau i mewn – a **CHYFRIFWCH** yr ateb.
4) **MEDDYLIWCH YN OFALUS** am yr **UNEDAU**.
5) **GWIRIWCH** fod yr ateb yn **SYNHWYROL**.

Fformiwlâu ... gwych!

Mae fformiwlâu Ffiseg yn ailadroddus iawn. Rhaid i chi gofio eu bod i gyd yr un peth yn eu hanfod. Ar y dudalen hon ceir rheolau syml a fydd yn caniatáu i rywun gyfrifo'r atebion heb wybod unrhyw beth o gwbl am Ffiseg. Ar y dudalen nesaf cewch gyfle i weld enghreifftiau, ond yn gyntaf ... dysgwch y rheolau. Daliwch ati hyd nes y gallwch guddio'r dudalen ac ysgrifennu'r cyfan.

Defnyddio Fformiwlâu – Enghraifft

Enghraifft Syml i Ddangos y Dull:

ENGHRAIFFT: Mae gan fochdew enfawr o'r Lleuad fàs o 130 kg. Cyfrifwch ei bwysau ar y Lleuad os yw gwerth "g" yno yn 1.6 N/kg.

ATEB:

1) Darganfyddwch y FFORMIWLA.
Y tri pheth y soniwyd amdanynt yw: màs, pwysau a "g".
Dylai hynny eich atgoffa ar unwaith o'r fformiwla: $W = mg$.

2) Nawr newidiwch hwn yn DRIONGL FFORMIWLA:
Ystyr $W = mg$ yw $W = m \times g$, felly dyma'r triongl:

3) Rydym eisiau darganfod y pwysau, felly cuddiwch W.
Mae hynny'n gadael $m \times g$ yn dangos – felly mae gennym: $W = m \times g = 130 \times 1.6 =$ 208 N
A dyna ni – yr ateb. Hawdd yntê! Nawr, dau beth pwysig iawn:

4) Beth am yr UNEDAU? Wel, roedd y màs mewn kg, sef unedau arferol màs.
Rhoddwyd "g" mewn N/kg sydd, fel y gwyddoch, hefyd yn unedau (SI) arferol.
Felly, dylai'r gwerth ar gyfer y pwysau fod yn yr unedau SI arferol ar gyfer pwysau, sef N.
Gan mai dyna oedd gennym yn yr ateb, mae popeth yn edrych yn iawn o ran yr unedau.

5) A yw'r ateb yn SYNHWYROL? Wel, dydy hynny ddim mor hawdd i weld.
Yn yr achos hwn, fodd bynnag, dylech fedru cytuno nad yw 208 N llawer yn rhy fawr ac nad yw llawer yn rhy fach. Felly ydy, o ran hynny mae'n eithaf synhwyrol.
Byddai atebion tebyg i 208,000 N neu 2.08 N yn achosi ychydig o bryder, yna byddech chi'n mynd nôl i wirio'r cyfrifiadau i weld a ydych chi wedi gwneud rhywbeth gwirion. Oni fyddech ...

Ac yn Olaf – Gofalwch am yr Unedau

Unwaith rydych chi'n deall trionglau fformiwla, dim ond un peth sydd ar ôl i boeni yn ei gylch, sef yr unedau. Mae yna ddau beth sy'n rhaid i chi gadw mewn golwg:

1) Gwnewch yn siŵr bod y rhifau rydych yn eu rhoi yn y fformiwla mewn UNEDAU (SI) SAFONOL.
2) Gwnewch yn siŵr bod gan yr ateb yr unedau cywir pan ydych yn ei ysgrifennu.

Pedair enghraifft bwysig:

Rhaid newid 500 g yn 0.5 kg.
Rhaid newid 4 munud yn 240 eiliad.
Rhaid newid 700 kJ yn 700,000 J.
Rhaid newid 145 cm yn 1.45 m.

1) Ac mae hyn i gyd yn wir ar gyfer pob uned arall hefyd.

2) Rhaid i chi sicrhau eu bod mewn unedau SI cyn eu rhoi yn y fformiwla.

3) Os na rowch chi unedau SI i mewn, chewch chi ddim unedau SI allan – a gall hyn fod yn gymhleth os nad ydych yn gwybod beth rydych yn ei wneud. A dydych chi ddim wrth gwrs. Unedau SI, felly.

Ffiseg – dim byd ond Mathemateg ...

Ffiw. Dyna ni felly. Y Dull Pum Cam Di-feth o wneud cwestiynau ar fformiwlâu. Gwnewch y cwestiynau hyn i weld a ydych wedi ei ddeall yn iawn:

1) Cyfanswm màs gofodwr a bochdew gwallgo o'r Lleuad yw 212 g. Beth yw'r pwysau?
2) Mae batri 6 V yn cyflenwi cerrynt o 2 A trwy wrthydd. Beth yw gwerth y gwrthydd?
3) Beth yw'r gwaith a wneir wrth i rym o 20 N weithredu trwy bellter o 5.3 m.

Atebion ar T.90

Meysydd Magnetig

Mae gan faes magnetig ddiffiniad pendant, a dylech ei ddysgu:

Maes magnetig yw'r ardal lle mae defnyddiau magnetig (megis haearn a dur) a hefyd gwifrau sy'n cludo cerrynt yn goddef grym yn gweithredu arnyn nhw.

Dysgwch y Diagramau hyn o Feysydd Magnetig, a Chyfeiriadau'r Saethau

Rydych yn debygol iawn o gael un o'r diagramau hyn yn yr Arholiad. Felly gwnewch yn siŵr eich bod yn eu gwybod, yn enwedig i ba gyfeiriad mae'r saethau'n pwyntio – bob amser o'r Gogledd i'r De!

Barfagnet

Solenoid

Yr un maes â barfagnet ar y tu allan.

Maes cryf ac unffurf ar y tu mewn.

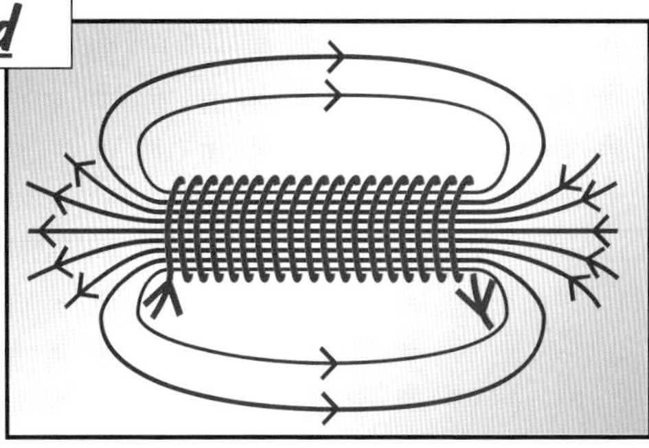

Dau Farfagnet yn Atynnu

Mae polau dirgroes yn atynnu, fel y gwyddoch.

Dau Farfagnet yn Gwrthyrru

Mae polau tebyg yn gwrthyrru, fel y gwyddoch.

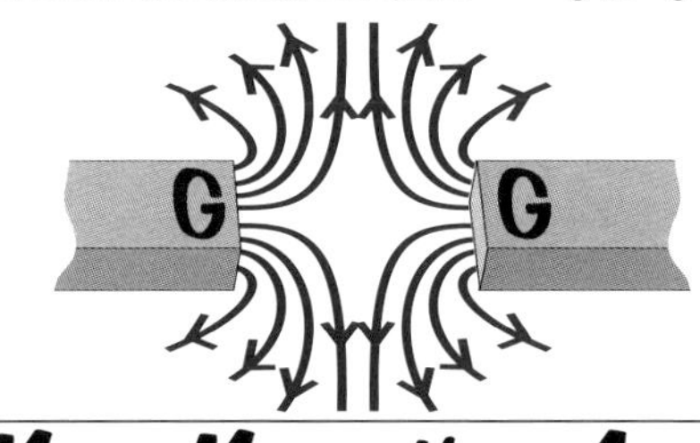

Maes Magnetig y Ddaear

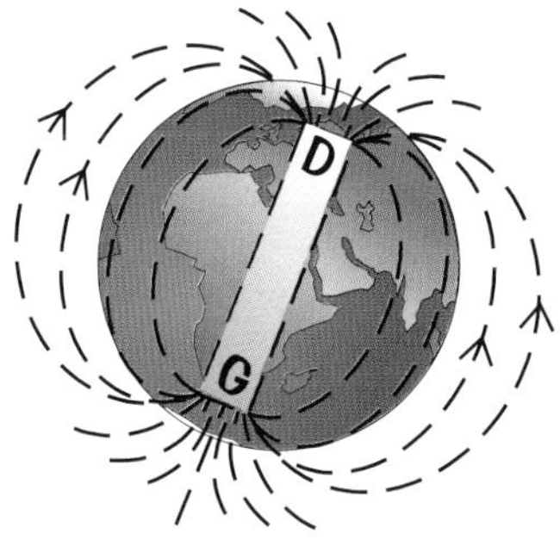

Nodwch fod y polau magnetig yn groes i'r Pegynau daearyddol, h.y. mae'r pôl de ym Mhegwn y Gogledd – rhyfedd iawn!

Maes Magnetig o Amgylch Gwifren sy'n Cludo Cerrynt

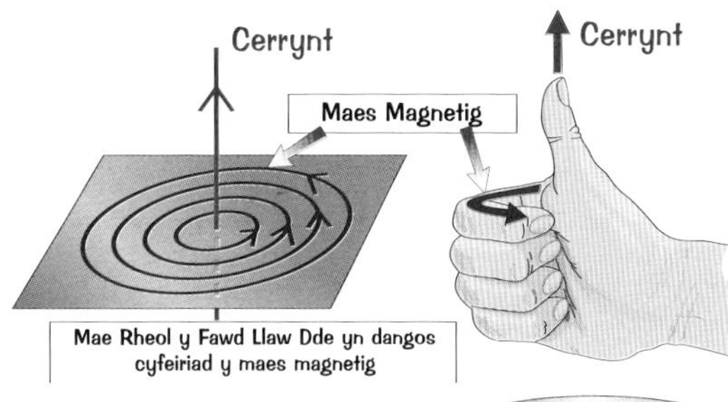

Cwmpawd Plotio yw Magnet yn Hongian yn Rhydd

1) Mae hyn yn golygu ei fod bob amser yn alinio ei hun â'r maes magnetig y mae ynddo.
2) Mae hyn yn hwylus ar gyfer plotio llinellau maes magnetig o amgylch y barfagnet a ddangosir uchod.
3) Ymhell o unrhyw fagnet, bydd yn alinio ei hun â maes magnetig y Ddaear ac yn pwyntio i'r Gogledd.
4) Bydd unrhyw fagnet sy'n hongian fel y gall droi'n rhydd hefyd yn gorffwys gan bwyntio Gogledd-De.
5) Gelwir pen y magnet sy'n pwyntio i'r Gogledd yn "bôl cyrchu'r Gogledd" neu'n "Ogledd magnetig". Gelwir y pen sy'n pwyntio i'r De yn "bôl De magnetig". Dyma sut cawsant eu henwau.

Meysydd magnetig – maen nhw ymhobman ...

Dyma dudalen hawdd i chi. Dysgwch ddiffiniad maes magnetig a'r chwe diagram maes. Hefyd, dysgwch y pum manylyn am gwmpawdau plotio a sut mae'r polau yn cymharu â phegynau'r Ddaear. Yna cuddiwch y dudalen ac ysgrifennwch.

Electromagnetau

Y Cyfan yw Electromagnet yw Coil o Wifren â Chraidd Haearn

1) Mae electromagnet yn syml iawn.
2) Solenoid ydyw (sef coil o wifren) â darn bach o haearn "meddal" y tu mewn.
3) Pan fo cerrynt yn llifo trwy wifrau'r solenoid, mae'n creu maes magnetig o'i amgylch.
4) Effaith y craidd haearn meddal yw cynyddu cryfder y maes magnetig.

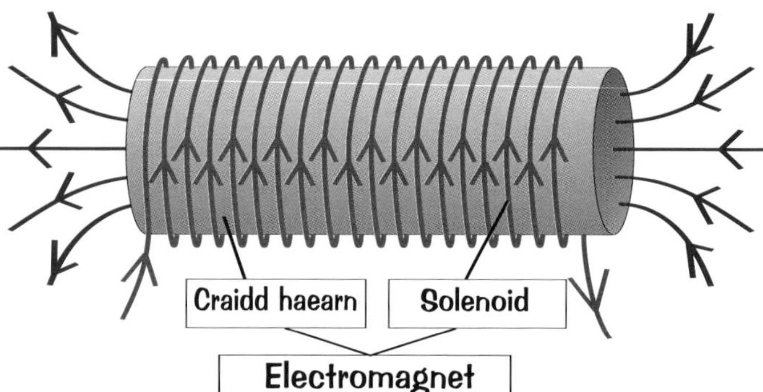

1) Mae'r maes magnetig o amgylch electromagnet yr un peth â'r un o amgylch barfagnet, ond yn gryfach.
2) Mae hyn yn golygu bod pennau'r solenoid yn gweithredu fel Pôl Gogledd a Phôl De mewn barfagnet.
3) Yn amlwg, os caiff cyfeiriad y cerrynt ei gildroi, bydd y polau G a D yn newid pen.

4) Os dychmygwch eich bod yn edrych yn syth i un pen y solenoid, bydd cyfeiriad llif y cerrynt yn dweud wrthych p'un ai pôl G neu bôl D rydych yn edrych arno, fel y dangosir gan y ddau ddiagram gyferbyn. Rhaid i chi gofio'r diagramau hyn. Efallai y dangosir solenoid i chi yn yr Arholiad ac y gofynnir i chi enwi'r pôl.

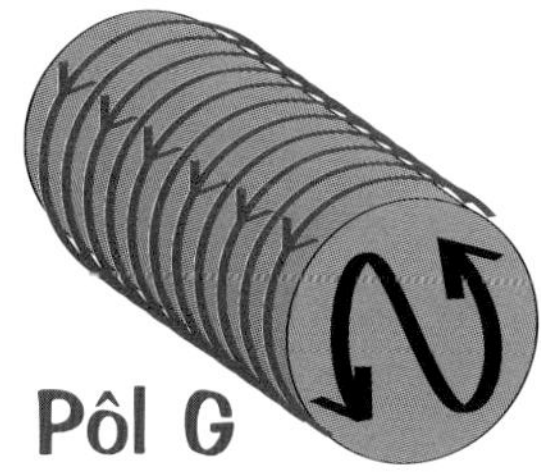

Mae CRYFDER ELECTROMAGNET yn dibynnu ar DRI FFACTOR:

1) Maint y CERRYNT.
2) Nifer y TROEON sydd yn y coil.
3) Beth mae'r CRAIDD wedi'i wneud ohono.

Mae Haearn yn "Feddal" yn Fagnetig – Delfrydol ar gyfer Electromagnetau

Ystyr "meddal" fan hyn yw bod y defnydd yn magneteiddio ac yn dadfagneteiddio yn rhwydd. Mae haearn yn "feddal", sy'n ei wneud yn berffaith ar gyfer electromagnetau sydd raid eu cynnau a'u diffodd.

Mae Dur yn "Galed" yn Fagnetig – Delfrydol ar gyfer Magnetau Parhaol

Ystyr "caled" yn fagnetig yw bod y defnydd yn cadw ei fagnetedd. Byddai hyn yn anobeithiol mewn electromagnet, ond dyma'n union sydd ei angen mewn magnetau parhaol.

MAGNETEIDDIO darn o ddur, ac ati:

Rhowch y dur mewn solenoid â chyflenwad CU cyson. Diffoddwch y cerrynt, tynnwch y dur allan, a dyna ni, magnet parhaol.

Magneteiddio – CYFLENWAD C.U.
Cerrynt union
D G

DADFAGNETEIDDIO darn o ddur, ac ati:

Rhowch y dur mewn solenoid â chyflenwad CE, ac yna tynnwch y dur allan â'r CE yn dal ymlaen, a dyna ni, wedi ei ddadfagneteiddio.

Dadfagneteiddio – CYFLENWAD C.E.
Cerrynt eiledol

Electromagnetau – atyniadol iawn ...

Dyma wybodaeth elfennol iawn, ac mae'n hawdd ei chofio am wn i. Dysgwch y penawdau a'r diagramau yn gyntaf, yna cuddiwch y dudalen ac ysgrifennwch. Yna ychwanegwch y manylion eraill fesul dipyn. Edrychwch dros eich gwaith a'i wirio. Ceisiwch ddysgu'r pwyntiau i gyd.

Dyfeisiau Electromagnetig

Mae gan electromagnetau bob amser graidd o haearn meddal, sy'n cynyddu cryfder y magnet. Rhaid i'r craidd fod yn feddal (yn fagnetig hynny yw), fel bydd y magnetedd yn diflannu pan gaiff y cerrynt ei ddiffodd. Mae'r pedair enghraifft isod i gyd yn dibynnu ar hyn.

Electromagnet mewn Iard Sgrap

1) Mae'r electromagnet wedi'i wneud o goil mawr o wifren, â nifer o droeon, a chraidd haearn meddal.
2) Pan fo'r cerrynt ynghyn, caiff maes magnetig cryf iawn ei greu, sy'n atynnu'r haearn sgrap.

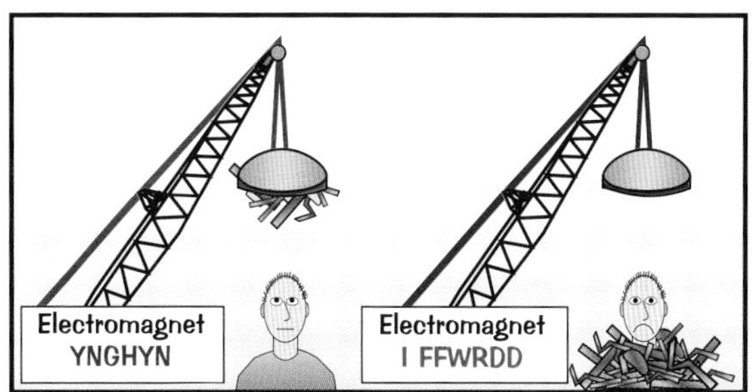

Torrwr Cylched – neu Ffiws Ailosodol

1) Gosodir hwn ar y wifren fyw sy'n dod i mewn.
2) Os yw'r cerrynt yn rhy uchel, bydd y maes magnetig yn y coil yn tynnu'r siglydd haearn a fydd yn "tripio'r" switsh ac yn torri'r gylched.
3) Gellir ei ailosod â llaw, ond bydd bob amser yn fflicio'i hun i ffwrdd os yw'r cerrynt yn rhy uchel.

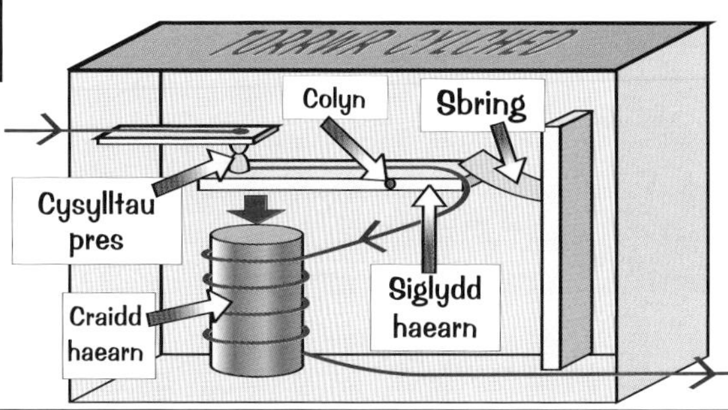

Relái – Switsh Electromagnetig

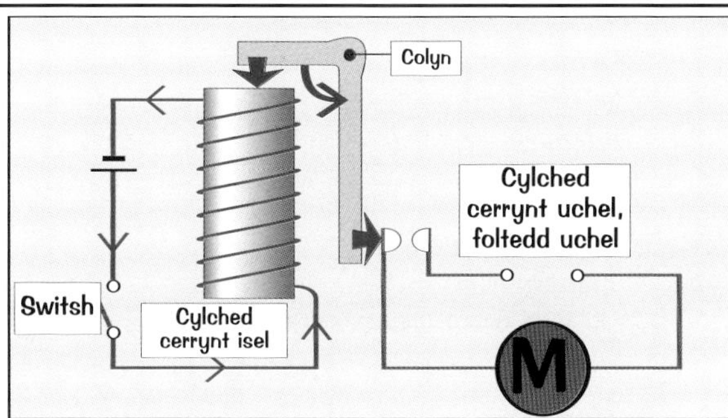

e.e. Defnyddir relái mawr mewn ceir er diogelwch wrth gynnau'r modur tanio, gan ei fod yn tynnu cerrynt mawr iawn.

1) Dyfais yw relái sy'n defnyddio cylched cerrynt isel i switsio cylched cerrynt uchel ymlaen/i ffwrdd.
2) Pan gaiff y switsh yn y gylched cerrynt isel ei gau caiff yr electromagnet ei gynnau, ac mae hyn yn atynnu'r siglydd haearn.
3) Mae'r siglydd yn colynnu ac yn cau'r cysylltau yn y gylched cerrynt uchel.
4) Pan gaiff y switsh yn y gylched cerrynt isel ei agor, mae'r electromagnet yn peidio â thynnu, mae'r siglydd yn mynd yn ei ôl, a chaiff y gylched cerrynt uchel ei thorri eto.

Yr Hen Gloch Drydan

Caiff y rhain eu defnyddio mewn ysgolion i yrru pawb yn wallgo.

1) Pan gaiff y switsh ei gau, caiff yr electromagnetau eu cynnau.
2) Maen nhw'n tynnu'r fraich haearn i lawr, gan daro'r gloch, ond ar yr un pryd yn torri'r cyswllt, sydd ar ei union yn diffodd yr electromagnetau.
3) Yna mae'r fraich yn neidio'n ôl, gan gau'r cyswllt, ac felly ymlaen ...
4) Mae'r gyfres gyfan yn digwydd yn gyflym iawn, efallai 10 gwaith yr eiliad, fel bo'r gloch yn cynhyrchu sŵn "brrriiinngg" di-dor. Da yntê.

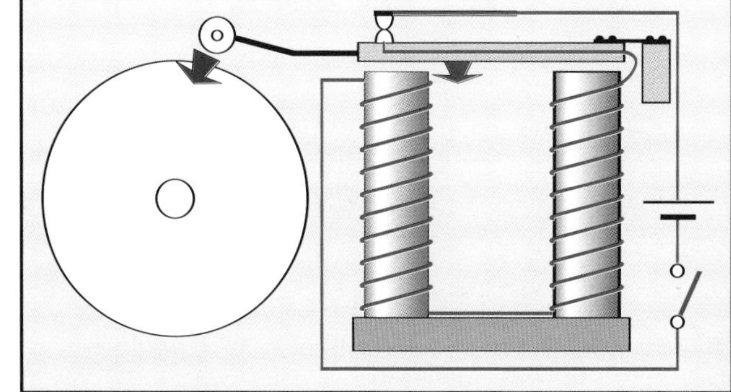

Onid yw electromagnetau yn bethau defnyddiol?

Rydych chi bron yn sicr o ddod ar draws un o'r rhain yn yr Arholiad. Fel arfer, mae ar ffurf diagram cylched, ac maen nhw'n siŵr o ofyn i chi sut mae'n gweithio. Gwnewch yn siŵr eich bod yn dysgu'r manylion i gyd. Cuddiwch ac ysgrifennwch ...

Yr Effaith Fodur

Bydd unrhyw beth sy'n cludo cerrynt mewn maes magnetig yn goddef grym. Mae tri achos pwysig:

Mae Cerrynt mewn Maes Magnetig yn Goddef Grym

1) Mae'r ddau brawf a ddangosir yma yn dangos grym ar wifren sy'n cludo cerrynt wedi'i rhoi mewn maes magnetig.
2) Mae'r grym yn mynd yn fwy os gwneir naill ai'r cerrynt neu'r maes magnetig yn fwy.
3) Sylwch, yn y ddau achos, fod y grym ar y wifren ar 90° i'r wifren a hefyd y maes magnetig.

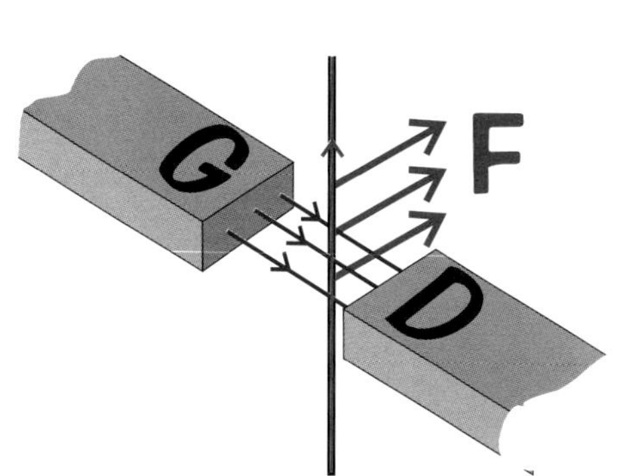

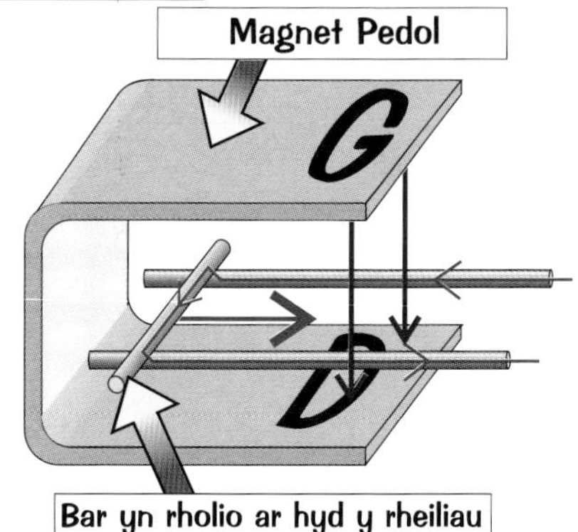

Modur Trydan Syml

1) Mae'r diagram yn dangos y grymoed sy'n gweithredu ar ddwy fraich ochr y coil.
2) Dyma'r grymoedd arferol sy'n gweithredu ar unrhyw gerrynt mewn maes magnetig.

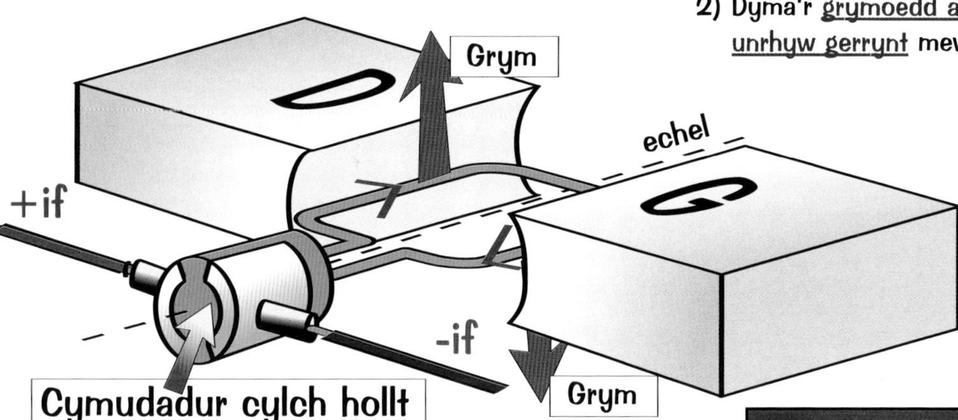

3) Gan fod y coil ar echel a'r grymoedd yn gweithredu i fyny ac i lawr, mae'n cylchdroi.

4) Gellir cildroi cyfeiriad cylchdroi'r modur naill ai trwy:
   a) newid drosodd polaredd y cyflenwad CU, neu
   b) newid drosodd y polau magnetig.

Pedwar Ffactor a fydd yn Cyflymu'r Modur

1) Mwy o GERRYNT.
2) Mwy o DROADAU yn y coil.
3) MAES MAGNETIG CRYFACH.
4) CRAIDD HAEARN MEDDAL yn y coil.

Mae Uchelseinyddion Hefyd yn Arddangos yr Effaith Fodur

1) Caiff signalau CE o'r mwyhadur eu bwydo i goil seinydd (coch fan hyn).
2) Mae'r rhain yn peri i'r coil symud yn ôl a blaen dros bôl Gogledd y magnet.
3) Mae'r symudiadau hyn yn peri i'r côn cardfwrdd ddirgrynu, gan greu seiniau.

Dysgwch am yr Effaith Fodur

Yr un hen weithdrefn eto. Dysgwch y manylion, gan gynnwys y diagramau, cuddiwch y dudalen, ac yna ysgrifennwch bopeth oddi ar eich cof. Gallwch ei ysgrifennu mor flêr ag y mynnwch – mewn pensil, beiro, sbaghetti, beth yw'r ots – ond dysgwch bopeth.

Anwythiad Electromagnetig

Mae'n swnio'n ddychrynllyd. Ydy, mae'n ddirgelwch, ond nid yw mor gymhleth â hynny:

ANWYTHIAD ELECTROMAGNETIG: Creu FOLTEDD (ac efallai cerrynt) mewn gwifren sy'n goddef NEWID MEWN MAES MAGNETIG.

Am ryw reswm, mae'n nhw'n defnyddio'r gair "anwytho" yn lle "creu", ond mae'n golygu'r un peth.

Anwythiad EM — a) Torri fflwcs b) Maes Trwy Goil

Anwythiad electromagnetig yw anwythiad foltedd a/neu gerrynt mewn dargludydd.

Mae dwy sefyllfa wahanol lle cewch anwythiad EM. Mae angen i chi wybod am y ddwy:

a) Y dargludydd yn symud ar draws maes magnetig ac yn "torri" trwy linellau fflwcs magnetig.

b) Y maes magnetig trwy goil caeedig yn newid, h.y. yn mynd yn fwy neu'n llai neu'n cildroi.

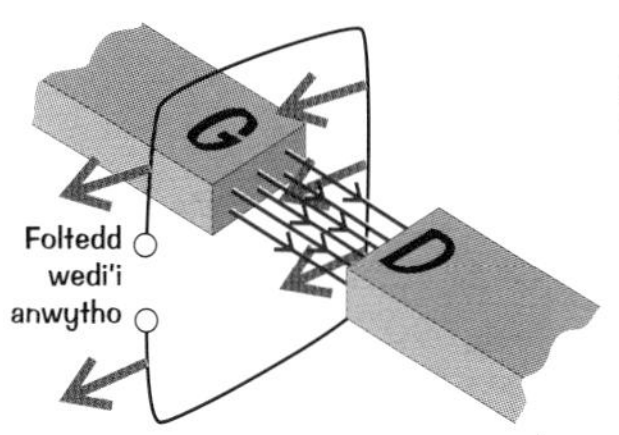

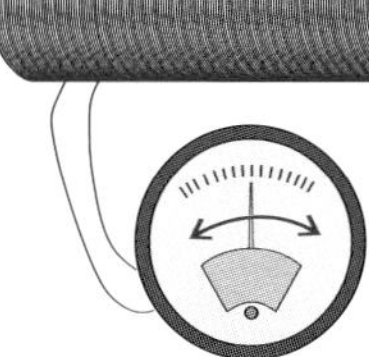

Os caiff cyfeiriad y mudiant ei gildroi, yna caiff y foltedd/cerrynt a anwythwyd ei glidroi hefyd.

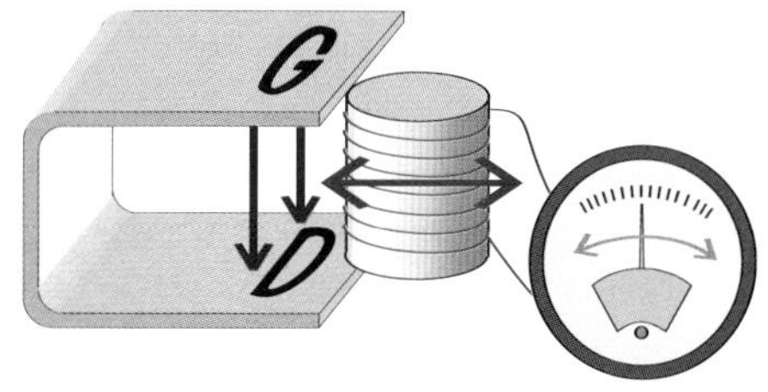

Generaduron a Dynamoau

1) Mae generaduron yn cylchdroi coil mewn maes magnetig.
2) Mae eu lluniad yn debyg iawn i fodur.
3) Y gwahaniaeth yw'r cylchoedd llithro, sy'n golygu eu bod yn cynhyrchu foltedd CE, fel y dangosir ar yr osgilosgop.
   Sylwer: mae cylchdroeon cyflym nid yn unig yn cynhyrchu mwy o frigau, ond hefyd foltedd cyffredinol uwch.

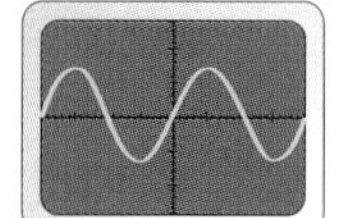

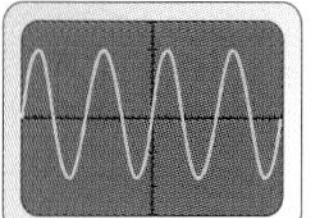

Mae dynamoau ychydig yn wahanol i eneraduron gan eu bod yn cylchdroi'r magnet. Mae hyn hefyd yn achosi i'r maes trwy'r coil newid drosodd bob hanner troad, felly mae'r allbwn yr un peth, fel y dangosir ar yr osgilosgop uchod.

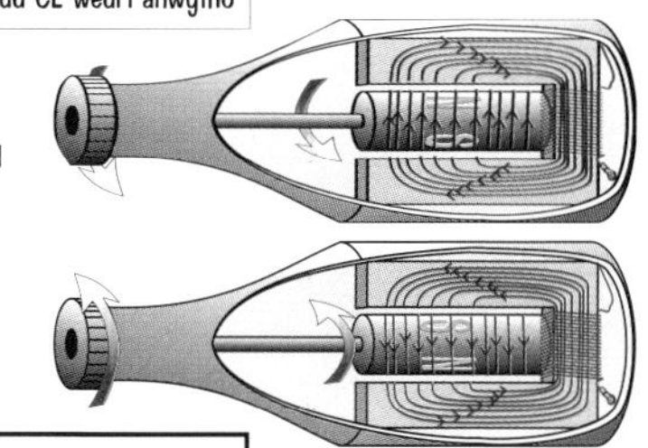

Mae Newidyddion yn Newid y Foltedd – ond CE yn unig

Mae newidyddion yn defnyddio anwythiad electromagnetig. Felly dim ond ag CE maen nhw'n gweithio.

1) Defnyddir newidyddion i newid y foltedd. Gallan nhw naill ai ei gynyddu neu ei leihau. Mae newidyddion codi yn codi'r foltedd. Mae newidyddion gostwng yn gostwng y foltedd.
2) Maen nhw'n gweithio trwy ddefnyddio anwythiad electromagnetig.
3) Pwrpas y craidd haearn laminedig yw trosglwyddo'r maes magnetig o'r coil cynradd i'r coil eilaidd.
4) Does dim trydan yn llifo o amgylch y craidd haearn, dim ond maes magnetig.
5) Mae'r craidd haearn wedi'i laminiadu â haenau o ynysydd i leihau'r ceryntau trolif sy'n ei wresogi, ac felly'n gwastraffu egni.

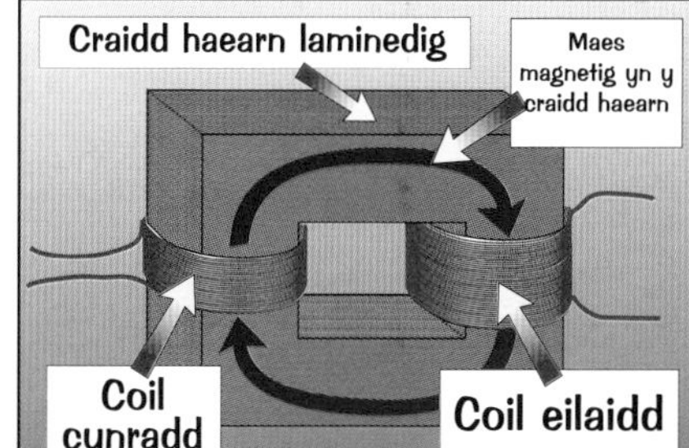

Mae Pedwar Ffactor yn Effeithio ar Faint y Foltedd a Anwythwyd:

1) **CRYFDER y MAGNET.**
2) **ARWYNEBEDD y COIL.**
3) **Nifer y TROADAU yn y COIL.**
4) **CYFLYMDER y mudiant.**

Mae'r rhain bob amser yn ymddangos yn yr Arholiad. Dysgwch nhw.

Cyfradd Newid Fflwcs – braidd yn gymhleth ...

Yn fy marn i "Anwythiad Electromagnetig" yw'r pwnc mwyaf lletchwith mewn Gwyddoniaeth Ddwbl TGAU. Pe na bai mor bwysig, efallai na fyddai'n rhaid i chi drafferthu ei ddysgu. Yn anffodus, dyma sut y caiff ein trydan i gyd ei gynhyrchu. Felly mae'n eithaf pwysig. Dysgwch ac ysgrifennwch ...

Crynodeb Adolygu Adran Un

Trydan a magnetedd. Dyna hwyl. Dyma'n bendant yw Ffiseg ar ei waethaf. Y drafferth gyda Ffiseg yn gyffredinol yw nad oes dim i'w "weld". Maen nhw'n dweud bod trydan yn llifo, neu bod maes magnetig yn llercian, ond does dim byd y gallwch ei weld go iawn â'ch llygaid. Dyna sy'n gwneud pethau mor anodd. Er mwyn dod ymlaen mewn Ffiseg, rhaid i chi gyfarwyddo â dysgu am bethau na fedrwch eu gweld. Rhowch gynnig ar y cwestiynau hyn i weld pa mor dda rydych yn dod ymlaen.

1) Disgrifiwch beth yw cerrynt, foltedd a gwrthiant, a chymharwch nhw â chylched ddŵr.
2) Beth sy'n cludo cerrynt mewn metelau? Beth yw "cerrynt confensiynol" a beth yw'r broblem?
3) Beth yw ystyr CE ac CU? Brasluniwch gromlin osgilosgop ar gyfer y ddau.
4) Beth yw'r pedwar math o egni y gellir trawsnewid trydan iddynt?
5) Brasluniwch gylched i ddangos pedair dyfais yn trawsnewid egni. Disgrifiwch yr holl newidiadau egni.
6) Brasluniwch y gylched brawf safonol ynghyd â'r holl fanylion. Disgrifiwch sut caiff ei defnyddio.
7) Brasluniwch y pedwar graff V-I safonol ac esboniwch eu siapiau. Sut mae cael R ohonynt?
8) Brasluniwch gylched gyfres nodweddiadol, a dywedwch pam mai cylched gyfres ydyw ac nid cylched baralel.
9) Nodwch bum rheol am y cerrynt, y foltedd a'r gwrthiant mewn cylched gyfres.
10) Rhowch enghreifftiau o oleuadau wedi'u gwifrio mewn cyfres ac wedi'u gwifrio yn baralel, ac esboniwch y prif wahaniaethau.
11) Brasluniwch gylched baralel nodweddiadol, gan ddangos safleoedd y foltmedr a'r amedr.
12) Nodwch bum rheol am y cerrynt, y foltedd a'r gwrthiant mewn cylched baralel.
13) Lluniwch ddiagram cylched o ran o waith trydanol car, ac esboniwch pam maen nhw i gyd yn baralel.
14) Beth yw trydan statig? Beth sydd bron bob amser yn achosi iddo gronni?
15) Pa ronynnau sy'n symud pan fydd statig yn cronni, a pha rai sy'n aros yn eu hunfan?
16) Rhowch ddwy enghraifft yr un o statig: a) defnyddiol b) yn chwaear triciau c) yn creu terfysg. Ysgrifennwch yr holl fanylion.
17) Nodwch saith perygl trydanol yn y cartref.
18) Brasluniwch blwg wedi'i wifrio'n gywir. Esboniwch yn llawn sut mae daearu a ffiwsiau yn gweithio.
19) Brasluniwch orsaf bŵer nodweddiadol, a'r grid cenedlaethol ac esboniwch pam mae ar 400 kV.
20) Edrychwch ar y mesurydd trydan yn eich cartref. Esboniwch union ystyr y rhifau sydd arno.
21) Beth yw cilowat-awr? Beth yw'r ddwy fformiwla syml ar gyfer cyfrifo cost trydan?
22) Lluniwch 18 symbol cylched rydych yn eu hadnabod, yngyd â'u henwau wrth gwrs.
23) Ysgrifennwch ddwy ffaith am: a) wrthydd newidiol b) deuod c) LED ch) LDR d) thermistor.
24) Edrychwch ar y tabl ar T.12. Cuddiwch y tair colofn olaf ac ysgrifennwch y manylion cudd i gyd.
25) Esboniwch sut mae trionglau fformiwla yn gweithio. Beth yw'r pum rheol ar gyfer defnyddio unrhyw fformiwla?
26) Beth yw'r ddwy reol y dylid eu cofio am unedau? Rhowch enghraifft o'r ddwy.
    a) Cyfrifwch y cerrynt pan fo gwrthydd 96 W wedi'i gysylltu â batri 12 V.
    b) Cyfrifwch allbwn pŵer gwresogydd sy'n rhoi 77 kJ o egni gwres mewn 4 munud.
    c) Cyfrifwch y foltedd o roddir i sychwr gwallt sy'n defnyddio 10 Amp ac sy'n cynhyrchu 2.4 kW.
    ch) Cyfrifwch y ffiws sydd ei angen ar degell 2.2 kW, 240 V.
27) Brasluniwch feysydd magnetig ar gyfer: a) barfagnet, b) solenoid, c) dau fagnet yn atynnu, ch) dau fagnet yn gwrthyrru, d) maes magnetig y Ddaear, dd) gwifren sy'n cludo cerrynt.
28) Beth yw ystyr meddal a chaled yn achos magnetedd?
29) Sut rydych yn a) magneteiddio darn o ddur b) dadfagneteiddio darn o ddur?
30) Beth mae electrofagnet wedi'i wneud ohono? Esboniwch sut i benderfynu ar bolaredd y pennau.
31) Brasluniwch a rhowch fanylion: a) magnet iard sgrap, b) torrwr cylched, c) reléi, ch) cloch drydan.
32) Brasluniwch ddwy enghraifft o'r effaith fodur.
33) Brasluniwch fanylion modur trydan syml a rhestrwch y pedwar ffactor sy'n effeithio ar ei gyflymder.
34) Diffiniwch anwythiad electromagnetig. Brasluniwch dri achos lle mae hyn yn digwydd.
35) Brasluniwch eneradur â'r holl fanylion. Brasluniwch yr allbwn osgilosgop a geir oddi wrtho.
36) Rhestrwch dri ffactor sy'n effeithio ar faint y foltedd a anwythwyd.
37) Brasluniwch newidydd, ac amlygwch y prif fanylion. Esboniwch ddiben newidyddion.

Atebion rhifiadol ar T.90

Disgyrchiant, Pwysau a Momentau

Disgyrchiant yw'r Grym Atynnu Rhwng Pob Màs

Mae disgyrchiant yn atynnu pob màs, ond nid ydych yn sylwi ar hyn oni bai bod un o'r masau yn fawr iawn, iawn, h.y. planed. Mae planed neu seren yn atynnu pethau sy'n agos ati yn gryf iawn. Ceir tair effaith bwysig:

1) Mae'n gwneud i bopeth gyflymu tua'r ddaear (i gyd â'r un cyflymiad, g, sydd $\approx$ 10 m/s^2 ar y Ddaear).
2) Mae'n rhoi pwysau i bopeth.
3) Mae'n cadw planedau, lleuadau a lloerennau yn eu horbitau. Cydbwysedd yw'r orbit rhwng mudiant y gwrthrych tuag ymlaen a grym disgyrchiant yn ei dynnu tuag i mewn.

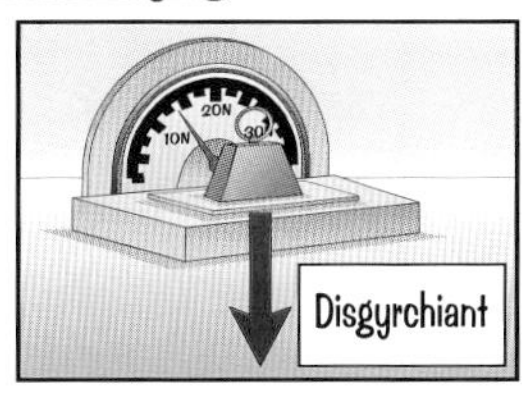

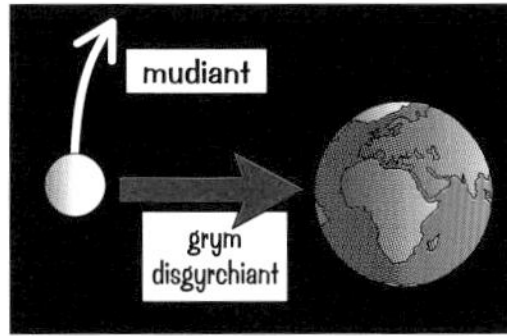

Nid yw Pwysau a Màs yr un Peth

I ddeall hyn rhaid i chi ddysgu'r ffeithiau hyn i gyd am fàs a phwysau.

1) Màs gwrthrych yw swm y mater sydd ynddo. Ar gyfer gwrthrych penodol, bydd ei werth yr un peth yn unrhyw le yn y Bydysawd.
2) Achosir pwysau gan dyniad disgyrchiant. Yn y rhan fwyaf o gwestiynau, pwysau'r gwrthrych yw'r grym disgyrchiant sy'n ei dynnu tuag at ganol y Ddaear.
3) Mae gan wrthrych yr un màs p'un ai yw ar y Ddaear neu ar y Lleuad – ond bydd ei bwysau yn wahanol. Bydd màs 1 kg yn pwyso llai ar y Lleuad (1.6 N) nag ar y Ddaear (10 N), oherwydd bod y grym disgyrchiant sy'n tynnu arno yn llai.
4) Grym wedi'i fesur mewn Newtonau yw pwysau. Nid yw màs yn rym. Caiff ei fesur mewn cilogramau.

Y Fformiwla Bwysig sy'n Cysylltu Màs, Pwysau a Disgyrchiant

$$W = m \times g$$ (Pwysau = màs × disgyrchiant)

1) Cofiwch, NID yw pwysau a màs yr un peth. Mae màs mewn kg, mae pwysau mewn Newtonau.
2) Mae'r llythyren "g" yn cynrychioli cryfder disgyrchiant, ac mae ei werth yn wahanol ar blanedau gwahanol. Ar y Ddaear mae g = 10 N/kg. Ar y Lleuad, lle mae disgyrchiant yn wannach, nid yw g ond 1.6 N/kg.
3) Mae'r fformiwla yn anhygoel o hawdd ei defnyddio:

ENGHRAIFFT: Beth yw pwysau, mewn Newtonau, màs 5 kg ar y Ddaear a hefyd ar y Lleuad?

ATEB: "$W = m \times g$". Ar y Ddaear: $W = 5 \times 10 = 50$ N (Pwysau'r màs 5 kg fydd 50 N)
Ar y Lleuad: $W = 5 \times 1.6 = 8$ N (Pwysau'r màs 5 kg fydd 8 N)

Fel y dywedais, hawdd iawn – cyn belled â'ch bod wedi dysgu ystyr y llythrennau i gyd.

Trorym yw Moment

Pan fydd grym yn gweithredu ar rywbeth sydd â cholyn, bydd yn cynhyrchu trorym, a'r enw ar hwn yw "moment". Gellir defnyddio'r fformiwla hon i gyfrifo momentau:

moment = grym × pellter perpendicwlar

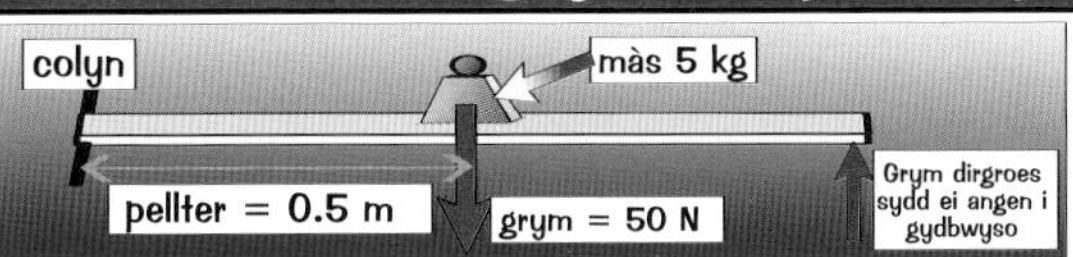

Yn yr enghraifft hon, y moment o ganlyniad i'r màs 5 kg yw:
"Moment = F × r" = 50 N × 0.5 m = 25 Nm
Hefyd, er mwyn i'r system gydbwyso, (h.y. peidio â symud) yna:

cyfanswm y moment clocwedd = cyfanswm y moment gwrthglocwedd

Yn yr enghraifft uchod, rhaid i'r grym cydbwyso (pwyntio tuag i fyny) ddarparu moment o 25 Nm yn wrthglocwedd i gydbwyso'r moment clocwedd o ganlyniad i'r màs 5 kg. Os yw'r grym cydbwyso ddwywaith mor bell, ni fydd raid iddo fod ond hanner y maint, h.y. 25 N o'i gymharu â 50 N.

Dysgwch am ddisgyrchiant NAWR – dim pwysau wrth gwrs ...

Yn aml, yr unig ffordd i "ddeall" rhywbeth yw trwy ddysgu'r holl ffeithiau amdano. Mae hyn yn bendant yn wir yn yr achos hwn. Er mwyn "deall" y gwahaniaeth rhwng màs a phwysau, dysgwch y ffeithiau i gyd. Wedi i chi ddysgu'r ffeithiau i gyd, byddwch yn ei ddeall.

Diagramau Grym

Yn syml iawn, tyniad neu wthiad yw grym. Dim ond chwe gwahanol rym sydd raid i chi wybod amdanynt:

1) DISGYRCHIANT neu BWYSAU, sydd bob amser yn gweithredu mewn llinell syth.
2) GRYM ADWAITH oddi ar arwyneb, sydd fel arfer yn gweithredu yn syth i fyny.
3) GWTHIAD neu DYNIAD oherwydd peiriant neu roced sy'n cyflymu pethau.
4) LLUSGIAD neu WRTHIANT AER neu FFRITHIANT, sy'n arafu pethau.
5) CODIAD oherwydd adain awyren.
6) TYNIANT mewn rhaff neu gebl.

A dim ond pum gwahanol ddiagram grym sydd:

1) Gwrthrych Disymud – Pob Grym mewn Cydbwysedd

1. Mae grym Disgyrchiant (neu bwysau) yn gweithredu tuag i lawr.
2. Mae hyn yn achosi grym adwaith gan yr arwyneb sy'n gwthio'r gwrthrych i fyny.
3. Dyma'r unig ffordd y gellir cynnal cydbwysedd.
4. Heb rym adwaith, byddai'r gwrthrych yn cyflymu tuag i lawr o ganlyniad i dyniad disgyrchiant.
5. Rhaid i'r ddau rym llorweddol fod yn hafal ac yn ddirgroes, fel arall byddai'r gwrthrych yn cyflymu i'r ochr.

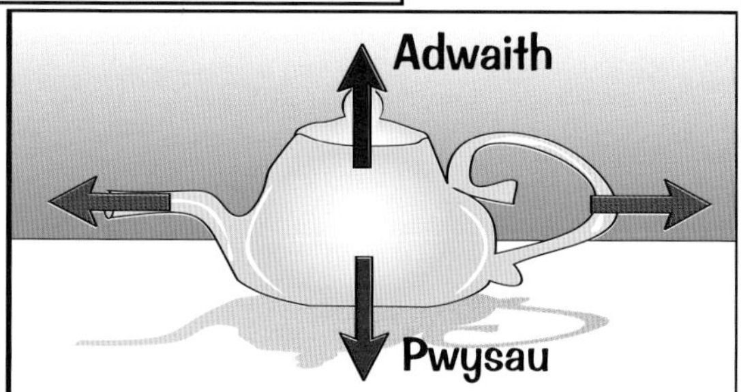

2) Cyflymder Llorweddol Cyson – Pob Grym yn Cydbwyso

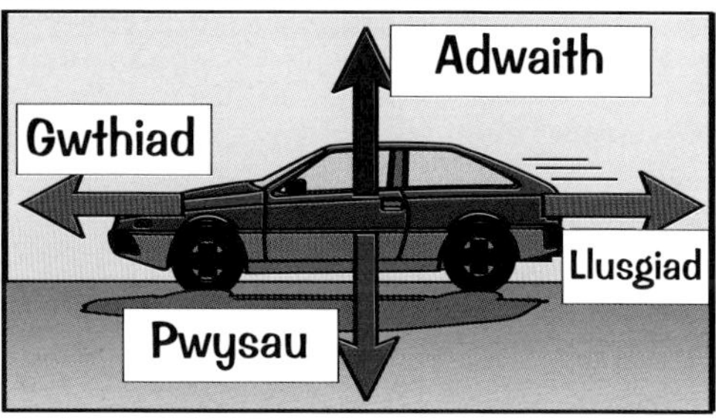

3) Cyflymder Fertigol Cyson – Pob Grym yn Cydbwyso!

Mae'r plymiwr awyr yn disgyn yn rhydd ar 'gyflymder terfynol' – gweler T.28.

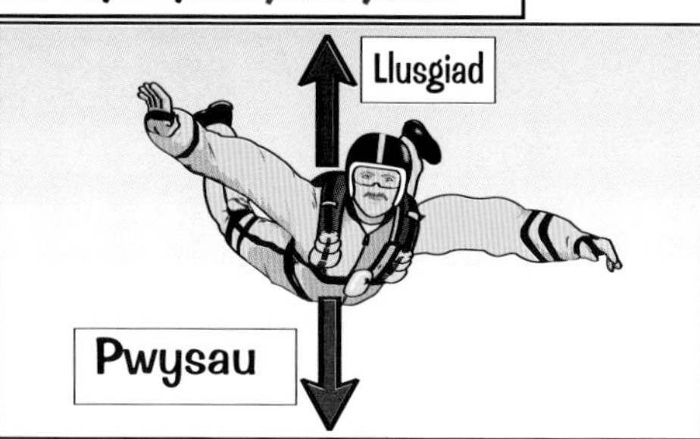

Sylwch – er mwyn symud â buanedd cyson rhaid i'r grymoedd fod yn gytbwys. Os oes un grym anghytbwys yna cewch gyflymiad, nid cyflymder cyson. Mae hyn yn bwysig iawn felly peidiwch â'i anghofio.

4) Cyflymiad Llorweddol – Grymoedd Anghytbwys

5) Cyflymiad Fertigol – Grymoedd Anghytbwys

1) Ni chewch gyflymiad oni bai bod yna rym cydeffaith (anghytbwys) cyffredinol.
2) Po fwyaf yw'r grym anghytbwys hwn, y mwyaf yw'r cyflymiad.

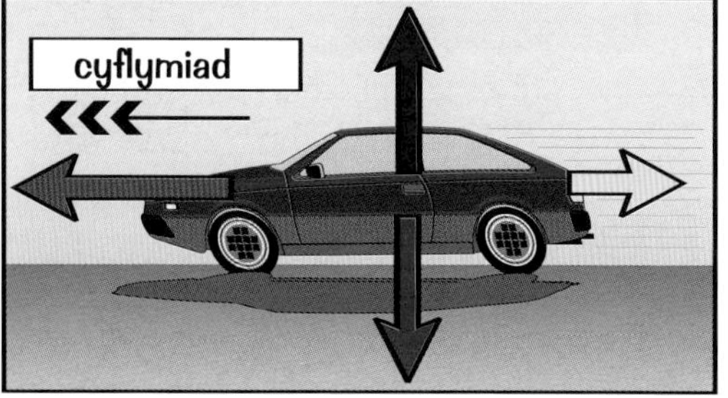

Sylwch fod y grymoedd i'r cyfeiriad arall yn parhau mewn cydbwysedd.

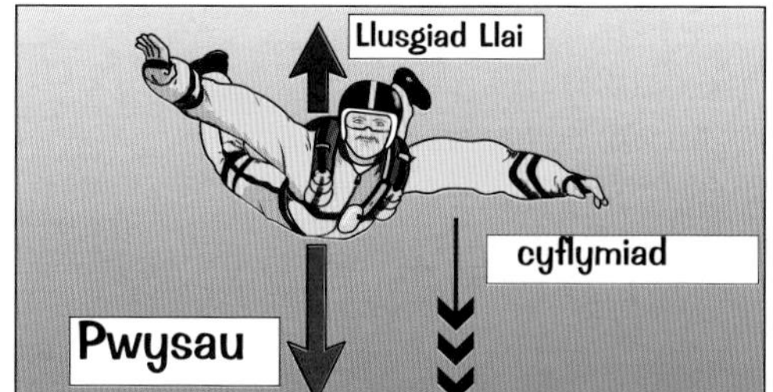

Yn union ar ôl disgyn allan o'r awyren, bydd y plymiwr awyr yn cyflymu – gweler T.28.

Adolygwch y Diagramau Grym ...

Gwnewch yn siŵr eich bod yn dysgu'r pum diagram grym. Mae un ohonynt yn sicr o ymddangos yn eich Arholiad. Y cyfan sydd raid i chi ei gofio yw sut mae meintiau cymharol y saethau yn perthyn i'r math o fudiant. Mae'n ddigon hawdd ond i chi wneud yr ymdrech i'w ddysgu.

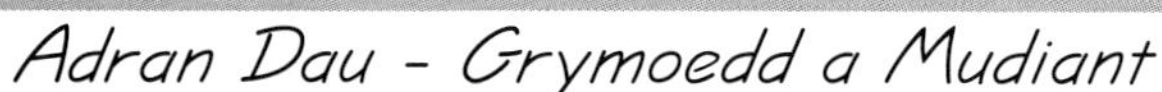

Pellterau Stopio ar gyfer Ceir

Maen nhw'n hoff iawn o gynnwys hwn yn yr Arholiad, felly dysgwch ef yn drylwyr. Caiff pellter stopio car ei rannu'n bellter meddwl ac yn bellter brecio.

1) Pellter Meddwl

"Y pellter y mae car yn ei deithio yn yr ennyd rhwng gweld y perygl a dechrau brecio."

Mae tri phrif ffactor yn effeithio ar y pellter meddwl:

a) Pa mor GYFLYM rydych yn teithio – wrth gwrs. Beth bynnag yw eich amser adweithio, y cyflymaf rydych yn teithio, y pellaf yr ewch.

b) Pa mor GYSGLYD ydych chi – Mae blinder, cyffuriau, alcohol, henaint ac agwedd ddiofal i gyd yn effeithio ar hyn.

c) Pa mor WAEL yw'r GWELEDEDD – Mae glaw trwm a goleuadau'n dod tuag atoch, ac ati, yn ei gwneud hi'n anodd gweld peryglon.

2) Pellter Brecio

"Y pellter y mae'r car yn ei deithio yn yr amser y mae'n arafu tra bo'r brêc yn cael ei bwyso."

Mae pedwar prif ffactor yn effeithio ar y pellter brecio:

a) Pa mor GYFLYM rydych yn teithio – wrth gwrs. Y cyflymaf rydych yn teithio, y pellaf mae'n ei gymryd i stopio (gweler isod).

b) Pa mor DRWM yw LLWYTH y cerbyd – Gyda'r un breciau, bydd cerbyd â llwyth trwm yn cymryd mwy o amser i stopio. Ni fydd car yn stopio mor gyflym pan yw'n llawn pobl a phaciau ac yn tynnu carafán.

c) Pa mor dda yw'r BRECIAU – rhaid cadw golwg ar y breciau i gyd a'u cynnal yn rheolaidd. Bydd breciau diffygiol neu rai sydd wedi treulio yn eich gadael i lawr yn ddrwg pan fyddwch fwyaf eu hangen, h.y. mewn argyfwng.

ch) Pa mor dda yw'r GAFAEL – mae hyn yn dibynnu ar dri pheth:
1) arwyneb y ffordd 2) y tywydd 3) y teiars.

1) Mae dail a baw a diesel sydd wedi gollwng ar y ffordd yn beryglon difrifol gan eu bod yn annisgwyl.
2) Mae ffyrdd gwlyb neu rai â iâ arnyn nhw bob amser yn llawer mwy llithrig na ffyrdd sych, ond yn aml dim ond wrth i chi frecio'n galed y byddwch yn sylwi ar hyn! Dylai gwadn teiars fod o leiaf 1.6 mm o ddyfnder.
3) Mae hyn yn hanfodol i gael gwared â'r dŵr dan amodau gwlyb. Heb wadn, bydd teiar yn llithro'n hawdd iawn ar haen o ddŵr. Gelwir hyn yn "sglefrio ar ddŵr", ac nid yw hanner mor ddymunol ag y mae'n swnio.

Mae Pellter Stopio yn Cynyddu'n Frawychus gyda Buanedd Ychwanegol

I stopio car, rhaid trawsnewid yr egni cinetig yn egni gwres yn y breciau a'r teiars.

Daw'r ffigurau a ddyfynnir yma ar gyfer pellterau stopio nodweddiadol o Reolau'r Ffordd Fawr. Mae'n frawychus gweld pa mor bell mae'n ei gymryd i stopio wrth deithio 70 mya.

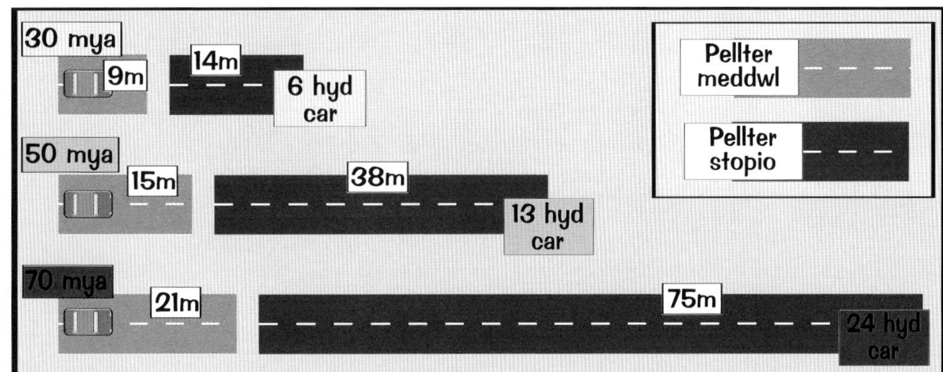

Baw ar y ffordd ...

Caiff hwn ei grybwyll yn benodol yn y maes llafur, ac maen nhw'n debygol iawn o'i gynnwys yn yr Arholiad gan ei fod yn ymwneud â diogelwch. Dysgwch y manylion i gyd ac ysgrifennwch draethawd byr i weld faint rydych yn ei wybod.

Ffrithiant

Mae Ffrithiant Bob Amser yno i Arafu Pethau

1) Os nad oes grym yn gyrru gwrthrych yn ei flaen, fe fydd bob amser yn arafu ac yn stopio o ganlyniad i ffrithiant.
2) I deithio ar fuanedd cyson, rhaid cael grym gyrru i wrthwynebu ffrithiant.
Mae ffrithiant yn digwydd mewn tair ffordd wahanol.

Ffrithiant rhwng Arwynebau Solet sy'n Gafael

1) Er enghraifft rhwng teiars a'r ffordd.
2) Mae terfan bob amser ar ba mor bell y gall dau arwyneb afael yn ei gilydd, ac os mynnwch fwy o rym ffrithiant nag y gallant ei gynhyrchu, yna byddan nhw'n llithro heibio'i gilydd.
3) Mewn geiriau eraill os ceisiwch frecio'n rhy galed, byddwch yn llithro.

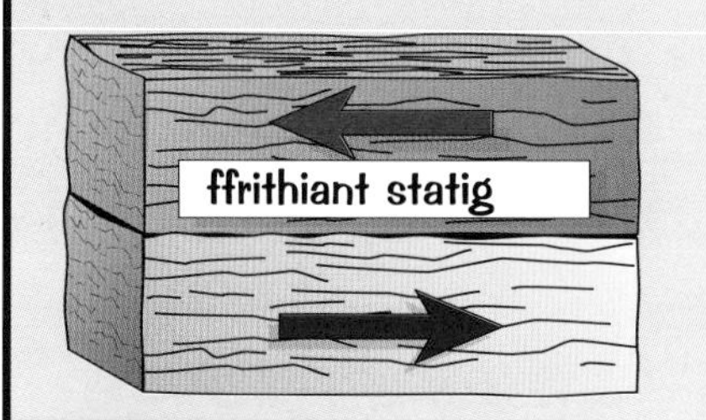

Ffrithiant rhwg Arwynebau sy'n Llithro Heibio'i Gilydd

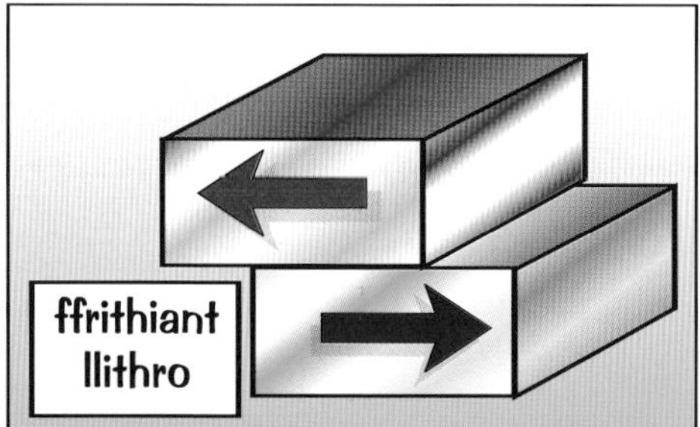

1) Er enghraifft rhwng padiau brêc a disgiau brêc.
2) Mae cymaint o rym ffrithiant yma ag sydd rhwng y teiars a'r ffordd.
3) A dweud y gwir, os breciwch yn ddigon caled, bydd y ffrithiant yma yn fwy nag ar y teiars, ac yna bydd yr olwynion yn llithro.

Gwrthiant neu "Lusgiad" gan Lifydd (e.e. Aer neu Ddŵr)

1) Y ffactor pwysicaf oll wrth leihau llusgiad mewn llifyddion (megis aer a dŵr) yw cadw siâp y gwrthrych yn llilin, fel cyrff pysgod neu gyrff llongau neu adenydd/cyrff adar.
2) Yr eithaf arall yw parasiwt sydd ag oddeutu'r llusgiad mwyaf sy'n bosib ei gael – a dyna, wrth gwrs, yw'r syniad.

Mae Ffrithiant Bob Amser yn Cynyddu wrth i'r Buanedd Gynyddu

1) Mae gan gar lawer mwy o ffrithiant i weithio yn ei erbyn pan yw'n teithio 60 mya o'i gymharu â 30 mya.
2) Felly ar 60 mya mae'n rhaid i'r peiriant weithio'n llawer caletach dim ond i gynnal buanedd cyson.
3) Felly mae'n defnyddio mwy o betrol nag y byddai wrth deithio'r un pellter ar 30 mya.

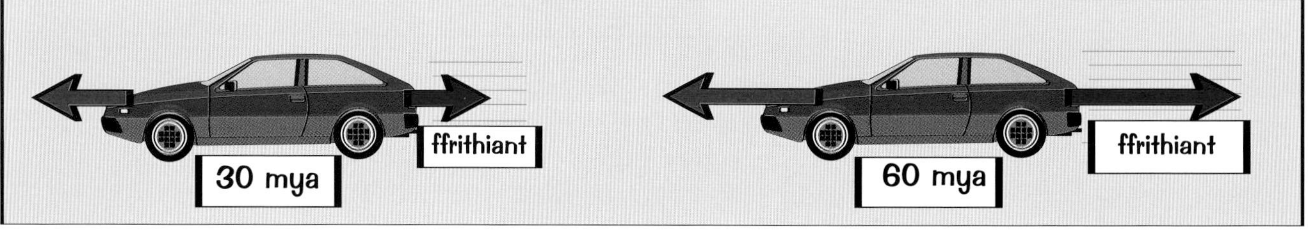

Ffrithiant

Mae'r Syniad o Rym Cydeffaith yn Bwysig Dros Ben

1) Mae'n bwysig iawn eich bod yn deall y syniad o rym cydeffaith.
2) Nid yw'n gymhleth iawn, ond mae pobl yn tueddu i'w anwybyddu.
3) Yn y rhan fwyaf o sefyllfaoedd real, mae o leiaf dau rym yn gweithredu ar wrthrych ar hyd unrhyw gyfeiriad.
4) Ar gyfer unrhyw wrthrych sy'n symud, mae yna bob amser ryw fath o rym yn ei wthio, a hefyd wrth gwrs mae llusgiad (neu wrthiant aer) yn ceisio ei arafu.
5) Bydd effaith gyffredinol y grymoedd hyn yn penderfynu mudiant y gwrthrych – a fydd yn cyflymu, yn arafu ynteu'n aros ar fuanedd cyson.

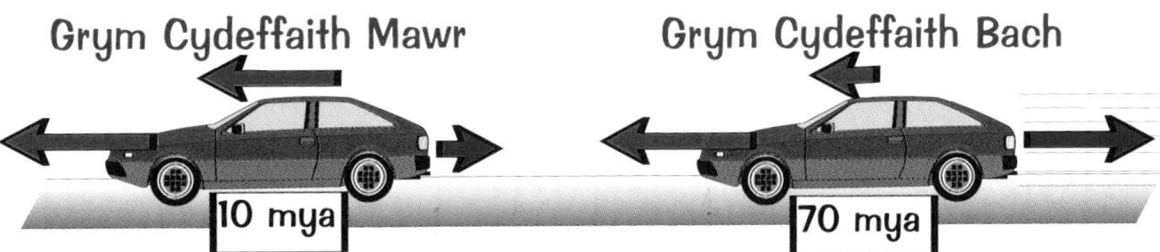

6) Gellir cyfrifo'r "effaith gyffredinol" trwy adio neu dynnu'r grymoedd sy'n pwyntio ar hyd yr un cyfeiriad. Y grym cydeffaith yw'n enw ar y grym cyffredinol hwn.

Ond mae Angen Ffrithiant i Symud a Stopio Hefyd

1) Mae'n hawdd meddwl am ffrithiant fel niwsans gan ein bod bob amser fel pe bawn yn gweithio yn ei erbyn.
2) Ond peidiwch ag anghofio, hebddo ni fyddem yn gallu cerdded na rhedeg na symud o'r goleuadau traffig na sgrialu o amgylch corneli na pharasiwtio na gwneud bron unrhyw beth cyffrous neu ddiddorol.
3) Mae hefyd yn dal nytiau a bolltau ynghyd.
4) Bywyd heb ffrithiant – byddai hynny yn ddiflas.

Mae Ffrithiant yn Achosi Traul a Gwresogi

1) Mae ffrithiant bob amser yn gweithredu rhwng arwynebau sy'n llithro heibio'i gilydd. Mae llawer o arwynebau yn gwneud hynny mewn peiriannau.
2) Mae ffrithiant bob amser yn cynhyrchu gwres ac yn achosi i'r arwynebau dreulio.

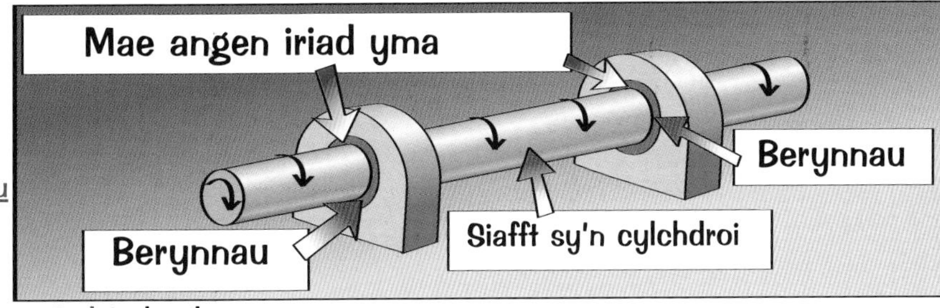

3) Defnyddir IREIDIAU i gadw'r ffrithiant mor isel â phosib.
4) Mae'r rhain yn gadael i'r peiriannau redeg yn fwy rhydd, felly mae angen llai o bŵer arnyn nhw, ac mae hefyd yn lleihau'r traul.
5) Gall effeithiau gwresogi ffrithiant fod yn enfawr. Er enghraifft, mae'r breciau ar geir rasio'r grand prix yn aml yn tywynnu gan eu bod mor boeth.
6) Os yw peiriant yn rhedeg heb olew, bydd yn cloi wrth i'r darnau symudol fynd yn chwilboeth o ganlyniad i ffrithiant ac, yn y pen draw, weldio eu hunain at ei gilydd.

Dysgwch am ffrithiant – ewch chi ddim yn bell hebddo ...

Fyddwn i byth wedi meddwl bod yna gymaint i'w ddweud am ffrithiant. Fodd bynnag, dyna fe, wedi'i grybwyll yn y maes llafur, ac yn debygol o godi'i ben yn yr Arholiad. Peidiwch â'i anwybyddu, da chi. Dysgwch yr wyth prif bennawd, yna'r gweddill – ac yna cuddiwch y dudalen ac ysgrifennwch.

Tair Deddf Mudiant

Tua adeg y Pla Mawr yn yr 1660au, darganfyddodd dyn o'r enw Isaac Newton Dair Deddf Mudiant. Ar yr olwg gyntaf, efallai eu bod yn ymddangos yn amherthnasol ond, a bod yn onest, os na fedrwch ddeall y tair deddf syml hyn, fyddwch chi byth yn deall grymoedd a mudiant yn iawn.

Y Ddeddf Gyntaf – mae Grymoedd Cytbwys yn Golygu Dim Newid mewn Cyflymder

Cyn belled ag y bo'r grymoedd ar wrthrych yn GYTBWYS, yna bydd yn AROS YN LLONYDD neu, os yw eisoes yn symud, bydd yn mynd yn ei flaen â'r UN BUANEDD – cyhyd ag y bo'r grymoedd i gyn yn GYTBWYS.

1) Pan fo trên neu gar neu fws yn symud ar fuanedd cyson rhaid bod y grymoedd i gyd sy'n gweithredu yn gytbwys.
2) Peidiwch â chredu'r syniad hurt bod angen grym cyffredinol cyson i gadw rhywbeth i symud – NA NA NA NA NA!
3) I gadw i symud ar fuanedd cyson, rhaid bod y grym cydeffaith yn sero – a pheidiwch ag anghofio hynny.

Yr Ail Ddeddf – mae Grym Cydeffaith yn golygu Cyflymiad

**Os oes GRYM ANGHYTBWYS, yna bydd y gwrthrych yn CYFLYMU i'r cyfeiriad hwnnw.
Panderfynir maint y cyflymiad gan y fformiwla: F = ma.**

1) Bydd grym anghytbwys bob amser yn cynhyrchu cyflymiad (neu arafiad).
2) Gall y "cyflymiad" hwn fod ar bum gwahanol ffurf: Cychwyn, stopio, cyflymu, arafu a newid cyfeiriad.
3) Ar ddiagram grym, bydd y saethau yn anghyfartal.

Peidiwch byth â dweud: "Os yw rhywbeth yn symud, rhaid bod grym cydeffaith cyffredinol yn gweithredu arno." Dim felly. Os oes grym cyffredinol, fe fydd bob amser yn cyflymu. Cewch fuanedd cyson o rymoedd cytbwys. Sawl gwaith fydd rhaid i fi ddweud hynny cyn i chi ei gofio?

Yn aml gelwir y Grym anghytbwys Cyffredinol yn Rym Cydeffaith

Bydd unrhyw rym cydeffaith yn cynhyrchu cyflymiad, a dyma'r fformiwla ar ei gyfer:

$$F = ma \quad \text{neu} \quad a = F/m$$

m = màs, a = cyflymiad, F yw'r grym cydeffaith bob amser
(Gweler T.13 ar ddefnyddio fformiwlâu)

Tri Phwynt Ddylai fod yn Amlwg

1) Y mwyaf yw'r grym, y mwyaf yw'r cyflymiad neu'r arafiad.
2) Y mwyaf yw'r màs, y lleiaf yw'r cyflymiad.
3) I gael màs mawr i gyflymu mor gyflym â màs bychan, mae angen grym mwy. Meddyliwch am wthio troli trwm, a dylai'r cyfan fod yn amlwg.

Tair Deddf Mudiant

Cyfrifiadau yn defnyddio F = ma – Dwy Enghraifft

C1) Pa rym sydd ei angen i gyflymu màs o 12 kg ar 5 m/s^2?

ATEB Mae'r cwestiwn yn gofyn am rym
– felly mae angen fformiwla ag "F = rhywbeth neu'i gilydd".

Gan eu bod wedi rhoi'r màs a'r cyflymiad, dylai'r fformiwla "F = ma" fod yn ddewis eithaf amlwg. Felly rhowch y rhifau hysbys yn lle'r llythrennau:
m = 12, a = 5, felly bydd "F = ma" yn rhoi F = 12 × 5 = 60 N (Newtonau yw unedau grym)

(Sylwch nad oes rhaid deall yn llawn beth sy'n digwydd – ond mae angen i chi wybod sut i ddefnyddio fformiwlâu.)

C2) Mae'r un grym yn gweithredu ar fàs arall ac mae'n cyflymu ar 6 m/s^2. Beth yw'r màs?

ATEB Mae'r cwestiwn yn cyfeirio at rym, màs a chyflymiad, felly "F = ma" yw'r fformiwla i'w defnyddio eto.
Y tro hwn, fodd bynnag, rhaid i chi ddarganfod m, sy'n golygu defnyddio'r triongl fformiwla.
Cuddiwch m i gael: "m = F/a" (m = F ÷ a)
Gan fod F = 60 N ac a = 6 m/s^2, rhown y rhain i mewn i gael: m = 60/6 = 10 kg. Hawdd yntê?

Y Drydedd Ddeddf

Os yw gwrthrych A yn GWEITHREDU GRYM ar wrthrych B, yna bydd gwrthrych B yn gweithredu YR UNION RYM DIRGROES ar wrthrych A.

1) Mae hyn yn golygu os ydych chi'n gwthio yn erbyn wal, y bydd y wal yn gwthio'n ôl yn eich erbyn chi, yr un mor galed.
2) Cyn gynted ag y byddwch yn stopio gwthio, bydd y wal yn stopio gwthio hefyd. Clyfar iawn.
3) Os meddyliwch am hyn, rhaid bod yna rym gwrthwynebol pan fyddwch yn pwyso yn erbyn wal – fel arall byddech chi (a'r wal) yn cwympo.
4) Os ydych yn tynnu cert, beth bynnag yw'r grym rydych yn ei weithredu ar y rhaff, bydd y rhaff yn gweithredu'r union dyniad dirgroes arnoch chi.
5) Os rhowch lyfr ar fwrdd, bydd pwysau'r llyfr yn gweithredu tuag i lawr ar y bwrdd – a bydd y bwrdd yn gweithredu grym hafal a dirgroes tuag i fyny ar y llyfr.
6) Os ydych yn cynnal llyfr yn eich llaw, bydd y llyfr yn gweithredu ei bwysau tuag i lawr arnoch chi, a byddwch chi yn gweithredu grym tuag i fyny ar y llyfr, a bydd yn aros mewn cydbwysedd.

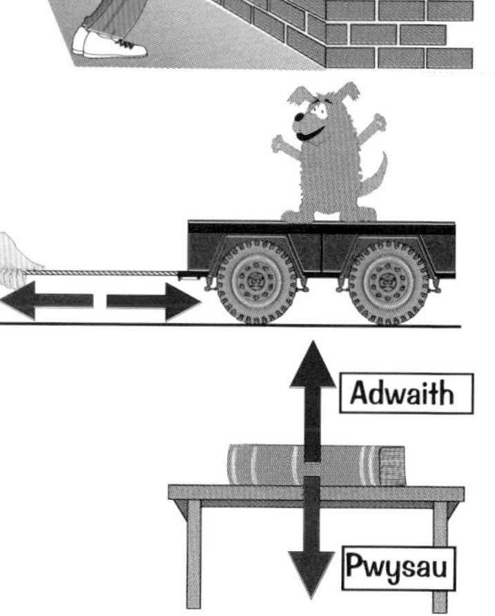

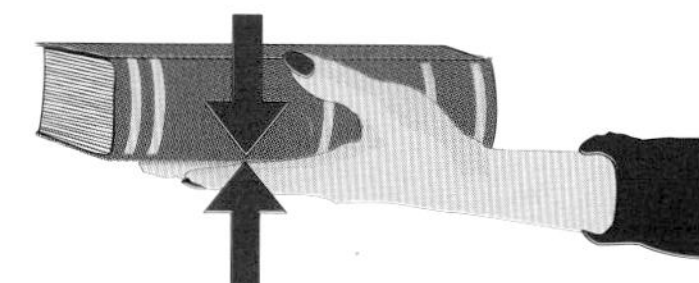

Mewn cwestiynau arholiad, gallant brofi hyn trwy ofyn i chi lunio saethau ychwanegol i gynrychioli'r grym adwaith. Dysgwch y ffaith bwysig hon:

**Pryd bynnag y mae gwrthrych ar ARWYNEB llorweddol, mae GRYM ADWAITH bob amser yn gwthio tuag I FYNY, i gynnal y gwrthrych.
Bydd cyfanswm y GRYM ADWAITH yn HAFAL AC YN DDIRGROES i'r pwysau.**

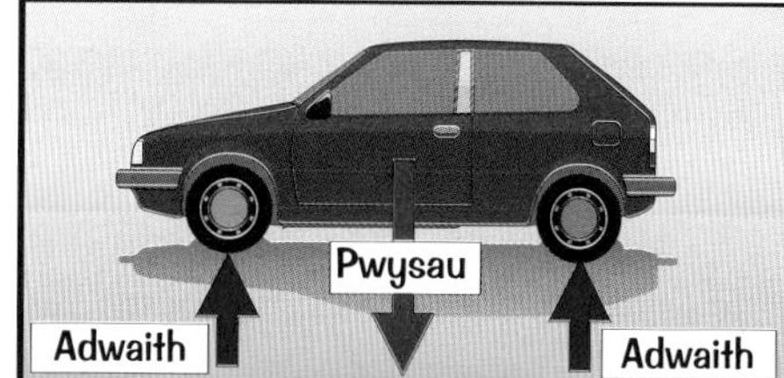

Wyddech chi – fod grym anghytbwys yn ennill brwydrau ...

Chwarae teg i Isaac. Mae'r tair deddf mudiant yn eithaf trawiadol. Ydych chi'n cytuno? Wel rhaid i chi eu dysgu'n drwyadl beth bynnag, gan nad oes unrhyw ffeithiau syml a fydd o gymorth i chi yn y pwnc hwn – ac, yn y pen draw, does dim dianc rhag y ffaith bod yn rhaid i chi ddysgu'r Tair Deddf.

Buanedd, Cyflymder a Chyflymiad

Mae Buanedd a Chyflymder yn dweud: PA MOR GYFLYM RYDYCH YN SYMUD

Caiff buanedd a chyflymder eu mesur mewn m/s (neu km/awr neu mya). Yn syml, maen nhw'n dweud pa mor gyflym rydych yn teithio, ond mae yna wahaniaeth pwysig rhwng y ddau sydd angen i chi ei wybod:

BUANEDD yw PA MOR GYFLYM rydych yn mynd (e.e. 30 mya neu 20 m/s) heb sôn am y cyfeiriad. Ond rhaid nodi'r CYFEIRIAD hefyd pan yn sôn am GYFLYMDER, e.e. 30 mya i'r gogledd neu 20 m/s, 060°.

Mae'n swnio fel hollti blew, ond bydd disgwyl i chi ddysgu'r gwahaniaeth, a dyna ni.

Buanedd, Pellter ac Amser – y Fformiwla

$$\text{Buanedd} = \frac{\text{Pellter}}{\text{Amser}}$$

Dylech ddod yn gyfarwydd iawn â'r fformiwl syml hon.
Mae'r triongl fformiwla yn ei gwneud yn symlach fyth.
Ceisiwch feddwl am ffordd ddiddorol o gofio trefn y llythrennau, s^{d}t.

ENGHRAIFFT: Mae cath yn sleifio 20 m mewn 35 s. Darganfyddwch
a) ei buanedd b) faint o amser mae'n ei gymryd i sleifio 75 m.

ATEB: Defnyddiwch y triongl fformiwla: a) s = d/t = 20/35 = 0.57 m/s
b) t = d/s = 75/0.57 = 131 s = 2 funud 11 eiliad

Yn aml iawn, rydym yn tueddu i ddefnyddio'r termau "buanedd" a "chyflymder" i olygu'r un peth. Er enghraifft, i gyfrifo'r cyflymder, byddech yn defnyddio'r fformiwla ar gyfer buanedd.

Cyflymiad yw Pa mor Gyflym rydych yn Ennill Buanedd

Yn bendant nid yw cyflymiad yr un peth â buanedd na chyflymder.
Bob tro y defnyddiwch y gair cyflymiad, atgoffwch eich hun "mae cyflymiad yn hollol wahanol i gyflymder. Pa mor gyflym y mae'r cyflymder yn newid yw'r cyflymiad."
Mae cyflymder yn syniad syml. Mae cyflymiad yn anoddach, a dyna pam mae'n gymysglyd.

Cyflymiad – y Fformiwla:

$$\text{Cyflymiad} = \frac{\text{Newid yn y cyflymder}}{\text{Amser a Gymerwyd}}$$

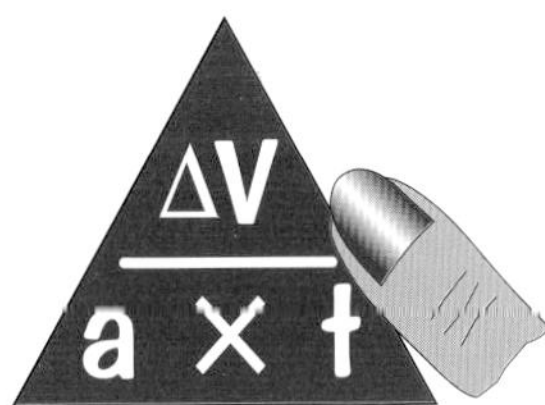

Dim ond fformiwla arall. Yn union fel y lleill. Tri pheth mewn triongl fformiwl. Cofiwch: mae dau beth anodd yn hon. Yn gyntaf mae'r "ΔV", sy'n golygu darganfod y "newid yn y cyflymder", fel y dangosir yn yr enghraifft isod, yn lle rhoi gwerth syml ar gyfer buanedd neu gyflymder. Yn ail, mae unedau cyflymiad, sef m/s^2. Nid m/s, sef cyflymder, ond m/s^2. Deall? Na? Gadewch i ni drio eto: Nid m/s ond m/s^2.

ENGHRAIFFT: Gall cath sy'n sleifio gyflymu o 2 m/s i 6 m/s mewn 5.6 s. Darganfyddwch ei chyflymiad.
ATEB: Defnyddiwch y triongl fformiwla: $a = \Delta V/t = (6 - 2) / 5.6 = 4 \div 5.6 = 0.71$ m/s^2
Gwaith digon elfennol am wn i.

Cyflymder a Chyflymiad – dysgwch y gwahaniaeth ...

Mae'n wir – dydy pawb ddim yn sylweddoli bod cyflymder a chyflymiad yn ddau beth hollol wahanol. Anodd credu, dwi'n gwybod – ond dyna fel mae pethau. Ta waeth, dysgwch y diffiniadau a'r fformiwlâu, cuddiwch y dudalen ac ysgrifennwch.

Graffiau Pellter-Amser a Chyflymder-Amser

Gwnewch yn siŵr eich bod yn dysgu'r manylion hyn i gyd yn dda. Gwnewch yn siŵr y gallwch wahaniaethu rhwng y ddau hefyd.

Graffiau Pellter-Amser

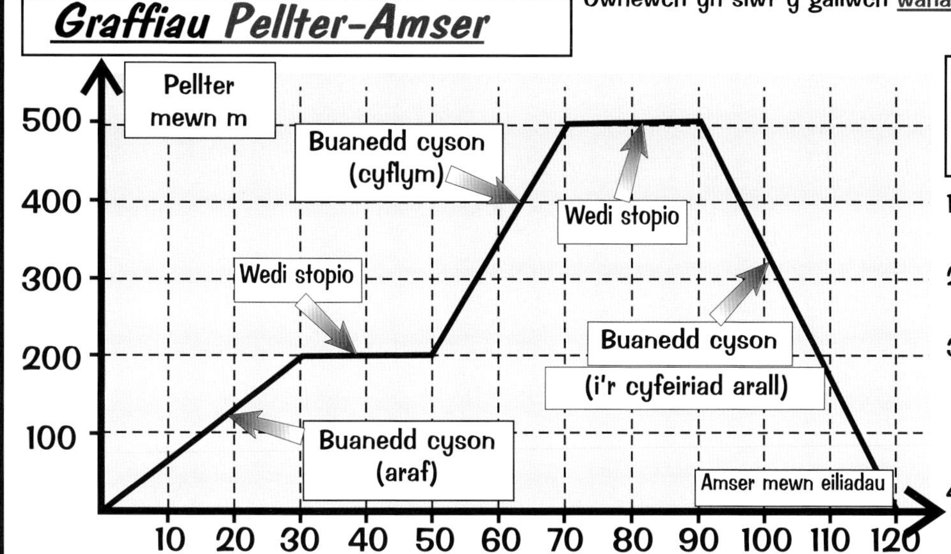

Pedwar Pwynt Pwysig Iawn:

1) Mae'r rhannau gwastad yn dangos ei fod wedi stopio.
2) Po serthaf yw'r graff, y cyflymaf y mae'n symud.
3) Mae'r rhannau tuag i fyny (↗) yn golygu ei fod yn teithio i ffwrdd o'r man cychwyn.
4) Mae'r rhannau tuag i lawr (↘) yn golygu ei fod yn dychwelyd at y man cychwyn.

Cyfrifo'r Buanedd o Graff Pellter-Amser

Er enghraifft, dyma'r buanedd yn y rhan ddychwelyd ar y graff:

$$\text{Buanedd} = \frac{\text{pellter a deithiwyd}}{\text{amser}} = \frac{500}{30} = 16.7\ \text{m/s}$$

Peidiwch ag anghofio bod rhaid i chi ddefnyddio graddfeydd yr echelinau i gyfrifo'r graddiant. Peidiwch â mesur mewn cm.

Graffiau Cyflymder-Amser

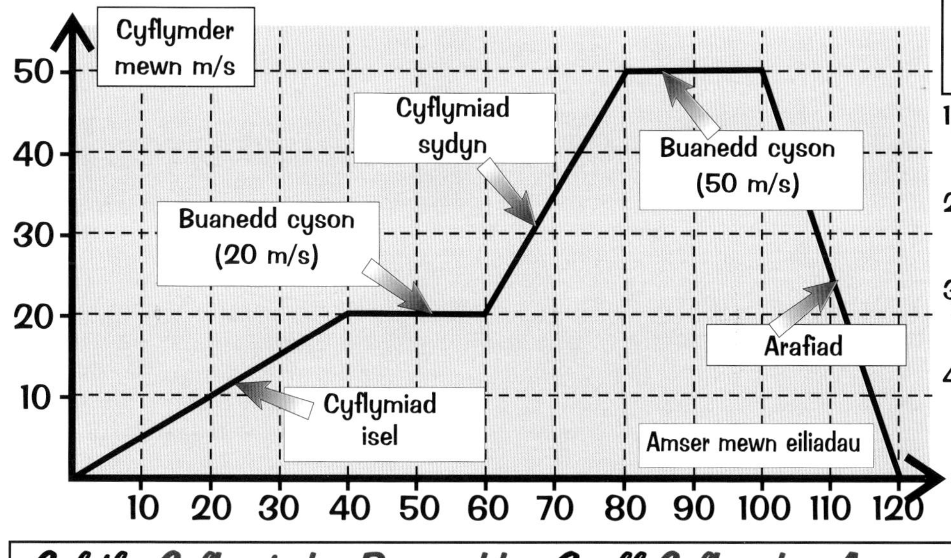

Pedwar Pwynt Pwysig Iawn:

1) Mae'r rhannau gwastad yn dangos buanedd cyson.
2) Y serthaf yw'r graff, yr uchaf yw'r cyflymiad neu'r arafiad.
3) Cyflymiad yw'r rhannau tuag i fyny (↗).
4) Arafiad yw'r rhannau tuag i lawr (↘).

Cyfrifo Cyflymiad a Buanedd o Graff Cyflymder-Amser

1) Y cyflymiad a gynrychiolir gan ran gyntaf y graff yw:

$$\text{Cyflymiad} = \frac{\text{newid yn y buanedd}}{\text{cyfwng amser}} = \frac{20}{40} = 0.5\ \text{m/s}^2$$

2) Gellir cyfrifo'r buanedd ar unrhyw bwynt trwy ddarllen y gwerth ar yr echelin buanedd.

Deall buanedd ac yn y blaen ...

Yr hyn sy'n anodd am y ddau fath hyn o graff yw eu bod yn edrych yn debyg, ond eu bod yn cynrychioli dau fath cwbl wahanol o fudiant. Os ydych am fedru eu gwneud (yn yr Arholiad) rhaid i chi ddysgu'r pwyntiau uchod i gyd ar gyfer y ddau fath. Mwynhewch.

Grym Cydeffaith a Chyflymder Terfynol

Mae Grym Cydeffaith yn Bwysig Iawn ar gyfer "F = ma"

Gellir darganfod "cyfanswm y grym" ar wrthrych drwy adio neu dynnu'r grymoedd sy'n pwyntio ar hyd yr un cyfeiriad.
Ar ôl i chi ei gyfrifo, gallwch ddarganfod a yw'r gwrthrych yn cyflymu, yn arafu ynteu'n aros ar fuanedd cyson.
Yr enw ar gyfanswm y grym a gewch yw grym cydeffaith.
Pan ddefnyddiwch y fformiwla "F = ma", rhaid i F fod y grym cydeffaith bob amser.

ENGHRAIFFT: Mae gan gar, màs 1750 kg, beiriant sy'n rhoi grym gyrru o 5,200 N.
Ar 70 mya, y grym llusgiad sy'n gweithredu ar y car yw 5,150 N.
Darganfyddwch ei gyflymiad a) pan yw'n cychwyn o fod yn llonydd a b) ar 70 mya.

ATEB: 1) Yn gyntaf lluniwch ddiagram grymoedd i'r ddau achos (does dim angen dangos y grymoedd fertigol):

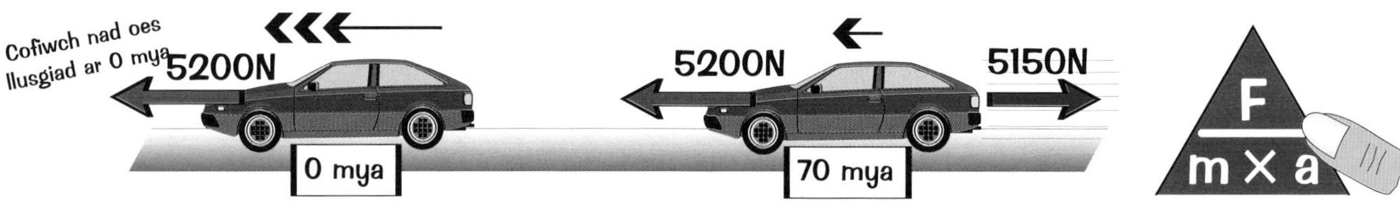

2) Cyfrifwch y grym cydeffaith yn y ddau achos, a defnyddiwch "F = ma" o'r triongl fformiwla:

Grym cydeffaith = 5,200 N.
a = F/m = 5,200 ÷ 1750 = 3.0 m/s²

Grym cydeffaith = 5,200 – 5,150 = 50N
a = F/m = 50 ÷ 1750 = 0.03 m/s²

Mae Ceir a Phethau sy'n Disgyn yn Rhydd yn Cyrraedd Cyflymder Terfynol

Pan fo ceir a gwrthrychau sy'n disgyn yn rhydd yn cychwyn mae grym llawer mwy yn eu cyflymu na'r gwrthiant sy'n eu harafu. Wrth i'r buanedd gynyddu mae'r gwrthiant yn adeiladu. Mae hyn yn graddol leihau y cyflymiad nes yn y pen draw bydd y grym gwrthiant yn hafal i'r grym cyflymu ac yna ni fydd yn gallu cyflymu rhagor. Bydd wedi cyrraedd ei fuanedd uchaf neu gyflymder terfynol.

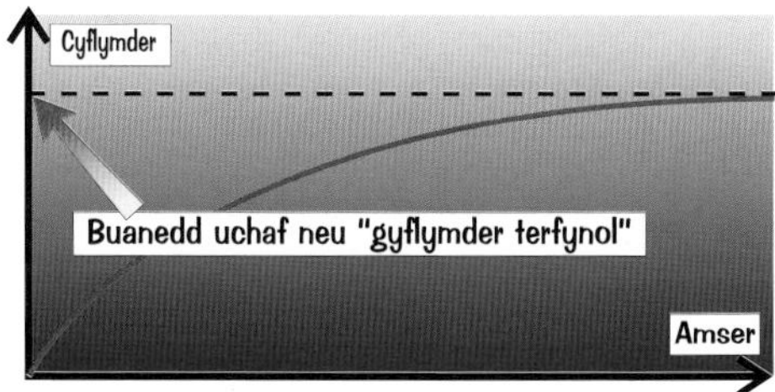

Mae Cyflymder Terfynol Gwrthrych sy'n Disgyn yn dibynnu ar ei Siâp a'i Arwynebedd

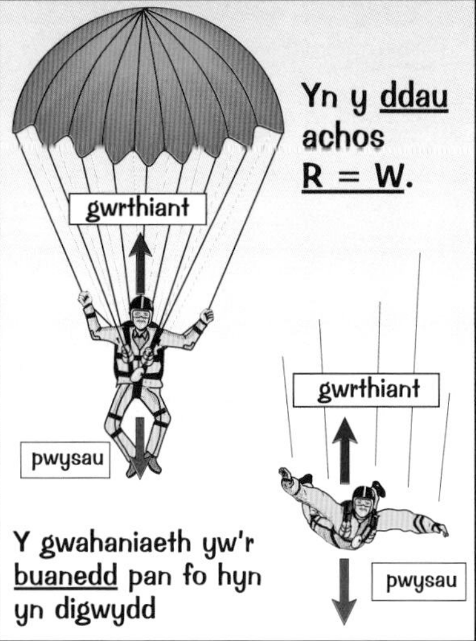

Y grym cyflymu sy'n gweithredu ar bob gwrthrych sy'n disgyn yw disgyrchiant, a byddent i gyd yn disgyn ar yr un gyfradd oni bai am wrthiant aer.
I brofi hyn, ar y Lleuad, lle nad oes aer, byddai bochdewion a phlu a ollyngwyd ar yr un pryd yn taro'r ddaear gyda'i gilydd.
Ar y Ddaear, fodd bynnag, mae gwrthiant aer yn achosi i bethau ddisgyn ar fuaneddau gwahanol, a chaiff cyflymder terfynol unrhyw wrthrych ei benderfynu gan ei lusgiad o'i gymharu â'i bwysau. Mae'r llusgiad yn dibynnu ar ei siâp a'i arwynebedd.

Yr enghraifft bwysicaf yw'r dyn yn plymio o'r awyr. Heb ei barasiwt ar agor mae ganddo arwynebedd eithaf bychan a grym o "W = mg" yn ei dynnu i lawr. Bydd yn cyrraedd cyflymder terfynol o tua 120 mya.
Ond gyda'r parasiwt ar agor, mae llawer mwy o wrthiant aer (ar unrhyw fuanedd penodol) a'r un grym yn union, sef "W = mg", yn ei dynnu i lawr.
Mae hyn yn golygu bod ei gyflymdr terfynol yn dod i lawr i tua 15 mya, sydd yn fuanedd diogel i daro'r ddaear.

Dysgu am wrthiant aer – mae'r pwnc hwn yn llusgo braidd ...

Amser am draethawd byr, ddywedwn i. Mae llawer o fanylion ar y dudalen hon, a'r ffordd orau o wirio faint rydych yn ei wybod yw trwy ysgrifennu traethawd byr ar gyfer pob un o'r tair adran. Yna, edrychwch yn ôl i weld beth rydych wedi ei golli. Daliwch ati.

Deddf Hooke a Gwasgedd

Deddf Hooke — mae Estyniad mewn Cyfrannedd â'r Llwyth

Mae Deddf Hooke yn hynod o syml. Mae'n dweud:

Os ydych yn ESTYN rhywbeth â grym sy'n cynyddu'n gyson, yna bydd yr HYD yn cynyddu'n gyson hefyd.

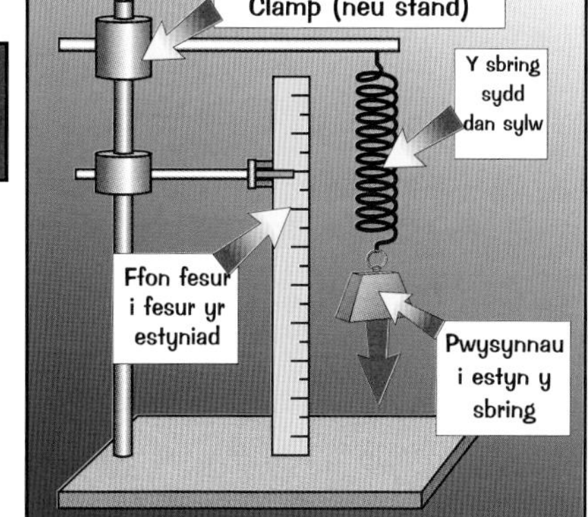

1) Y peth pwysig i'w fesur mewn arbrawf Deddf Hooke yw'r estyniad, ac nid cyfanswm yr hyd:

ESTYNIAD yw'r CYNNYDD YN YR HYD o'i gymharu â'r hyd gwreiddiol pan nad oes grym yn gweithredu.

2) Ar gyfer y rhan fwyaf o ddefnyddiau, fe welwch fod yr estyniad mewn cyfrannedd â'r llwyth.
3) Mae hyn yn golygu os dyblwch y llwyth, bydd yr estyniad yn dyblu hefyd.

Rhan Syth y Graff hwn yn Unig yw Deddf Hooke

Pan yw'r estyniad mewn cyfrannedd â'r llwyth, ceir graff llinell syth trwy'r tarddbwynt. Dysgwch y ddau achos pwysig hyn: gwifren fetel a sbring.

1) Sylwch, yn y ddau achos, fod yna derfan elastig.
2) Ar gyfer estyniadau llai na hyn, bydd y wifren neu'r sbring yn dychwelyd i'w siâp gwreiddiol.
3) Os caiff y gwrthrych ei estyn y tu hwnt i'r terfan elastig, bydd yn ymddwyn yn anelastig.
4) Mae hyn yn golygu nad yw'n dilyn Deddf Hooke, a hefyd na fydd yn dychwelyd i'w siâp gwreiddiol.

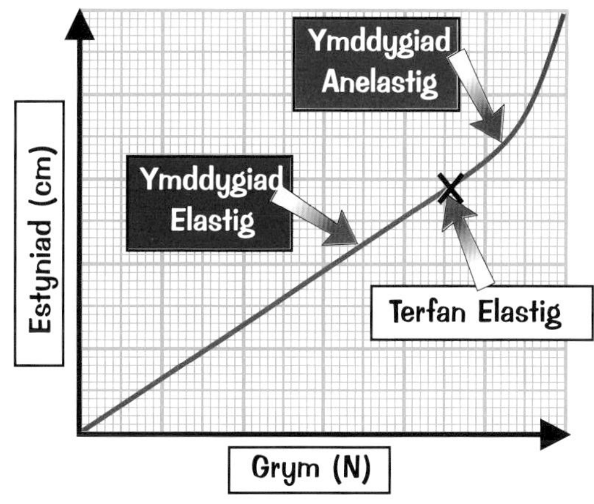

Mae'r Ddamcaniaeth Ginetig yn Esbonio Gwasgedd mewn Nwyon

1) Achosir y gwasgedd y mae nwy yn ei roi ar y cynhwysydd gan ronynnau sy'n symud o gwmpas ar hap ac yn taro yn erbyn waliau'r cynhwysydd. Mae'n dibynnu ar ddau beth: pa mor gyflym maen nhw'n symud a pha mor aml maen nhw'r taro'r waliau.
2) Mae pa mor aml maen nhw'n taro'r waliau yn dibynnu ar faint maen nhw wedi eu gwasu at ei gilydd. Pan gaiff y cyfaint ei leihau, mae'r gronynnau'n cael eu gwasgu mwy, felly maen nhw'n taro'r waliau'n amlach, ac felly mae'r gwasgedd yn cynyddu. Ni fydd buanedd y gronynnau'n newid cyn belled ag y bo'r tymheredd yn aros yr un peth.

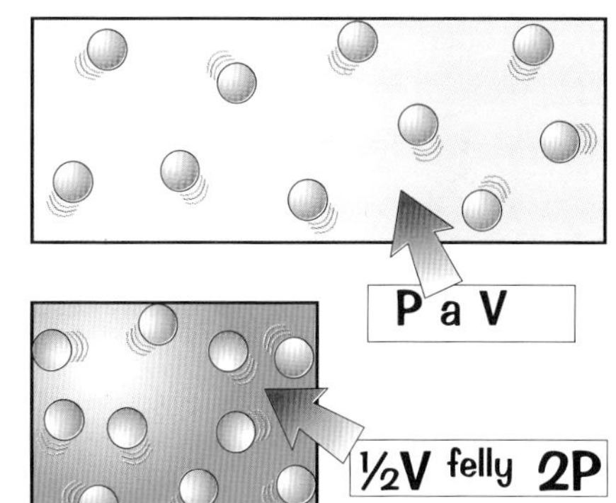

Deddf Hooke — gall hwn eich estyn i'r eithaf ...

Gwaith digon elfennol yw Deddf Hooke, felly gwnewch yn siŵr eich bod yn gwybod yr holl fanylion bach, gan gynnwys y graff, a'r syniadau y tu ôl i'r darn syth a'r darn crwm. Hefyd, gwnewch yn siŵr y gallwch esbonio gwasgedd mewn nwyon yn nhermau gronynnau. Darganfyddwch beth rydych yn ei wybod: cuddiwch, ysgrifennwch, gwiriwch, ac ati.

Crynodeb Adolygu Adran Dau

Rhagor o gwestiynau i chi eu mwynhau. Mae llawer o wybodaeth am rymoedd, mudiant a gwasgedd y mae'n rhaid i chi ei gwybod. Mae rhai rhannau yn fwy anodd eu deall, ond mae llawer ohono'n eithaf syml a does dim ond rhaid i chi ei ddysgu ar gyfer yr Arholiad. Rhaid i chi ymarfer y cwestiynau hyn drosodd a throsodd nes y gallwch eu hateb yn hawdd – dyna sbort!

1) Beth yw disgrychiant? Rhestrwch dair prif effaith disgyrchiant.
2) Eglurwch y gwahaniaeth rhwng màs a phwysau. Pa unedau a ddefnyddir i'w mesur?
3) Beth yw'r fformiwla ar gyfer pwysau? Defnyddiwch enghraifft i'w hegluro.
4) Rhestrwch y chwe gwahanol fath o rym. Brasluniwch ddiagramau i egluro pob un.
5) Brasluniwch bob un o'r pum diagram grym safonol, gan ddangos y grymoedd a'r math o fudiant.
6) Rhestrwch y tri math o ffrithiant, a gwnewch fraslun i egluro pob un.
7) Disgrifiwch sut mae buanedd yn effeithio ar ffrithiant.
8) Esboniwch beth yw "grym cydeffaith". Defnyddiwch ddiagram i'w egluro.
9) Pa ddwy effaith gaiff ffrithiant ar beiriannau?
10) A yw ffrithiant yn ddefnyddiol o gwbl? Disgrifiwch bum problem a fyddai gennym pa na bai ffrithiant yn bod.
11) Ysgrifennwch Ddeddf Gyntaf Mudiant. Defnyddiwch ddiagram i'w hesbonio.
12) Ysgrifennwch Ail Ddeddf Mudiant. Defnyddiwch ddiagram i'w hesbonio.
13) Ysgrifennwch Drydedd Deddf Mudiant. Defnyddiwch ddiagram i'w hesbonio.
14) Esboniwch beth yw grym adwaith ac ymhle mae i'w gael.
15) Beth yw'r gwahaniaeth rhwng cyflymder a buanedd? Rhowch enghraifft o'r ddau.
16) Ysgrifennwch y fformiwla ar gyfer cyfrifo buanedd.
17) Cyfrifwch fuanedd llygoden sydd wedi'i brifo os ydyw'n hercian 3.2 m mewn 35 s.
18) Pa mor bell fyddai'n symud mewn 25 munud?
19) Beth yw cyflymiad? A yw yr un peth â chyflymder neu fuanedd? Beth yw ei unedau?
20) Ysgrifennwch y fformiwla ar gyfer cyflymiad.
21) Beth yw cyflymiad pysen sy'n cael ei fflicio o fod yn llonydd i fuanedd o 14 m/s mewn 0.4 s?
22) Beth yw cyflymiad car mawr cyflym sy'n mynd o fod yn llonydd i fuanedd o 27 m/s mewn 6.1 s?
23) Brasluniwch graff pellter-amser nodweddiadol a dangoswch y darnau pwysig i gyd.
24) Brasluniwch graff cyflymder-amser nodweddiadol a dangoswch y darnau pwysig i gyd.
25) Ysgrifennwch bedwar pwynt pwysig sy'n ymwneud â'r graffiau hyn.
26) Esboniwch sut i gyfrifo'r cyflymder o graff pellter-amser.
27) Esboniwch sut i gyfrifo buanedd a chyflymiad o graff cyflymder-amser.
28) Beth yw "cyflymder terfynol"? A yw yr un peth â buanedd uchaf?
29) Pa ddau brif ffactor sy'n effeithio ar gyflymder terfynol?
30) Enwch ddwy wahanol ran pellter stopio cyffredinol car?
31) Rhestrwch y ffactorau sy'n effeithio ar a) bellter meddwl b) pellter brecio.
32) Beth sy'n digwydd i'r pellter stopio cyffredinol wrth i'r buanedd gynyddu?
33) Beth yw Deddf Hooke? Brasluniwch y cyfarpar arferol. Esboniwch beth sydd raid ei fesur.
34) Brasluniwch dri graff Deddf Hooke ac esboniwch eu siâp. Eglurwch "elastig" ac "anelastig".
35) Brasluniwch graff Deddf Hooke ar gyfer sbring ac eglurwch ei siâp.
36) Brasluniwch solid sydd yn: ymestyn; cywasgu; plygu; dirdroi; croeswasgu; troi.
37) Beth yw "moment"? Beth yw'r fformiwla ar gyfer moment? Defnyddiwch ddiagram i'w esbonio.
38) Beth, yn ôl y Ddamcaniaeth Ginetig, sy'n effeithio ar y gwasgedd ar waliau cynhwysydd sy'n llawn nwy?
39) Beth sy'n digwydd i'r gronynau mewn nwy wrth i chi leihau'r cyfaint? Beth sy'n digwydd i'r gwasgedd?

Atebion rhifiadol ar T.90.

Tonnau — Egwyddorion Sylfaenol

Mae tonnau yn wahanol i bopeth arall. Mae ganddyn nhw rai nodweddion sy'n perthyn i donnau yn unig:

Osgled, Tonfedd, Amledd a Chyfnod

Mae gormod o bobl yn cael y rhain yn anghywir. Sylwch yn ofalus:

1) Mae OSGLED yn mynd o'r llinell ganol i'r brig, NID o'r cafn i'r brig.
2) Mae TONFEDD yn cynnwys cylchred gyflawn y don, e.e. o frig i frig, nid o "unrhyw ddau ddarn sydd ychydig ar wahân".
3) Yr AMLEDD yw sawl ton gyflawn sydd bob eiliad (yn mynd heibio i bwynt penodol). Caiff amledd ei fesur mewn Hertz. 1 Hz yw un don gyflawn yr eiliad.
4) Y CYFNOD yw'r amser y mae un don gyfan yn ei gymryd. Y fformiwla yw $T = 1/f$

Tonfedd, λ

Osgled

Osgled

Tonfedd, λ

Mae gan Donnau Ardraws Ddirgryniadau Ochrol

Mae'r mwyafrif o donnau yn ardraws:

1) Goleuni a phob ton EM arall.
2) Crychdonnau ar ddŵr.
3) Tonnau ar linynnau.
4) Sbring slinci yn symud i fyny ac i lawr.

Mewn tonnau ARDRAWS mae'r dirgryniadau ar 90° i GYFEIRIAD TEITHIO y don.

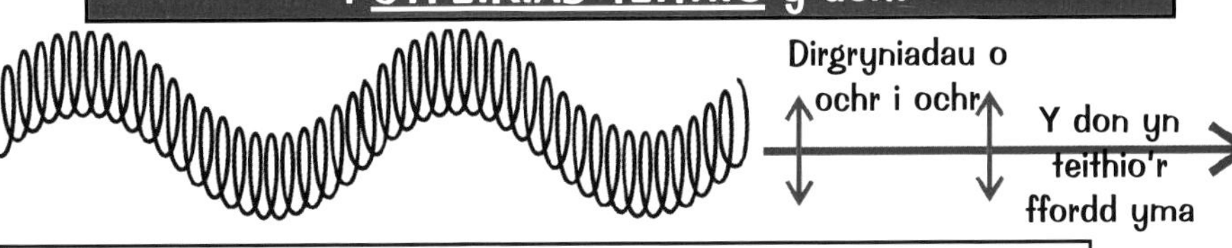

Mae gan Donnau Hydredol Ddirgryniadau ar hyd yr Un Llinell

Yr unig donnau hydredol yw:

1) Seindonnau.
2) Tonnau sioc, e.e. tonnau-P seismig (Gweler T.48).
3) Sbring slinci o gael plwc.

Mewn tonnau HYDREDOL mae'r dirgryniadau ar hyd YR UN CYFEIRIAD ag y mae'r don yn teithio.

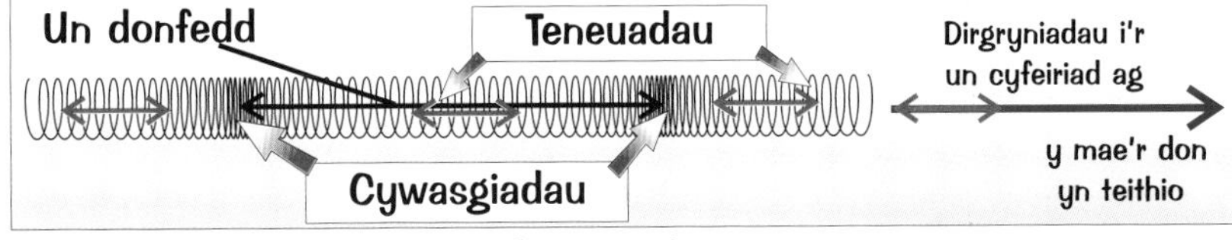

4) Peidiwch â chael eich cymysgu gan sgrin osgilosgop sy'n dangos ton ardraws wrth arddangos seiniau. Mae'r seindon go iawn yn hydredol – mae'r sgrin yn dangos ton ardraws fel y gallwch weld beth sy'n digwydd.

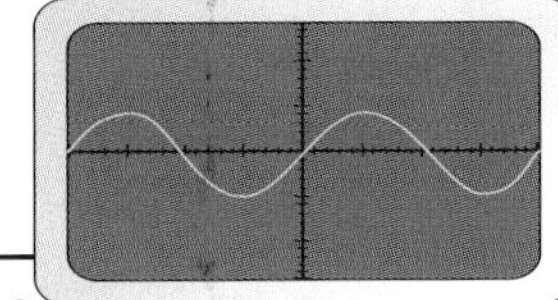

Mae pob Ton yn Cludo Egni – Heb Drosglwyddo Mater

1) Mae goleuni, is-goch a microdonnau i gyd yn achosi i bethau gynhesu. Gall pelydrau X a phelydrau gama achosi ïoneiddiad a niweidio celloedd, sydd hefyd yn dangos eu bod yn cludo egni.
2) Mae synau uchel yn gwneud i bethau ddirgrynu neu symud. Mae hyd yn oed y sŵn lleiaf yn symud tympan y glust.
3) Gall tonnau'r môr daflu cychod o gwmpas a gallant gynhyrchu trydan.
4) Mae tonnau hefyd yn trosglwyddo gwybodaeth yn ogystal ag egni, e.e. teledu, radio, siarad, ffibr opteg, ac ati.

Gellir ADLEWYRCHU, PLYGU a DIFFREITHIO tonnau

Gweler T.37-40 a T.42 am y pynciau hyn.

Mewn Arholiad, gallent brofi a ydych yn sylweddoli bod y rhain yn briodweddau tonnau, felly dysgwch nhw. Gall y tri gair beri dryswch, ond rhaid i chi ddysgu'r gwahaniaethau rhyngddyn nhw.

Dysgwch am donnau ...

Mae hwn yn waith elfennol iawn ar donnau. Pedair adran â phedwar pwynt yr un. Dysgwch y penawdau, ac yna'r manylion. Yna cuddiwch y dudalen i weld beth allwch chi ei ysgrifennu. Yna ceisiwch eto ac eto nes y gallwch gofio'r cwbl. Dyma ffordd hawdd o ennill – neu golli – marciau.

Seindonnau

1) Mae Sain yn Teithio ar Wahanol Fuaneddu mewn Sylweddau Gwahanol

1) Gwrthrychau yn dirgrynu sy'n achosi seindonnau.
2) Mae seindonnau yn donnau hydredol, sy'n teithio ar fuaneddau sefydlog mewn cyfrwng penodol, fel y dangosir yn y tabl.
3) Fel y gwelwch, y mwyaf dwys yw'r cyfrwng, y cyflymaf fydd sain yn teithio trwyddo, yn gyffredinol.
4) Mae sain yn tueddu i deithio'n gynt mewn solidau na mewn hylifau, ac yn gynt mewn hylifau na nwyon.

Sylwedd	Dwysedd	Buanedd Sain
Haearn	7.9 g/cm^3	5000 m/s
Rwber	0.9 g/cm^3	1600 m/s
Dŵr	1.0 g/cm^3	1400 m/s
Corc	0.3 g/cm^3	500 m/s
Aer	0.001 g/cm^3	330 m/s

2) Nid yw Sain yn Teithio trwy Wactod

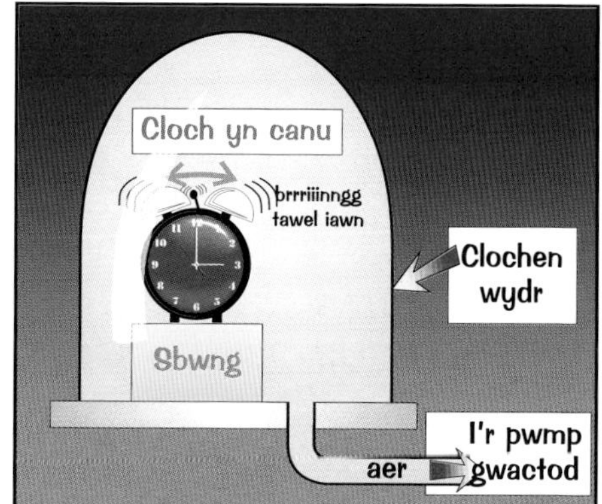

1) Gellir adlewyrchu, plygu a diffreithio seindonnau.
2) Un peth na allant ei wneud yw teithio trwy wactod.
3) Gellir dangos hyn yn ddel yn yr arbrawf â'r glochen.
4) Wrth i'r aer gael ei sugno allan gan y pwmp gwactod, mae'r sain yn mynd yn wannach ac yn wannach.
5) Rhaid gosod y glochen ar rywbeth tebyg i sbwng i atal y sain rhag teithio trwy'r arwyneb solet ac achosi i'r fainc ddirgrynu, oherwydd dyna fyddech yn ei glywed yn lle.

3) Gall Gormod o Sŵn Niweidio eich Clyw

1) Amrediad arferol clyw dynol yw 20 Hz i 20,000 Hz, ond mae'r terfan uchaf yn lleihau gydag oedran. Ni ellir clywed seiniau sydd ag amleddau dros 20,000 Hz. Nid gan fodau dynol o leiaf.
2) Fodd bynnag, gall cŵn glywed i fyny at 40,000 Hz, felly mae chwibanau cŵn yn gweithio rhwng 20 kHz a 40 kHz fel bo cŵn yn gallu eu clywed ond ni allwn ni.
3) Bydd gormod o sŵn uchel yn niweidio eich clyw. Caiff pen uchaf yr amrediad amledd ei effeithio fwyaf. Stereos personol a pheiriannau uchel yw'r ddau brif beth sy'n gyfrifol am niweidio clyw pobl.

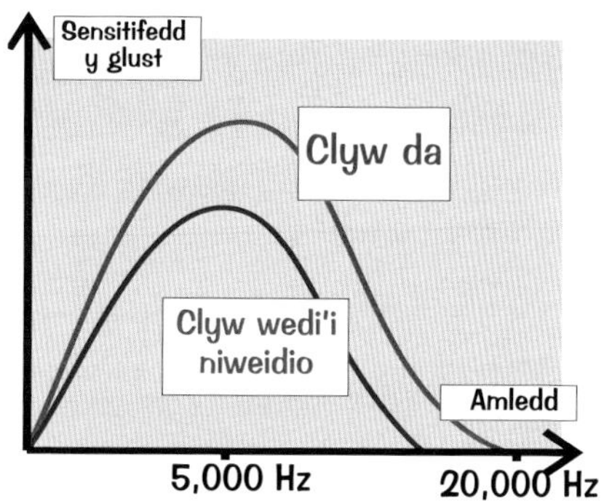

4) Llygredd Sŵn – Niwsans Cynyddol

1) Un ffynhonnell llygredd sŵn yw peiriannau swnllyd megis peiriannau torri gwair, peiriannau tyllu a driliau niwmatig, ac ati.
2) Un arall yw cymdogion swnllyd â'u stereos gwirion, eu cŵn yn cyfarth a'u plant anystywallt.
3) Mae i lygredd sŵn effeithiau niweidiol, a'r prif rai yw straen a thynnu sylw oddi ar waith.
4) Gellir lleihau llygredd sŵn drwy: a) dawelu'r ffynhonnell b) ynysu cartrefi, adeiladau neu'r clustiau.

DULLIAU PENODOL O LEIHAU LLYGREDD SŴN:
1) Rhoi tawelyddion ar beiriannau ceir, a myffler o ryw fath ar beiriannau eraill.
2) Ynysydd sŵn mewn adeiladau: teils acwstig, llenni, carpedi a gwydro dwbl.
3) Gwisgo plygiau clust.

Pe bai sain yn teithio mewn gwactod – byddai dyddiau heulog yn fyddarol ...

Unwaith eto, mae'r dudalen hon wedi'i rhannu'n bedair adran, gyda phwyntiau pwysig ymhob un. Mae pob un o'r pwyntiau hyn yn bwysig. Maen nhw i gyd yn cael eu crybwyll yn y maes llafur, felly dylech ddisgwyl iddyn nhw ymddangos yn yr Arholiad. Dysgwch a mwynhewch.

Seindonnau

1) Mae Atseiniau a Datseinedd yn ganlyniad i ADLEWYRCHIAD Sain

1) Dim ond oddi ar arwynebau caled, gwastad y caiff sain ei adlewyrchu. Mae pethau fel carpedi a llenni yn arwynebau sy'n amsugno seiniau yn hytrach na'u hadlewyrchu.
2) Mae hyn yn amlwg iawn yn y datseinedd mewn ystafell wag. Mae ystafell fawr, wag yn swnio'n hollol wahanol ar ôl i chi roi carpedi a llenni ynddi, ac ychydig o ddodrefn, gan fod y pethau hyn yn amsugno sain yn gyflym ac yn ei atal rhag atseinio (datseinio) o gwmpas yr ystafell.

2) Mae Osgled yn Fesur o'r Egni sy'n cael ei Gludo gan Unrhyw Don

1) Y mwyaf yw'r osgled, y mwyaf o egni mae'r don yn ei gludo.
2) Mewn sain, mae hyn yn golygu ei fod yn gryfach (uwch).
3) Mae osgled mwy yn golygu sain cryfach.
4) Gyda goleuni, mae osgled mwy yn golygu y bydd yn fwy llachar.

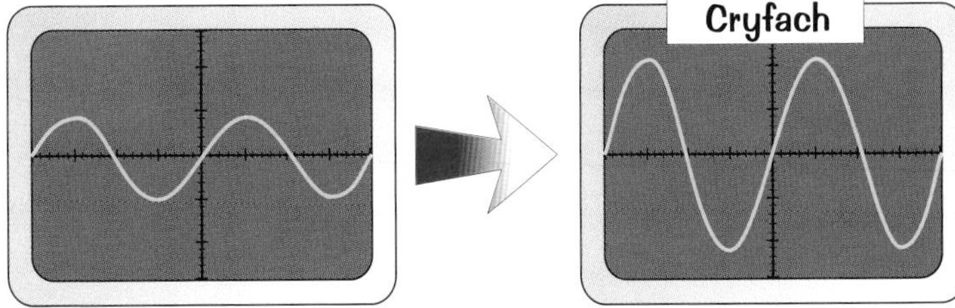

3) Mae Amledd Seindon yn Penderfynu Traw y Sain

1) Mae gan seindonnau amledd uchel, megis llygoden yn gwichian, draw uchel.
2) Mae gan seindonnau amledd isel, megis buwch yn brefu, draw isel.
3) Yr amledd yw nifer y dirgryniadau cyflawn bob eiliad.
4) Yr unedau cyffredin yw kHz (1000 Hz) a Mhz (1,000,000 Hz).
5) Mae amledd uchel (neu draw uchel) hefyd yn golygu tonfedd fyrrach.
6) Mae'r olinau osgilosgop hyn yn bwysig iawn felly dysgwch bopeth amdanyn nhw:

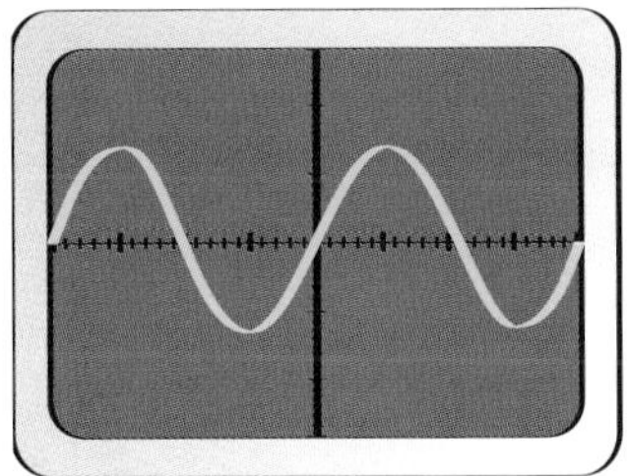
Sain Gwreiddiol

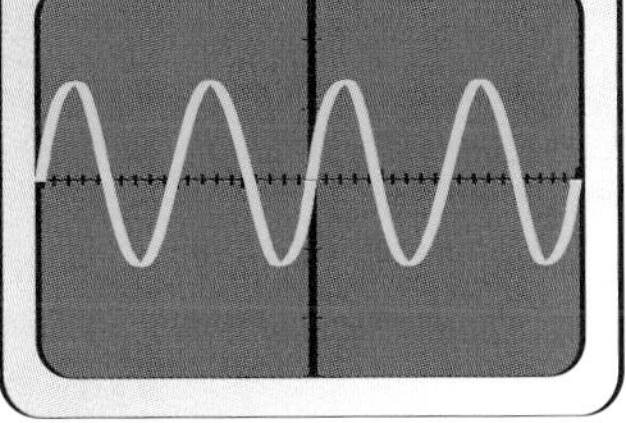
Traw uwch

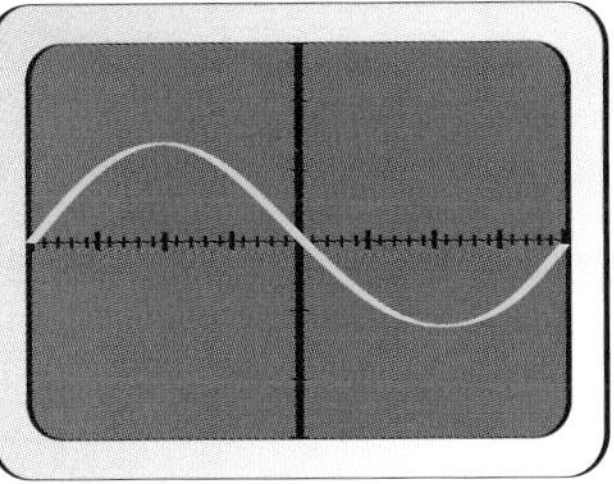
Traw is

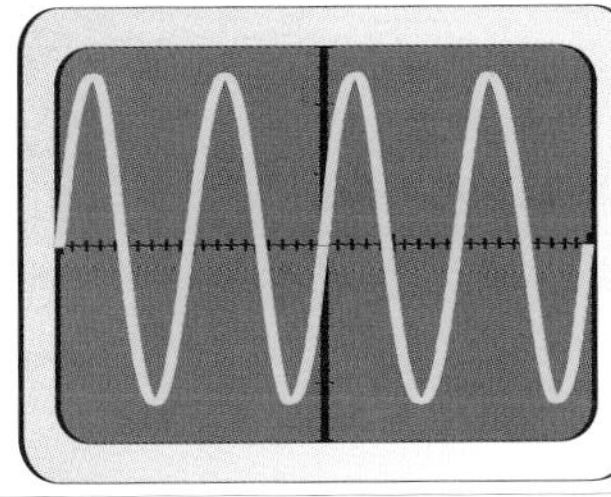
Traw uwch a chryfach

4) Mae Microffonau yn newid Seindonnau yn Signalau Trydanol

1) Mae'r microffon yn newid seindonnau yn gerrynt trydanol sy'n amrywio.
2) Yr amrywiadau yn y cerrynt sy'n cludo'r wybodaeth.
3) Mae'r ceryntau o ficroffon yn fach iawn a chânt eu mwyhau yn signalau llawer mwy gan fwyhadur.
4) Gellir recordio'r signalau hyn o'r microffon a'u chwarae yn ôl drwy seinyddion.
5) Mae seinyddion yn newid signalau trydanol yn seindonnau – sy'n groes i'r hyn y mae microffonau yn ei wneud,

Mae yna ragor am signalau ar T.41.

Osgled?...

Tudalen arall â phedair adran, ac ati. Mae yna lawer o stwff diflas iawn ar donnau cyffredin a sain. Yn anffodus, rhaid i chi ei ddysgu'n drylwyr er mwyn ennill marciau yn yr Arholiad. Rhaid i chi sylweddoli: os na ddysgwch y gwaith, chewch chi ddim o'r marciau. Mae mor syml â hynny.

Uwchsain

Uwchsain yw Sain ag Amledd Uwch nag y gallwn ni ei Glywed

Gellir gwneud dyfeisiau trydanol sy'n cynhyrchu osgiliadau trydanol o unrhyw amledd. Gellir newid y rhain yn hawdd yn ddirgryniadau mecanyddol i gynhyrchu seindonnau sydd y tu hwnt i glyw dynol (h.y. amleddau uwch na 20 kHz). Gelwir hyn yn uwchsain ac mae iddo nifer o ddibenion:

1) Glanhau Diwydiannol

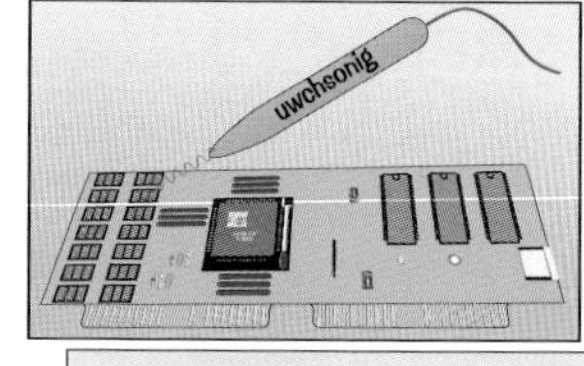

Gellir defnyddio uwchsain i lanhau mecanweithiau bregus heb orfod eu datgymalu. Gellir cyfeirio'r tonnau uwchsain at fannau penodol, ac maen nhw'n effeithiol iawn ar gyfer symud baw a dyddodion eraill oddi ar offer bregus. Byddai dulliau eraill naill ai yn niweidio'r offer neu byddai angen ei ddatgymalu yn gyntaf.

Defnyddir yr un dechneg i lanhau dannedd.

Mae deintyddion yn defnyddio offer uwchsain i symud, yn ddi-boen, dyddodion o dartar sy'n cronni ar ddannedd ac sy'n gallu niweidio'r deintgig.

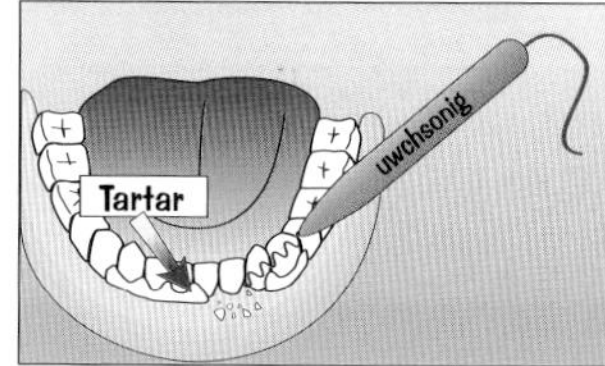

2) Chwalu Cerrig yn yr Arennau

Mae hwn yn gweithio yn yr un modd â'r dull glanhau uchod. Mae paladr uwchsain yn crynodi tonnau sioc egni uchel ar y garreg yn yr aren ac yn ei newid yn ronynnau tebyg i dywod. Gall y gronynnau hyn wedyn symud allan o'r corff yn y troeth. Mae'n ddull da gan nad oes angen i'r claf gael triniaeth lawfeddygol, ac mae'n gymharol ddi-boen.

3) Rheoli Ansawdd Diwydiannol

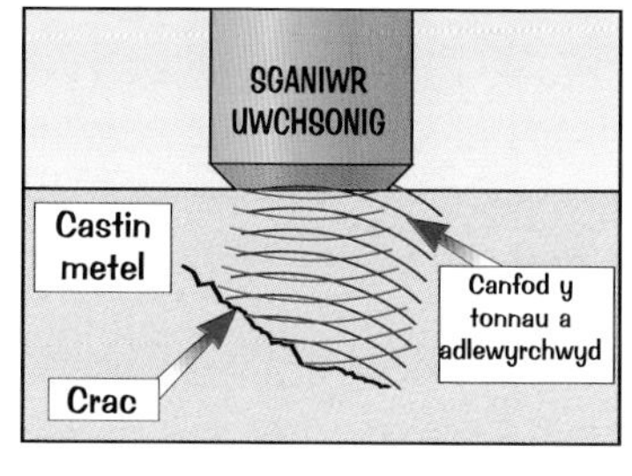

Gall tonnau uwchsain deithio trwy rywbeth megis castin metel, a phryd bynnag byddan nhw'n cyrraedd ffin rhwng dau wahanol gyfrwng (megis metel ac aer), caiff peth o'r don ei hadlewyrchu'n ôl a'i chanfod.
Mae union amseriad a dosbarthiad yr atseiniau hyn yn darparu gwybodaeth fanwl am yr adeiledd mewnol.
Fel arfer caiff yr atseiniau eu prosesu gan gyfrifiadur i gynhyrchu arddangosiad gweledol o du mewn y gwrthrych.
Os oes craciau lle na ddylent fod byddant i'w gweld.

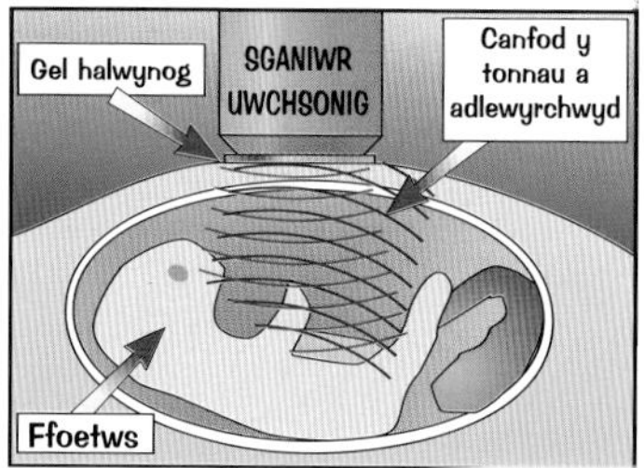

4) Sganio Ffoetws

Mae hyn yn dilyn yr un egwyddor â rheoli ansawdd diwydiannol. Wrth i'r uwchsain daro gwahanol sylweddau, caiff peth o'r seindon ei hadlewyrchu. Caiff y tonnau a adlewyrchwyd eu prosesu gan gyfrifiadur i gynhyrchu delwedd fideo o'r ffoetws. Does neb a ŵyr yn sicr a yw uwchsain yn ddiogel ym mhob achos, ond byddai pelydrau X yn bendant yn beryglus i'r ffoetws.

5) Cyrhaeddiad a Chyfeiriad – SONAR

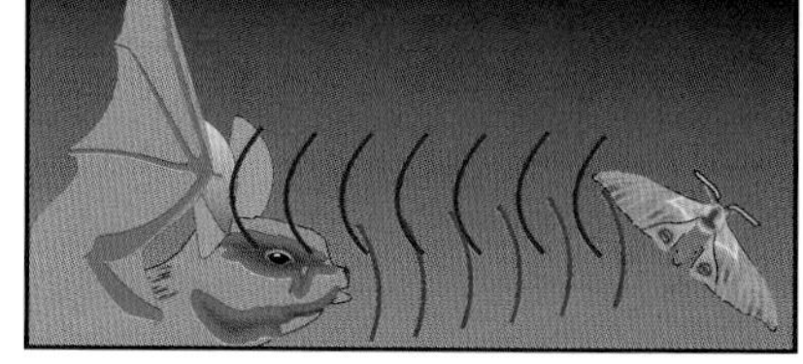

Mae ystlumod yn cynhyrchu gwichiadau o draw uchel (uwchsain) ac yn canfod yr adlewyrchiadau â'u clustiau mawr. Gall eu hymennydd brosesu'r signal a adlewyrchwyd a'i newid yn llun o'r hyn sydd o gwmpas. Felly mae'r ystlumod yn "gweld" â seindonnau, yn ddigon da, a dweud y gwir, i ddal gwyfynod wrth iddyn nhw hedfan mewn tywyllwch – tric da os gallwch ei gyflawni.

Defnyddir yr un dechneg ar gyfer SONAR sy'n defnyddio seindonnau o dan ddŵr i ganfod nodweddion yn y dŵr ac ar wely'r môr. Mae patrwm yr adlewyrchiadau yn dangos y dyfnder a'r nodweddion sylfaenol.

Uwchsain ...

Wow – tudalen arall ar sain â phum peth i'w dysgu. Y tro hwn, fodd bynnag, byddai traethawd byr yn syniad da. Dysgwch y pum pennawd, cuddiwch y dudalen, ac yna ysgrifennwch draethawd byr, gyda diagramau, ar gyfer pob un. Mwynhewch.

Adlewyrchiad: Priodwedd pob Ton

Mae'r Tanc Crychdonnau yn dda am Arddangos Tonnau

Dysgwch yr holl ddiagramau hyn sy'n dangos adlewyrchiad tonnau. Gallent ofyn i chi gwblhau unrhyw un ohonyn nhw yn yr Arholiad. Gall fod yn anoddach na'r disgwyl os nad ydych wedi ymarfer ymlaen llaw.

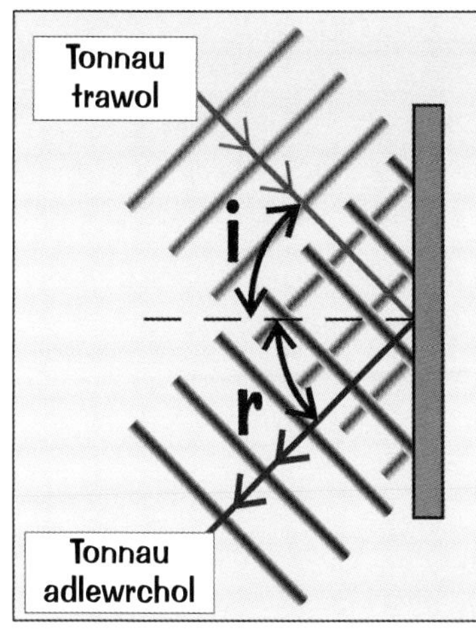

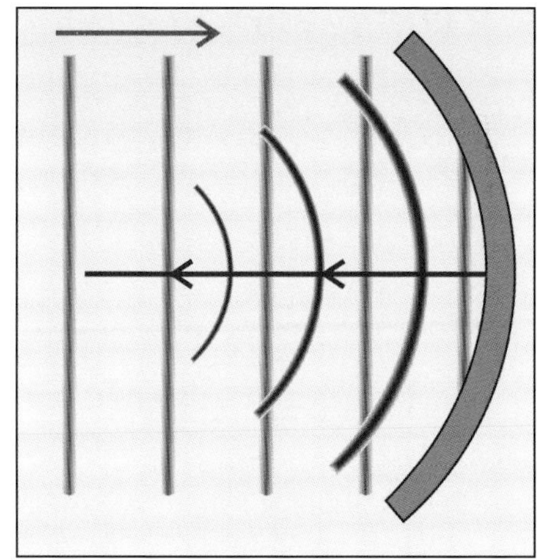

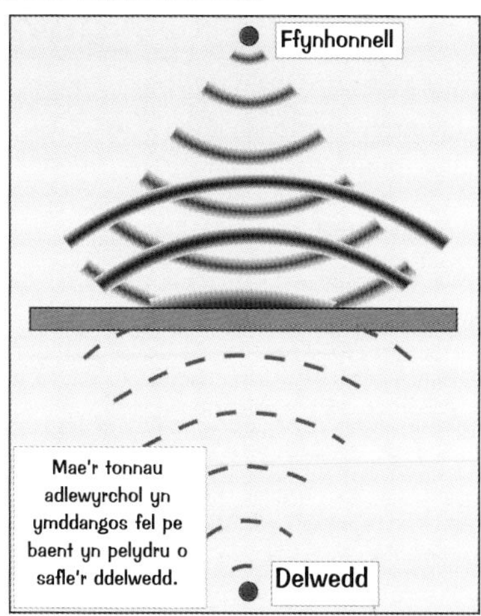

Adlewyrchiad Goleuni

1) Adlewyrchiad goleuni sy'n ein caniatáu i weld gwrthrychau.
2) Pan fydd golau yn adlewyrchu oddi ar arwyneb anwastad, megis darn o bapur, bydd y golau yn adlewyrchu ar onglau gwahanol a cheir adlewyrchiad tryledol.
3) Pan fydd golau yn adlewyrchu oddi ar arwyneb llyfn a disglair, megis drych, yna caiff y golau i gyd ei adlewyrchu ar yr un ongl a cheir adlewyrchiad clir.
4) Ond peidiwch ag anghofio, mae deddf adlewyrchiad yn gymwys i bob pelydryn a gaiff ei adlewyrchu:

Ongl DRAWIAD = Ongl ADLEWYRCHIAD

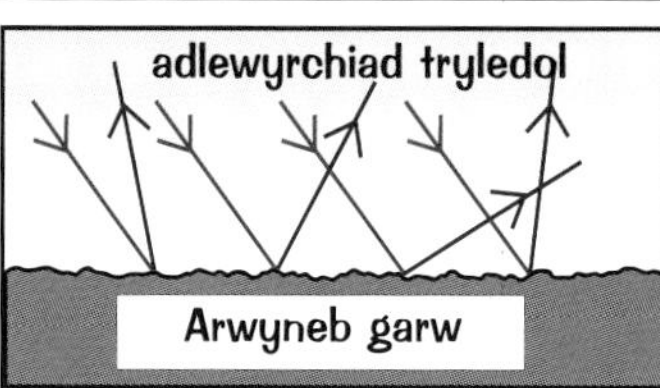

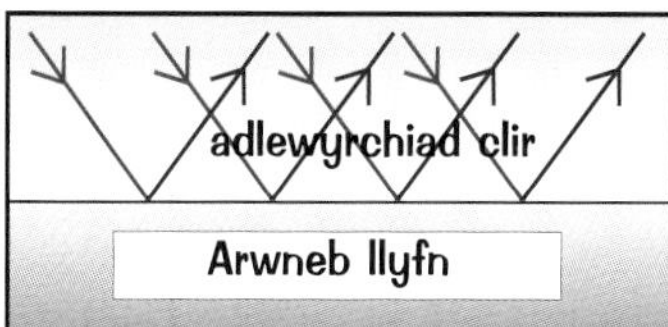

Adlewyrchiad mewn Drych Plân – Sut i Leoli'r Ddelwedd

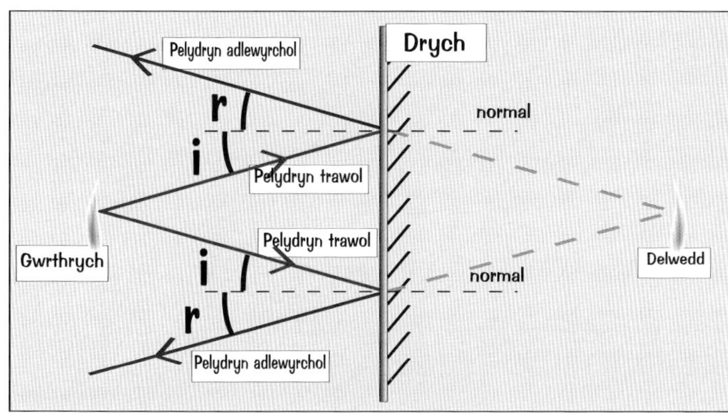

Bydd angen i chi fedru atgynhyrchu'r diagram hwn sy'n dangos sut caiff delwedd ei ffurfio mewn drych plân.
Dysgwch y tri phwynt pwysig hyn:

1) Mae'r ddelwedd yr un faint â'r gwrthrych.
2) Mae'r un mor bell y tu ôl i'r drych ag y mae'r gwrthrych o'i flaen.
3) Caiff ei ffurfio o belydrau dargyfeiriol, sy'n golygu ei fod yn rhith-ddelwedd.

1) I lunio unrhyw belydryn adlewyrchol, gofalwch fod yr ongl adlewyrchiad, r, yn hafal i'r ongl drawiad, i.
2) Sylwch fod y ddwy ongl hyn bob amser rhwng y pelydryn ei hun a'r normal dotiog.
3) Peidiwch byth â labelu'r rhain fel yr ongl rwng y pelydryn a'r arwyneb. Nid felly y mae.

Dysgwch adlewyrchiad yn drylwyr – edrychwch arno o bob ochr ...

Yn gyntaf, gwnewch yn siŵr y gallwch lunio'r diagramau i gyd o'r cof. Yna gwnewch yn siŵr eich bod wedi dysgu'r gweddill yn ddigon da i ateb cwestiynau Arholiad cas nodweddiadol fel y rhain: "Esboniwch pam y gallwch weld darn o bapur." "Beth yw adlewyrchiad tryledol?" "Pam mae'r ddelwedd mewn drych plân yn rhith-ddelwedd?"

Plygiant: Priodwedd pob Ton

1) Mae plygiant yn digwydd pan fo tonnau yn newid wrth fynd i gyfrwng gwahanol.
2) Achosir hyn yn gyfan gwbl gan y newid ym muanedd y tonnau.
3) Mae hefyd yn achosi i'r donfedd newid, ond cofiwch nad yw'r amledd yn newid.

1) Dangosir Plygiant gan Donnau'n Arafu mewn Tanc Crychdonnau

1) Mae'r tonnau'n teithio'n arafach mewn dŵr bas, gan achosi plygiant fel y dangosir.
2) Mae'r cyfeiriad yn newid, a hefyd y donfedd, ond NID yw'r amledd yn newid.

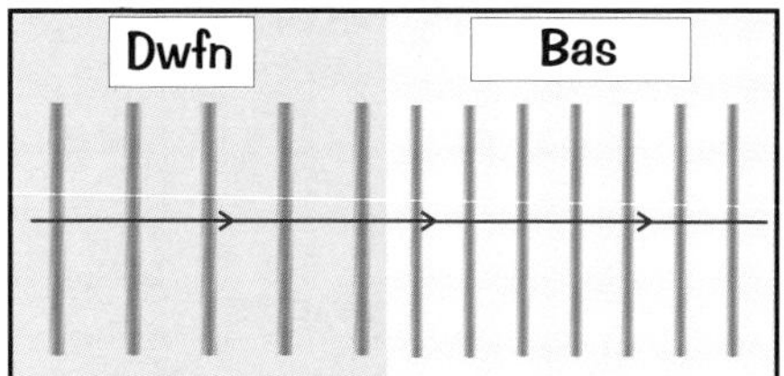

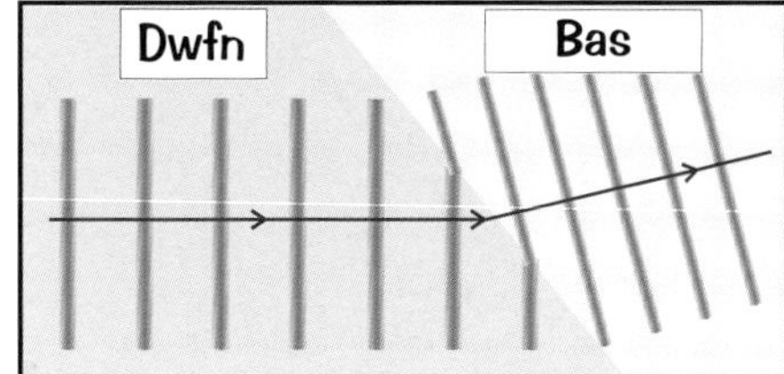

2) Plygiant Goleuni – yr Hen Flocyn Gwydr

Rhaid eich bod yn cofio tric y "pelydryn trwy flocyn o wydr petryalog".
Gwnewch yn siŵr y gallwch lunio'r diagram hwn o'r cof, gyda phob manylyn yn berffaith.

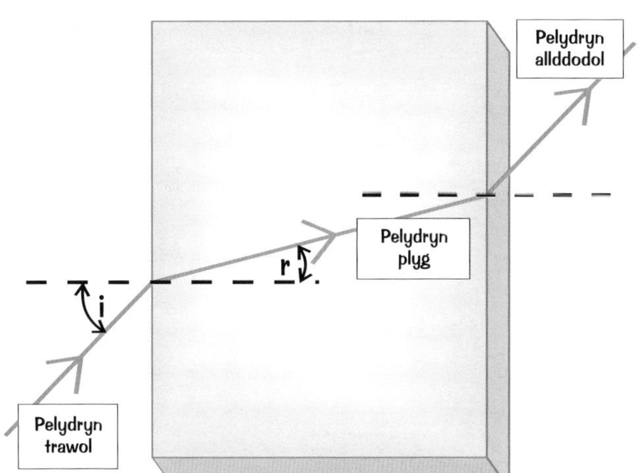

1) Sylwch yn ofalus ar safleoedd y normalau ac union safleoedd yr onglau trawiad a phlygiant (a sylwch mai ongl blygiant sydd yma – nid ongl adlewyrchiad).
2) Mae'n bwysig iawn cofio pa ffordd mae'r pelydryn yn plygu.
3) Mae'r pelydryn yn plygu tuag at y normal wrth fynd i mewn i'r cyfrwng mwy dwys, ac i ffwrdd o'r normal wrth ddod allan i'r cyfrwng llai dwys.
4) Ceisiwch weld siâp y neidr yn y diagram – mae'n haws na cheisio cofio'r rheol mewn geiriau.

3) Caiff Plygiant ei achosi bob amser gan Donnau'n Newid Buanedd

1) Pan fo tonnau yn arafu, maen nhw'n plygu tuag at y normal.
2) Pan fo goleuni yn mynd i mewn i wydr mae'n arafu i tua 2/3 o'i fuanedd arferol (mewn aer) h.y. mae'n arafu i tua 200 miliwn m/s yn hytrach na 300 miliwn m/s.
3) Pan fo tonnau yn taro'r ffin ar hyd normal, h.y. ar union 90°, ni fydd y cyfeiriad yn newid. Mae'n bwysig eich bod yn cofio hyn, gan eu bod nhw'n aml yn ei gynnwys mewn cwestiwn. Serch hynny, bydd y buanedd a'r donfedd yn newid.
4) Caiff peth golau ei adlewyrchu pan fydd golau yn taro cyfrwng gwahanol megis gwydr.

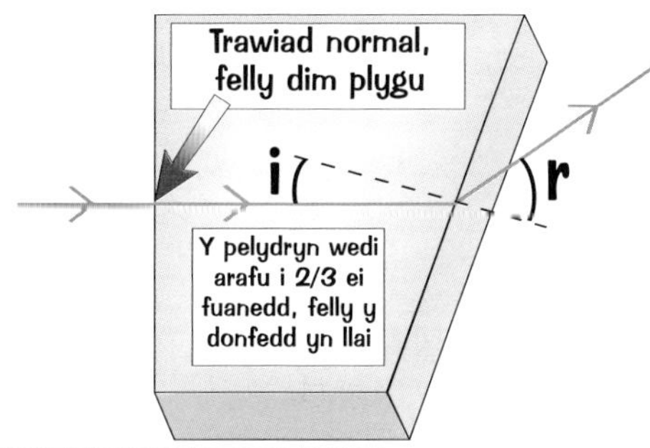

4) Mae Seindonnau hefyd yn Plygu, ond mae'n Anodd Gweld Hyn

Bydd seindonnau hefyd yn plygu (newid cyfeiriad) wrth iddyn nhw fynd i mewn i gyfryngau gwahanol. Fodd bynnag, gan fod seindonnau bob amser yn lledaenu cymaint, anodd yw sylwi ar y newid cyfeiriad o dan amgylchiadau normal. Ond cofiwch, mae seindonnau yn plygu, iawn?

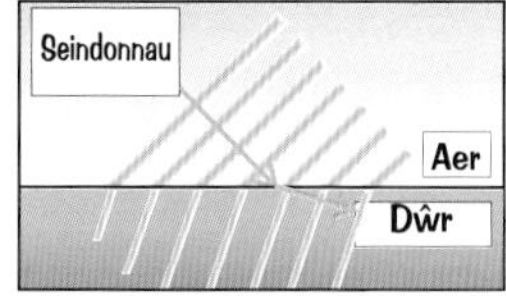

Adolygwch Blygiant – ond peidiwch â gadael iddo eich arafu ...

Yn gyntaf, rhaid i chi sicrhau eich bod yn gwybod y gwahaniaeth rhwng y geiriau plygiant ac adlewyrchiad. Yna, rhaid i chi ddysgu'r cyfan am blygiant – fel eich bod yn gwybod yn union beth ydyw. Dysgwch y diagramau hyn i gyd yn drylwyr. Cuddiwch ac ysgrifennwch.

Plygiant: Dau Achos Arbennig

Mae Gwasgariad yn Cynhyrchu Enfys

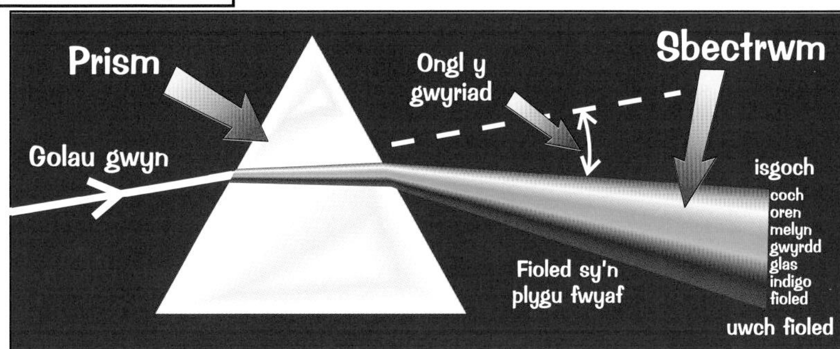

1) Caiff goleuadau o wahanol liw eu plygu i wahanol raddau.
2) Mae hyn yn digwydd oherwydd eu bod yn teithio ar fuaneddau ychydig yn wahanol mewn cyfrwng penodol.
3) Gellir defnyddio prism i wneud i wahanol liwiau golau gwyn ddod allan ar wahanol onglau.
4) Mae hyn yn cynhyrchu sbectrwm sy'n dangos holl liwiau'r enfys. Yr enw ar yr effaith hon yw GWASGARIAD.
5) Mae angen i chi wybod mai golau coch gaiff ei blygu leiaf - a fioled gaiff ei blygu fwyaf.
6) Hefyd dysgwch y lliwiau rhyngddyn nhw: Coch Oren ______ _Gwyrdd Glas Indigo Fioled. Efallai y bydd angen i chi eu rhoi yn y drefn gywir mewn diagram yn yr Arholiad.
7) Dysgwch hefyd lle byddai isgoch ac uwchfioled yn ymddangos pe gallech eu gweld.

Adlewyrchiad Mewnol Cyflawn a'r Ongl Gritigol

1) Dim ond pan fydd golau'n dod allan o rywbeth dwys megis gwydr neu ddŵr neu bersbecs y bydd hyn yn digwydd.
2) Os yw'r ongl yn ddigon bychan, ni fydd y pelydryn yn dod allan o gwbl, ond caiff ei adlewyrchu yn ôl i'r gwydr (neu beth bynnag). Gelwir hyn yn adlewyrchiad mewnol cyflawn oherwydd caiff y golau i gyd ei adlewyrchu'n ôl i mewn.
3) Yn bandant mae angen i chi ddysgu'r set hon o dri diagram sy'n dangos y tair sefyllfa:

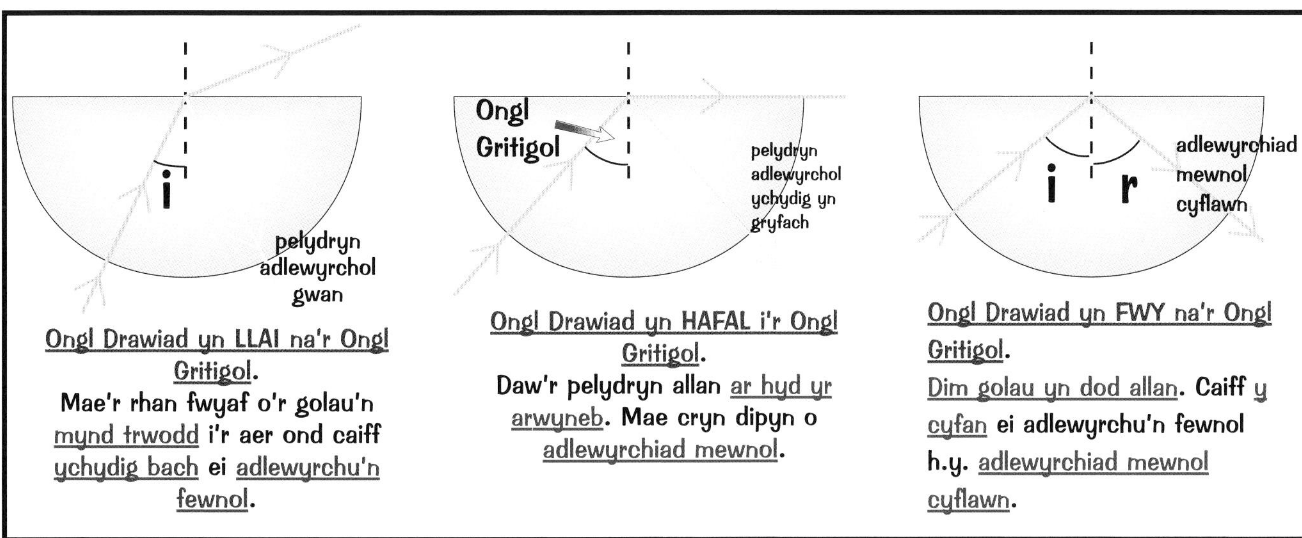

Ongl Drawiad yn LLAI na'r Ongl Gritigol. Mae'r rhan fwyaf o'r golau'n mynd trwodd i'r aer ond caiff ychydig bach ei adlewyrchu'n fewnol.

Ongl Drawiad yn HAFAL i'r Ongl Gritigol. Daw'r pelydryn allan ar hyd yr arwyneb. Mae cryn dipyn o adlewyrchiad mewnol.

Ongl Drawiad yn FWY na'r Ongl Gritigol. Dim golau yn dod allan. Caiff y cyfan ei adlewyrchu'n fewnol h.y. adlewyrchiad mewnol cyflawn.

1) Yr Ongl Gritigol ar gyfer gwydr yw tua 42°. Mae hyn yn hwylus iawn, oherwydd gellir defnyddio onglau 45° i gael adlewyrchiad mewnol cyflawn fel sydd yn digwydd mewn prismau, ysbienddrychau a'r perisgop a ddangosr ar y dudalen nesaf.

2) Mae'r Ongl Gritigol tipyn yn llai mewn diemwnt – oddeutu 24°. Dyma'r rheswm pam mae diemyntau yn disgleirio cymaint, gan fod llawer o adlewyrchiadau mewnol.

Adolygu – wrth gwrs ei fod yn Gritigol ...

Yn gyntaf oll, gwnewch yn siŵr y gallwch atgynhyrchu'r diagramau i gyd ynghyd â'r holl fanylion. Yna ysgrifennwch draethawd byr ar bob topig, gan nodi popeth y gallwch ei gofio. Yna gwiriwch i weld beth rydych wedi ei anghofio. Yna dysgwch hwn a rhowch gynnig arall arni. Am hwyl!

Defnyddio Adlewyrchiad Mewnol Cyflawn

Defnyddir Adlewyrchiad Mewnol Cyflawn mewn ysbienddrychau, perisgopau ac adlewyrchyddion beic.
Mae'r tri pheth yn defnyddio prismau 45°.

Ysbienddrych

Perisgop

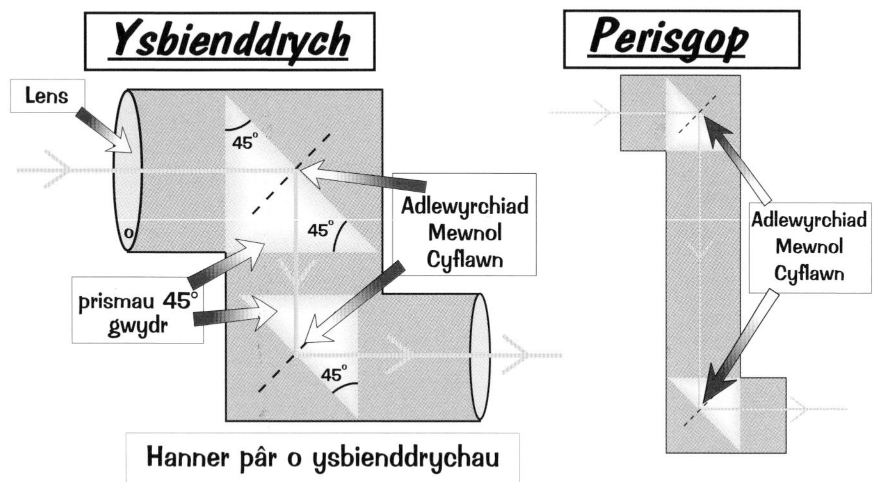

Hanner pâr o ysbienddrychau

Adlewyrchyddion

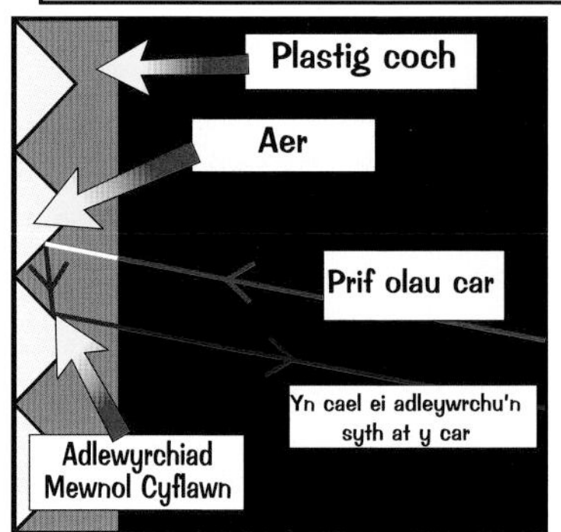

Yn achos yr ysbienddrych a'r perisgop, mae'r prismau'n rhoi adlewyrchiad ychydig yn well nag y byddai drych yn ei roi, ac maen nhw'n haws eu dal yn gywir yn eu lle. Dysgwch union safleoedd y prismau. Gallent ofyn i chi gwblhau diagram o ysbienddrych neu berisgop, ac oni bai eich bod wedi ymarfer o flaen llaw, fe'i cewch yn anodd i lunio'r prismau yn y lle cywir.

Yn achos yr adlewyrchydd beic mae'r prismau'n gweithio drwy anfon y golau yn ôl i'r union gyfeiriad y daeth ohono (fel y dangosir yn y diagram). Mae hyn yn golygu y caiff pwy bynnag sy'n tywynnu'r golau adlewyrchiad cryf yn ôl i'w llygaid.

Ffibrau Optegol – Cyfathrebiadau ac Endosgopau

1) Gall ffibrau optegol gludo gwybodaeth dros bellterau mawr trwy ailadrodd adlewyrchiadau mewnol cyflawn.
2) Mae i gyfathrebiadau optegol nifer o fanteision dros signalau trydanol mewn gwifrau:
   a) does dim angen cryfhau'r signal mor aml,
   b) gall cebl â'r un diamedr gludo llawer mwy o wybodaeth,
   c) ni ellir torri i mewn i'r signalau, ac ni fydd ffynonellau trydanol yn ymyrryd arnyn nhw.
3) Fel arfer ni chollir unrhyw olau ar bob adlewyrchiad. Fodd bynnag, caiff peth golau ei golli oherwydd amherffeithrwyddau yn yr arwyneb, felly mae angen ei gryfhau bob ychydig gilometrau.

Rhaid i'r ffibr fod yn ddigon cul i gadw'r onglau yn fwy na'r ongl gritigol, fel y dangosir, felly rhaid gofalu nad yw'r ffibr yn plygu'n rhy sydyn yn unrhyw fan.

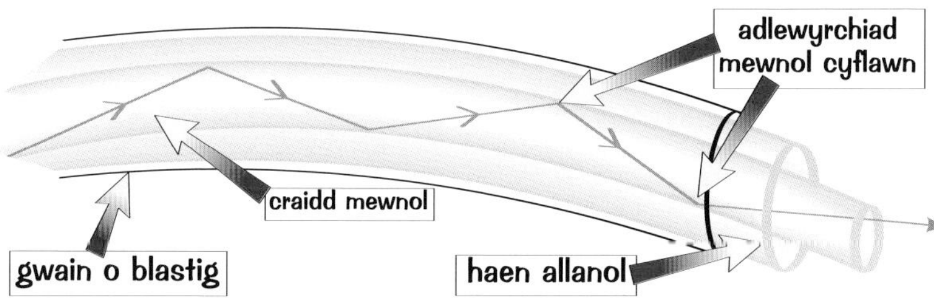

Defnyddir Endosgopau i Weld y Tu Mewn i Bobl

Dyma swp cul o ffibrau optegol â system lens ar y naill ben a'r llall. Mae swp arall o ffibrau optegol yn cludo golau i lawr y tu mewn er mwyn gweld.
Gwelir y ddelwedd yn ddelwedd symudol lliw llawn ar sgrin deledu. Anhygoel! Mae hyn yn golygu y gellir gwneud llawdriniaethau heb dorri tyllau mawr mewn pobl. Nid oedd hyn yn bosib cyn bod ffibrau optegol.

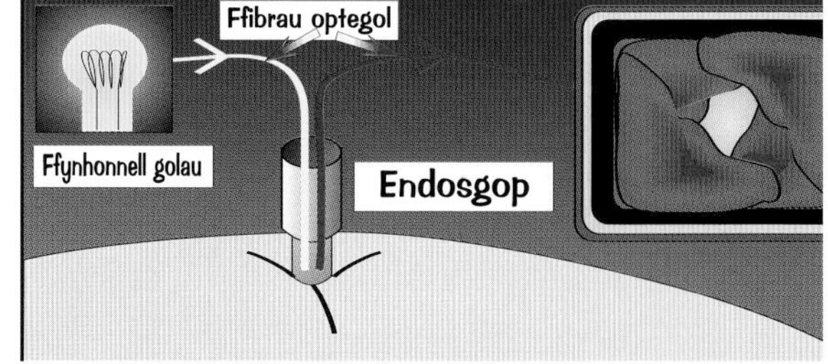

Adlewyrchiad Mewnol Cyflawn ...

Tair adran i'w dysgu yma, ynghyd â diagramau ymhob un. Mae yna bob amser o leiaf un o gymwysiadau adlewyrchiad mewnol cyflawn yn yr Arholiad. Dysgwch bob un. Nid yw'n anodd – ond gwnewch yn siŵr eich bod wedi meistroli'r manylion i gyd.

Signalau Digidol ac Analog

Rhaid i chi ddysgu'r ddwy ffordd wahanol o drosglwyddo gwybodaeth.
Byddai bywyd yn eithaf diflas heb signalau – dim ffonau, dim cyfrifiaduron, dim teclynnau MP3.

Caiff Gwybodaeth ei Thrawsnewid yn Signalau

1) Caiff gwybodaeth (e.e. sain, lleferydd, lluniau) ei thrawsnewid yn signalau trydanol cyn cael ei throsglwyddo.
2) Yna caiff ei hanfon pellterau maith ar hyd ceblau, megis galwadau ffôn neu'r Rhyngrwyd, neu ei chludo ar donnau EM, megis radio neu deledu.
3) Gellir anfon gwybodaeth ar hyd ffibrau optegol hefyd, trwy ei thrawsnewid yn olau gweledol neu'n signalau isgoch.

Mae Analog yn Amrywio

1) Mae osgled ac amledd signalau analog yn amrywio'n gyson fel yn achos seindonnau. Mae gan rannau signal analog unrhyw werth mewn amrediad.
2) Mae gan ddyfeisiau analog ddeial, wyneb neu raddfa fel arfer.

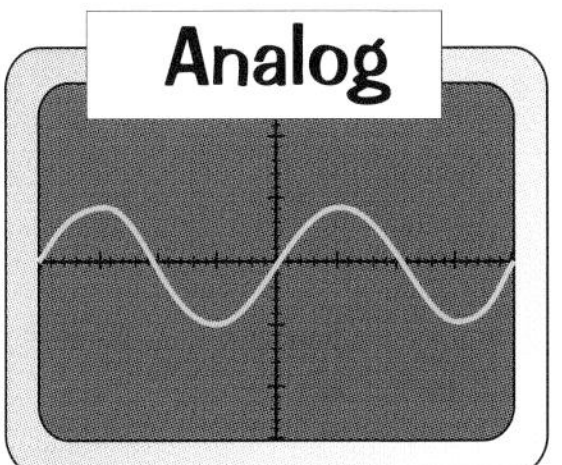

Dyfeisiau Analog

Switshis pylu, thermomedrau, sbidomedrau, watsys hen ffasiwn.

Mae Signalau Digidol naill ai Ymlaen neu I Ffwrdd

1) Curiadau cod yw signalau digidol – mae ganddyn nhw un o ddau werth: ymlaen neu i ffwrdd, gwir neu anwir, 0 neu 1...
2) Mae gan ddyfeisiau digidol ddau werth (ymlaen neu i ffwrdd) neu ddangosydd digidol.

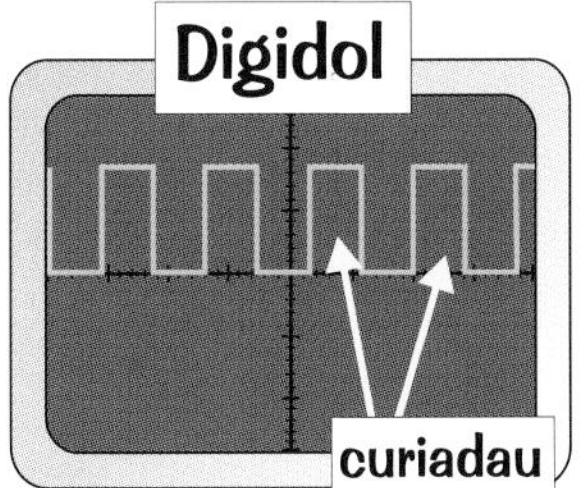

Dyfeisiau Digidol

Switshis ymlaen/i ffwrdd, clociau digidol, mesuryddion digidol.

Mae Ansawdd Signalau Digidol Llawer yn Well

1) Nid yw signalau digidol yn newid tra chânt eu trosglwyddo. Mae hyn yn rhoi iddyn nhw well ansawdd – mae'r wybodaeth a drosglwyddwyd yr un peth â'r gwreiddiol.
2) Gellir anfon llawer mwy o wybodaeth ar ffurf signalau digidol o'i gymharu ag analog (mewn amser penodol). Gellir trosglwyddo nifer o signalau digidol ar yr un pryd trwy eu gorgyffwrdd ar yr un cebl neu don EM – ond does dim angen i chi wybod sut maen nhw'n gwneud hyn.

Mae ansawdd curiadau yn well– yn enwedig y samba ...

Mae hyn oll yn dilyn ffibrau optegol yn ddel, felly gellwch fod yn siŵr y bydd yn rhaid i chi ateb cwestiwn arno. Gwnewch yn siŵr eich bod yn gwybod y gwahaniaeth rhwng signalau digidol ac analog a pham y mae rhai digidol yn well. Dysgwch yr holl fanylion, yna trowch y llyfr â'i wyneb i lawr ac ysgrifennwch y cwbl.

Diffreithiant: Priodwedd pob Ton

Mae'r gair yn swnio tipyn yn fwy technegol nag y mae go iawn.

Diffreithiant yw Tonnau yn "Lledaenu"

Mae pob ton yn tueddu i ledaenu ar yr ymylon pan yw'n mynd trwy fwlch neu heibio i wrthrych. Yn hytrach na dweud bod y don yn "lledaenu" neu'n "plygu" o amgylch corneli dylech ddweud ei bod yn DIFFREITHIO o amgylch y gornel. Mae mor hawdd â hynny. Dyna ystyr diffreithiant.

Mae ton yn Lledaenu Mwy os yw'n mynd trwy Fwlch Cul

Mae tanc crychdonnau yn dangos yr effaith hon yn glir. Mae'r effaith i'w gweld mewn tonnau goleuni a sain hefyd.

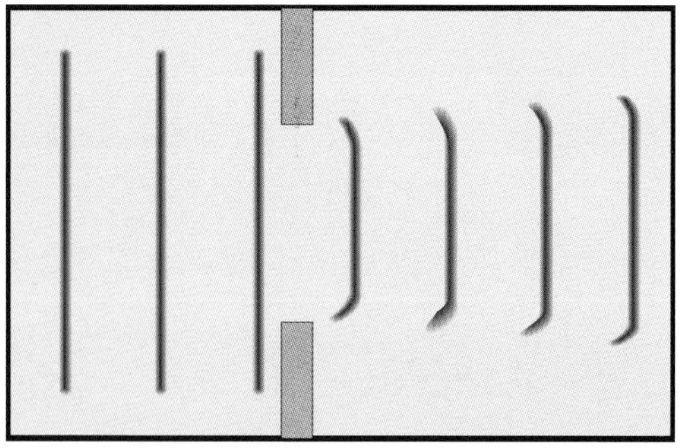

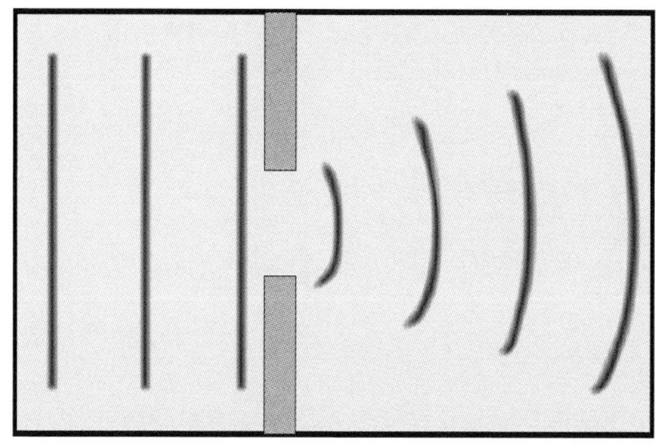

1) Mae bwlch "cul" yn fwlch sydd tua'r un maint â'r donfedd neu lai.
2) Felly, wrth gwrs, mae penderfynu a yw bwlch yn "gul" ai peidio yn dibynnu ar y don dan sylw. Byddai bwlch sy'n gul ar gyfer ton ddŵr yn fwlch enfawr ar gyfer ton goleuni.
3) Felly, dylai fod yn amlwg, po hwyaf yw tonfedd y don y mwyaf y bydd yn diffreithio.

Mae seiniau Bob Amser yn Diffreithio Llawer, oherwydd bod λ yn Eithaf Mawr

1) Mae gan y rhan fwyaf o seiniau donfeddi mewn aer o ryw 0.1 m, sydd yn eithaf hir.
2) Mae hyn yn golygu eu bod yn lledaenu o amgylch corneli fel y gallwch glywed pobl hyd yn oed pan na allwch eu gweld yn union (mae'r sain fel arfer yn adlewyrchu oddi ar waliau hefyd, ac mae hyn o gymorth).
3) Mae gan seiniau amledd uchel donfeddi byrrach, ac felly nid ydynt yn diffreithio cymaint, sy'n egluro pam mae pethau'n swnio'n fwy "aneglur" wrth eu clywed o amgylch corneli.

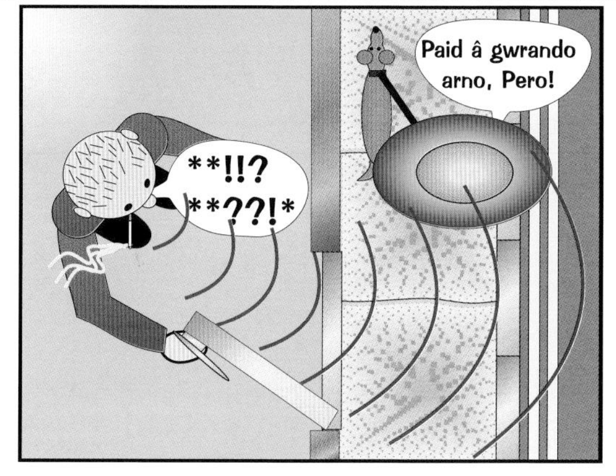

Mae Tonnau Radio Tonfedd Hir yn Diffreithio'n Hawdd Dros Fryniau ac i Adeiladau:

Ar y llawr arall, mae gan Olau Gweladwy...

donfedd fer iawn, a dim ond trwy hollt cul iawn y bydd yn diffreithio:

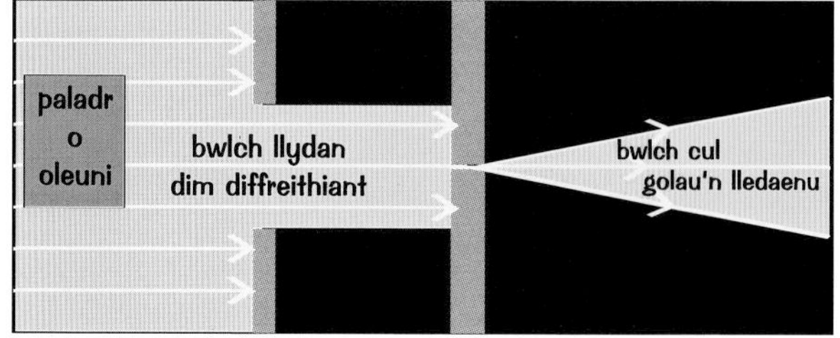

Mae lledaeniad neu ddiffreithiant goleuni (a thonnau radio) yn dystiolaeth gref dros natur donyddol goleuni.

Diffreithiant ...

Fel arfer dydy pobl ddim yn gwybod llawer am ddiffreithiant, yn bennaf gan mai ychydig iawn o arbrofion y gallwch eu cynnal i'w brofi, a hefyd does dim llawer i'w ddweud amdano – dim ond rhyw un dudalen! Os dysgwch y dudalen hon yn drylwyr, yna byddwch yn gwybod y cyfan sydd ei angen arnoch.

Defnyddio s = d/t, v = fλ ac f = 1/T

Fformiwlâu yw'r rhain, yn union fel pob fformiwla arall, ac mae'r un hen reolau yn gymwys (gweler T.9). Ond mae ychydig o fanylion ychwanegol sy'n cydfynd â'r fformiwlâu hyn. Dysgwch nhw nawr:

Y Rheol Gyntaf: Ceisiwch Ddewis y Fformiwla Gywir

1) Mae pobl yn cael trafferth wrth benderfynu pa fformiwla i'w defnyddio.
2) Yn aml iawn, bydd cwestiwn yn dechrau "Mae ton yn teithio...", ac maen nhw'n neidio at "$v = f\lambda$".
3) I ddewis y fformiwla gywir, rhaid i chi chwilio am y tri mesur a roddir yn y cwestiwn.
4) Os yw'r cwestiwn yn sôn am fuanedd, amledd a thonfedd yna "$v = f\lambda$" yw'r un i'w defnyddio.
5) Ond os buanedd, amser a phellter sydd yno, yna "$s = d/t$" yw'r un – cytuno?

Enghraifft 1 – Crychdonnau Dŵr

a) Mae crychdonnau yn teithio 55 cm mewn 5 eiliad. Beth yw eu buanedd mewn cm/s?
ATEB: Nodir buanedd, pellter ac amser yn y cwestiwn,
felly rhaid defnyddio "$s = d/t$": $s = d/t = 55/5 = 11$ cm/s

b) Tonfedd y tonnau hyn yw 2.2 cm. Beth yw eu hamledd?
ATEB: Y tro hwn nodir f a λ, felly defnyddiwch "$v = f\lambda$", a bydd angen hwn:
sy'n dweud bod $v = f\lambda = 11$ cm/s $\div$ 2.2 cm $= 5$ Hz (Mae'n iawn defnyddio cm/s gyda cm, s a Hz)

Yr Ail Reol: Gwyliwch yr Unedau – y Cnafon

1) Yr unedau safonol (SI) sy'n ymwneud â thonnau yw: metrau, eiliadau, m/s a Hertz (Hz).

NEWIDIWCH YN UNEDAU SI bob amser (m, s, Hz, m/s) cyn i chi ddechrau cyfrifo

2) Yn aml mae gan donnau amleddau uchel iawn wedi'u rhoi mewn kHz neu MHz, felly dysgwch hyn hefyd:

1 kHz (1 cilohertz) = 1,000 Hz   1 MHz (1 megahertz) = 1,000,000 Hz

3) Rhoddir tonfeddi mewn unedau eraill hefyd, e.e. km ar gyfer ton radio hir, neu cm ar gyfer sain.
4) Mae gwaeth i ddod: Buanedd goleuni yw 3×10^8 m/s = 300,000,000 m/s. Ni fydd hwn, na rhifau megis 900 MHz = 900,000,000 Hz yn addas ar gyfer nifer o gyfrifianellau. Mae gennych dri dewis:
   1) Mewnbynnu'r rhif yn y ffurf safonol (3×10^8 a 9×10^8) neu ...
   2) Canslo dri neu chwe sero oddi ar y ddau rif, (cyn belled â'ch bod yn eu rhannu!) neu ...
   3) Gwnewch y cyfan heb gyfrifiannell! (Wir i chi, mae'n bosib.)   Eich dewis chi.

Enghraifft 2 – Sain

C) Mae gan seindon, sy'n teithio mewn solid, amledd o 19 kHz a thonfedd o 12 cm. Darganfyddwch ei buanedd.
ATEB: Nodir f a λ, felly defnyddiwch "$v = f\lambda$". Ond rhaid i chi newid yr unedau yn SI:
Felly, $v = f \times \lambda = 19{,}000$ Hz $\times$ 0.12 m = 2,280 m/s – newidiwch yr unedau, a bydd dim problem.

Enghraifft 3 – Pelydriad EM

C) Mae gan don radio amledd o 92.2 MHz. Darganfyddwch ei thonfedd. (Buanedd pob ton EM yw 3×10^8 m/s.)
ATEB: Nodir f a λ, felly defnyddiwch "$v = f\lambda$". Mae tonnau radio yn teithio ar fuanedd goleuni wrth gwrs.
Unwaith eto, newidiwch yr unedau yn SI, ond rhaid deall y ffurf safonol hefyd:
$\lambda = v/f = 3 \times 10^8 / 92{,}200{,}000 = 3 \times 10^8 / 9.22 \times 10^7 = 3.25$ (Mae yna ddarnau sy'n hawdd eu cael yn anghywir.)

Ac yn olaf: Amledd = 1/Cyfnod Amser

C) Mae ton yn cwblhau 40 cylchred mewn 8 eiliad. Darganfyddwch ei chyfnod amser, T, a'i hamledd, f, mewn Hz.
ATEB: T = amser a gymer un gylchred = 8 eiliad $\div$ 40 = 0.2 s $f = 1/T = 1 \div 0.2 = 5$ Hz

Dydy'r gwaith ar fformiwlâu ddim mor anodd â hynny ...

Chwiliwch am y prif reolau ar y dudalen hon, yna cuddiwch hi a'u hysgrifennu. Yna ceisiwch y rhain:
1) Mae gan seindon amledd o 2 500 Hz a thonfedd o 13.2 cm. Cyfrifwch ei buanedd.
2) Tonfedd tonnau radio Radio 4 yw 1.5 km. Cyfrifwch eu hamledd.

Cwestiynau ar Fuanedd Sain

Buaneddau Cymharol Sain a Goleuni

1) Mae goleuni yn teithio tua miliwn gwaith yn gyflymach na sain, felly fyddech chi ddim yn trafferthu cyfrifo faint o amser mae'n ei gymryd o'i gymharu â sain. Byddwch ond yn cyfrifo'r amser mae'n cymryd i sain deithio.
2) Y fformiwla sydd ei hangen bob amser yw s*d*t ar gyfer buanedd, pellter ac amser (gweler T.26).
3) Os yw rhywbeth sydd fwy na 100 m i ffwrdd yn gwneud sŵn, a gallwch weld y weithred sy'n gwneud y sŵn, yna mae'r effaith yn eithaf amlwg. Dyma enghreifftiau da:
    a) CRICED – rydych yn clywed y "glec" beth amser ar ôl gweld y bêl yn cael ei tharo.
    b) MORTHWYLIO – rydych yn clywed y "glec" pan yw'r morthwyl yn ôl yn yr awyr.
    c) PISTOL CYCHWYN – rydych yn gweld y mwg, ac yna'n clywed y glec.
    ch) AWYREN JET – maen nhw bob amser o flaen y man y dywed y sŵn y dylen nhw fod.
    d) MELLT A THARANAU – mae fflach y fellten yn achosi sŵn y daran, ac mae'r cyfwng amser rhwng y fflach a'r dwndwr yn dweud wrthych pa mor bell i ffwrdd y mae'r fellten. Mae oediad o tua 5 eiliad ar gyfer pob milltir. (1 filltir = 1600 m, 1600 ÷ 330 = 4.8 s)

ENGHRAIFFT: Wrth edrych o'i ystafell ar draws maes chwarae'r ysgol, gwelodd y prifathro y pum disgybl mwyaf trafferthus, anystywallt yn dinistrio cerflun chwaethus iawn â'u morthwyl bondigrybwyll. Cyn gweithredu'n gyflym, sylwodd fod oediad o 0.4 eiliad rhwng y morthwyl yn taro a'r sain yn cyrraedd ei glustiau. Felly, pa mor bell i ffwrdd yn union oedd y plant cythreulig hyn? (Mae sain yn teithio ar 330 m/s mewn aer, fel y gwyddoch.)

ATEB: Wrth gwrs, y fformiwla sydd ei hangen yw "Buanedd = Pellter/amser" neu "s = d/t". Rydym am ddarganfod y pellter, d. Rydym eisoes yn gwybod yr amser, sef 0.4 s, a buanedd sain mewn aer, sef 330 m/s. Felly d = s × t (o'r triongl)
Mae hyn yn rhoi: d = 330 × 0.4 = 132 m. (Dyma faint mae sain yn teithio mewn 0.4 eiliad.) Hawdd.

Cwestiynau ar Atsain – Peidiwch ag Anghofio'r Ffactor o Ddau

1) Y prif beth i gofio gyda chwestiynau atsain yw bod yn rhaid naill ai dyblu rhywbeth neu haneru rhywbeth er mwyn cael yr ateb cywir, gan fod yn rhaid i'r sain deithio'r ddwy ffordd.

2) Cofiwch: mae sain yn teithio ar oddeutu 330 m/s mewn aer ac ar 1400 m/s mewn dŵr. Bydd cwestiynau atsain yn debygol o fod mewn aer neu ddŵr, ac os oes rhaid i chi gyfrifo buanedd sain, mae'n ddefnyddiol gwybod pa fath o rif i'w ddisgwyl. Felly, er enghraifft, os cewch 170 m/s ar gyfer buanedd sain mewn aer, yna mae'n debygol eich bod wedi anghofio'r ffactor o ddau yn rhywle, ac yna peth hawdd yw mynd nôl i'w gywiro.

ENGHRAIFFT: Ar ôl diarddel y pum disgybl mwyaf trafferthus, anystywallt o'i ysgol, dathlodd y prifathro trwy agor potel o Champaigne. Clywodd yr atsain 0.6 s yn ddiweddarach o ochr arall ei swyddfa fechan. Pa mor fawr oedd y swyddfa fechan hon?

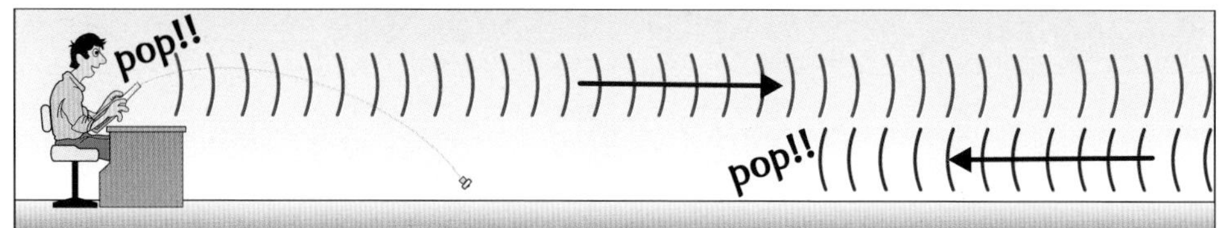

ATEB: Y fformiwla, wrth gwrs, yw "Buanedd = Pellter/Amser" neu "s = d/t". Rydym am ddarganfod y pellter, d. Rydym eisoes yn gwybod yr amser, 0.6 s, a'r buanedd (sain mewn aer), felly d = s × t (o'r triongl).
Mae hyn yn rhoi d = 330 × 0.6 = 198 m. Ond gwyliwch! Peidiwch ag anghofio'r ffactor o ddau mewn cwestiynau atsain: Mae'r 0.6 eiliad ar gyfer ymlaen ac yn ôl, felly hanner y pellter yw hyd y swyddfa, sef 99 m.

Dysgwch am atseiniau a'r Ffactor o Ddau ... Ffactor o Ddau ... Ffactor o Ddau ...

Dysgwch y manylion ar y dudalen hon, yna cuddiwch hi a'u hysgrifennu. Yna ceisiwch wneud y rhain:
1) Mae dyn yn gweld cricedwr yn taro'r bêl ac yn clywed y glec 0.8 eiliad yn ddiweddarach. Pa mor bell i ffwrdd mae'r cricedwr?
2) Mae llong yn anfon signal sonar at wely'r môr ac yn ei ganfod 0.7 s yn ddiweddarach. Beth yw'r dyfnder?

Y Sbectrwm Electromagnetig

Mae'r Saith Math o Don Electromagnetig yn Teithio ar yr un Buanedd

Mae priodweddau tonnau electromagnetig (tonnau EM) yn newid wrth i'r amledd (neu'r donfedd) newid.
Mae saith math sylfaenol, fel y dangosir isod.

TONNAU RADIO	MICRODONNAU	ISGOCH	GOLAU GWELADWY	UWCHFIOLED	PELYDRAU X	PELYDRAU GAMA
1m-10^4m	10^{-2}m (3cm)	10^{-5}m (0.01mm)	10^{-7}m	10^{-8}m	10^{-10}m	10^{-12}m

Ni all ein llygaid ond canfod amrediad cul o donnau EM, sef y rhai a gaiff eu galw'n olau (gweladwy).
Mae pob ton EM yn teithio ar union yr un buanedd â goleuni mewn gwactod.
Mewn pethau eraill (megis gwydr neu ddŵr) maen nhw'n dal i deithio ar bron yr un buanedd â'i gilydd.

Wrth i'r Donfedd Newid, mae'r Priodweddau yn Newid

1) Fel rheol, mae'r tonnau EM ar ddau ben y sbectrwm (e.e. tonnau radio neu belydrau X) yn teithio trwy ddefnyddiau, tra chaiff y rhai sy'n nes at y canol (e.e. golau gweladwy) eu hamsugno gan bethau.
2) Hefyd, y rhai yn y pen uchaf (amledd uchel, tonfedd fer, megis pelydrau gama) yw'r mwyaf peryglus, tra bo'r rhai sy'n is i lawr (megis tonnau radio) yn ddiniwed.
3) Pan gaiff unrhyw belydriad electromagnetig ei amsugno, ceir dwy effaith:
   a) Gwresogi.
   b) Creu cerrynt eiledol bychan bach â'r un amledd â'r pelydriad. Dyma sy'n digwydd mewn eriel teledu neu radio wrth i don radio neu deledu deithio drosto.

Defnyddir Tonnau Radio yn Bennaf ar gyfer Cyfathrebu

1) Defnyddir tonnau radio yn bennaf ar gyfer cyfathrebu ac, efallai yn fwy pwysig, i reoli awyrennau model.
2) Mae teledu a Radio FM yn defnyddio tonnau radio tonfedd fer â thonfedd o tua 1 m.
3) I dderbyn y tonfeddi hyn rhaid i chi fod fwy neu lai o fewn golwg uniongyrchol i'r trawsyrrydd, gan nad ydynt yn plygu dros fryniau nac yn teithio'n bell trwy adeiladau.
4) Ar y llaw arall, mae gan radio Tonfedd Hir donfeddi o ryw 1 km, a bydd y tonnau hyn yn plygu dros arwyneb y Ddaear ac yn mynd i mewn i dwneli a phethau felly.
5) Gellir derbyn signalau radio Tonfedd Ganol, sydd â thonfedd o ryw 300 m, ar bellterau mawr o'r trawsyrrydd oherwydd cânt eu hadlewyrchu o'r ïonosffer, sy'n haen wedi'i gwefru'n drydanol yn atmosffer uchaf y Ddaear. Ond gall y signalau hyn fod yn aneglur iawn.

Y Sbectrwm ...

Mae nifer o fanylion ar y dudalen hon sydd angen i chi eu gwybod. Mae'r diagram uchaf yn gwbl angenrheidiol – fe'i cewch fel arfer gydag ambell label ar goll. Dysgwch y tair adran ar y dudalen hon yna ysgrifennwch draethawd byr ar gyfer pob un i weld beth rydych yn ei wybod.

Microdonnau ac Isgoch

Defnyddir Microdonnau ar gyfer Coginio a Signalau Lloeren

1) Mae gan ficrodonnau ddau brif ddiben: coginio bwyd a thrawsyriannau lloeren.
2) Mae'r ddau gymhwysiad hyn yn defnyddio microdonnau o ddau amledd gwahanol.
3) Mae trawsyriannau lloeren yn defnyddio amledd sy'n teithio'n hawdd trwy atmosffer y Ddaear, gan gynnwys cymylau – sy'n eithaf synhwyrol.

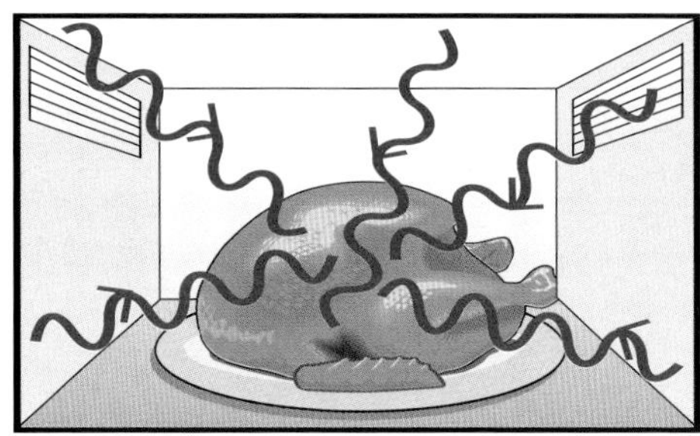

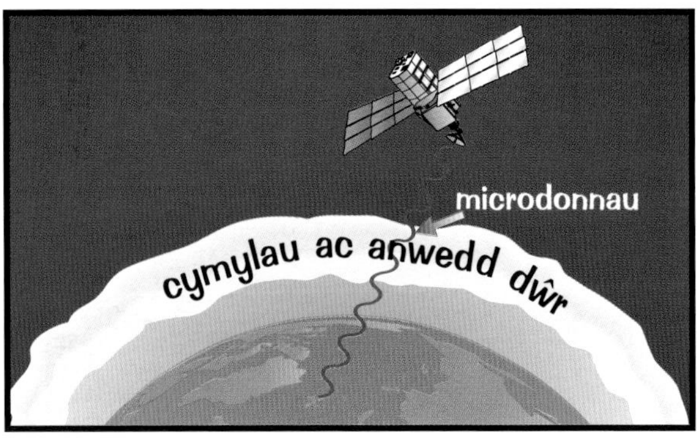

4) Mae'r amledd a ddefnyddir i goginio, ar y llaw arall, yn un y mae moleciwlau dŵr yn ei amsugno. Dyma sut mae popty microdon yn gweithio. Mae'r microdonnau'n mynd i'r bwyd yn hawdd, ac yna cânt eu hamsugno gan y moleciwlau dŵr a'u newid yn wres y tu mewn i'r bwyd.
5) Felly, gall microdonnau fod yn beryglus oherwydd gall meinwe byw eu hamsugno, a bydd y gwres yn niweidio neu'n lladd y celloedd gan achosi math o "losg oer".

Pelydriad Isgoch – Gweld yn y Nos a Rheolyddion Pell

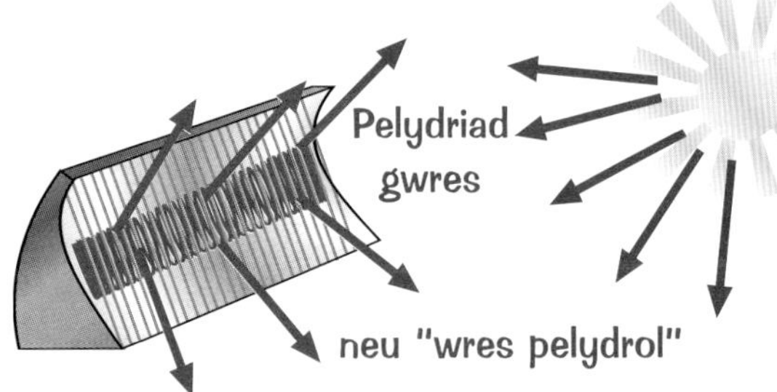

1) Caiff isgoch (neu IR) ei adnabod fel pelydriad gwres hefyd. Caiff hwn ei yrru allan gan bob gwrthrych poeth a gallwch ei deimlo ar eich croen fel gwres pelydrol. Mae pob defnydd yn barod iawn i amsugno isgoch, ac mae'n achosi gwresogi.
2) Mae gwresogyddion pelydrol (h.y. y rhai sy'n tywynnu'n goch) yn defnyddio pelydriad isgoch, gan gynnwys tostyddion a griliau.
3) Defnyddir isgoch hefyd mewn offer gweld yn y nos. Mae hwn yn gweithio trwy ganfod y pelydriad gwres a ryddheir gan bob gwrthrych, hyd yn oed yn nyfnder y nos, a'i newid yn signal trydanol a gaiff ei ddangos ar sgrin fel llun clir. Po boethaf yw gwrthrych, y mwyaf disglair y bydd yn ymddangos. Mae'r heddlu a'r lluoedd arfog yn ei ddefnyddio i ddod o hyd i ddrwgweithredwyr sy'n ceisio dianc, fel y gwelwch ar y teledu.
4) Defnyddir isgoch ar gyfer rheolyddion pell setiau teledu a pheiriannau DVD hefyd. Mae'n ddelfrydol ar gyfer anfon signalau diniwed dros bellterau bach heb ymyrryd ag amleddau radio eraill (fel y sianli teledu).

Does dim dianc rhag Isgoch – os nad yw'r Haul yn eich dal, fe fydd yr Heddlu ...

Mae pob rhan o'r sbectrwm EM yn wahanol, ac yn bendant mae angen i chi wybod yr holl fanylion am bob math o belydriad. Dyma'r union fath o beth y cewch gwestiwn arno yn yr Arholiad. Ysgrifennwch draethodau byr ar ficrodonnau ac IR. Yna gwiriwch i weld sut y gwnaethoch. Yna triwch eto ... ac eto ...

Goleuni Gweladwy ac UF, Pelydrau X a Phelydrau γ

Defnyddir Goleuni Gweladwy i Weld ac mewn Ffibrau Optegol

1) Mae goleuni gweladwy yn ddefnyddiol iawn. Rydym yn ei ddefnyddio i weld.
2) Fe'i defnyddir hefyd mewn Cyfathrebu Digidol Ffibr Optegol, a dyma'r ateb gorau i'w roi yn yr Arholiad.
3) Gallech ddweud y caiff ei ddefnyddio mewn endosgopau i weld y tu mewn i gorff claf, ond, a dweud y gwir, mae'r rhestr yn ddi-ddiwedd – microsgopau, telesgopau, ysbienddrychau, telesgopau tegan a wnaed o rolyn papur tŷ bach, gweld yn y tywyllwch (tortsh, goleuadau, sêr ac ati) ac, yn bwysicach na dim, rheoli awyrennau model.

Mae Golau Uwchfioled yn Achosi Canser y Croen

1) Achosir canser y croen drwy dreulio gormod o amser yn amsugno'r pelydrau UF o'r Haul.
2) Mae'n rhoi lliw haul i'ch croen. Mae gwelyau haul yn allyrru llai o belydrau UF nag y mae'r Haul, ond maen nhw'n dal i fod yn beryglus.
3) Mae croen tywyll yn diogelu rhag pelydrau UF. Mae'n eu hatal rhag cyrraedd y meinweoedd croen mwy sensitif sydd yn ddyfnach i lawr.
4) Defnyddir UF hefyd ar gyfer marciau dioglewch cudd a gaiff eu hysgrifennu mewn inc arbennig y gellir ei weld â golau uwchfioled yn unig.

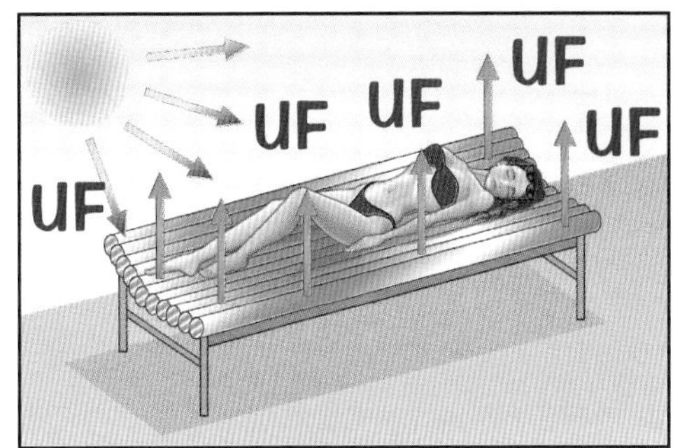

Defnyddir Pelydrau X mewn Ysbytai, ond maen nhw'n Beryglus

1) Mae radiograffwyr mewn ysbytai yn tynnu lluniau pelydr X o bobl i weld a oes ganddyn nhw unrhyw esgyrn sydd wedi torri.
2) Mae pelydrau X yn teithio'n rhwydd trwy gnawd ond nid trwy ddefnydd mwy dwys megis asgwrn neu fetel.
3) Gall pelydrau X achosi canser, felly mae radiograffwyr yn gwisgo ffedogau plwm ac yn sefyll y tu ôl i sgrin plwm neu'n gadael yr ystafell er mwyn peidio â derbyn mwy o belydrau X nag sydd raid.

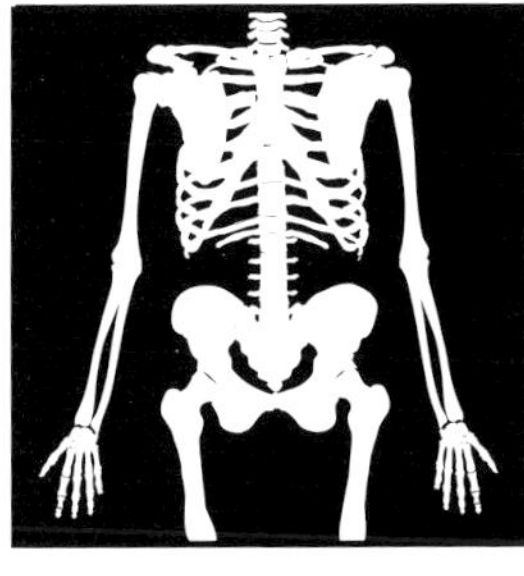

Y rhannau disgleiriaf yw lle mae llai o belydrau X yn mynd trwodd. Dyma ddelwedd negatif. Mae'r plât yn gwbl wyn i ddechrau.

Mae Pelydrau Gama yn Trin Canser heb Lawdriniaeth

1) Defnyddir pelydrau gama i ladd bacteria niweidiol i gadw bwyd yn ffres am fwy o amser ac i ddiheintio offer meddygol.
2) Mewn dosiau uchel, gall pelydrau gama, pelydrau X a phelydrau UF ladd celloedd normal.
3) Mewn dosiau is, gall y tri math hyn o donnau EM achosi i gelloedd normal droi'n ganser.
4) Os yw'r dos yn iawn, gellir defnyddio pelydrau gama i drin canser heb lawdriniaeth gan eu bod yn lladd celloedd canser.

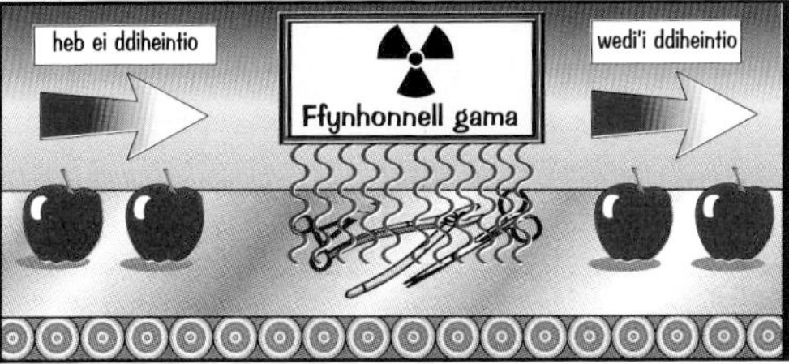

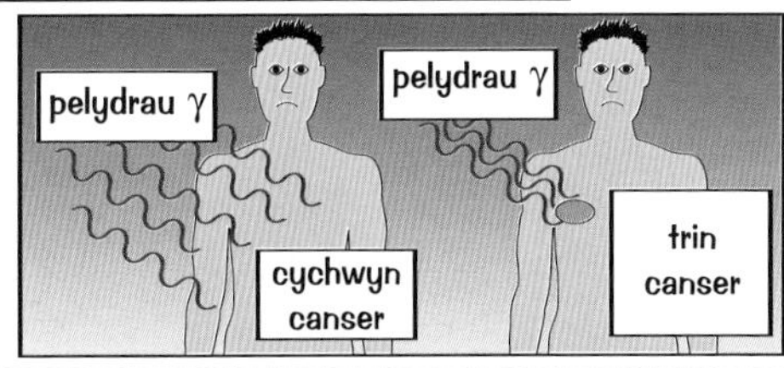

Mae Radiograffwyr fel Atharwon – gallant weld drwyddoch chi ...

Dyma'r pedair rhan arall o'r sbectrwm EM i chi eu dysgu. Gwych, tydi? O leiaf mae yna ddiagramau bach del i'ch helpu. Mae pedair adran ar y dudalen hon. Ysgrifennwch draethawd byr ar gyfer pob un, yna gwiriwch, ailddysgwch, ailysgrifennwch, ailwiriwch, ac ati.

Tonnau Seismig

Achosir Tonnau Seismig gan Ddaeargrynfeydd

1) Dim ond hyd at ryw 10 km i gramen y Ddaear y gallwn ddrilio, sydd ddim yn bell iawn, felly tonnau seismig yw'r unig ffordd o ymchwilio i'r adeiledd mewnol.
2) Pan fo daeargryn yn rhywle, bydd tonnau sioc yn teithio allan oddi wrtho a gellir eu canfod dros holl arwyneb y blaned trwy ddefnyddio seismograffau.
3) Caiff yr amser a gymer y ddau wahanol fath o donnau sioc i gyrraedd pob seismograff ei fesur.
4) Mae seismolegwyr hefyd yn nodi rhannau'r Ddaear nad ydynt yn derbyn tonnau sioc o gwbl.
5) O'r wybodaeth hon gellir darganfod pob math o bethau am y tu mewn i'r Ddaear fel y dangosir isod:

Mae Tonnau S a Thonnau P yn teithio ar hyd Llwybrau Gwahanol

Mae Tonnau P yn Hydredol

Mae tonnau P yn teithio trwy solidau a hefyd hylifau. Maen nhw'n teithio'n gyflymach na thonnau S.

Mae Tonnau S yn ArdrawS

Mae tonnau S yn teithio trwy solidau yn unig. Maen nhw'n arafach na thonnau P.

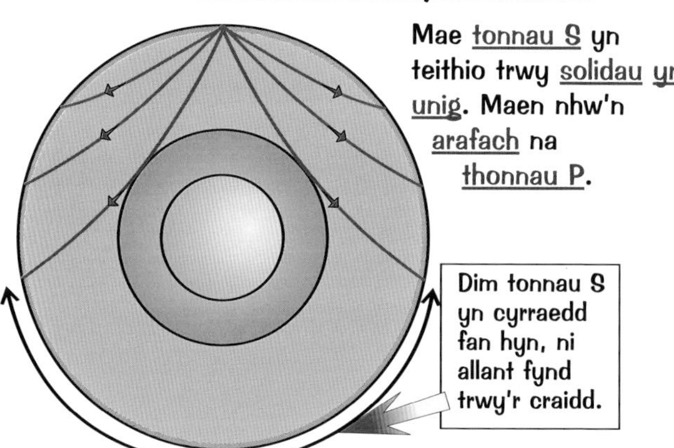

Mae canlyniadau Seismograff yn dweud Beth sydd Lawr Yna

1) Tua hanner ffordd trwy'r Ddaear mae newid sydyn yng nghyfeiriad y ddau fath o don. Mae hyn yn dangos bod y dwysedd yn cynyddu'n sydyn yn y pwynt hwnnw – y craidd.
2) Mae'r ffaith nad yw tonnau S i'w canfod yng nghysgod y craidd hwn yn dweud wrthym ei fod yn hylifol iawn.
3) Sylwch hefyd fod tonnau P yn teithio ychydig yn gyflymach trwy ganol y craidd, sy'n awgrymu'n gryf bod yna graidd mewnol solet.
4) Sylwch fod tonnau S yn teithio trwy'r fantell, sy'n awgrymu ei fod yn solet mwy neu lai i gyd, er, roeddwn i'n arfer credu ei fod wedi'i wneud o fagma sy'n edrych yn eithaf hylifol wrth iddo lifo allan o losgfynyddoedd. Ond dyna ni, un arall o ryfeddodau bywyd.

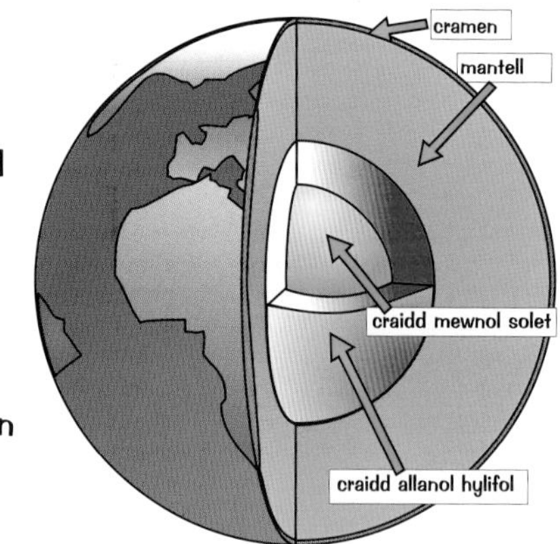

Mae'r Llwybrau'n Plygu wrth fynd yn Ddyfnach

1) Mae crymder llwybrau'r tonnau S a'r tonnau P yn ganlyniad i briodweddau newidiol y fantell a'r craidd wrth fynd yn ddyfnach.
2) Pan fo'r priodweddau'n newid yn sydyn, mae'r tonnau'n newid cyfeiriad yn sydyn, fel y dangosir uchod.
3) Mae cyfeiriad y tonnau yn newid yn raddol oherwydd bod eu buanedd yn newid yn raddol, o ganlyniad i briodweddau newidiol y cyfrwng. Dyma blygiant, wrth gwrs.

Tonnau Seismig – maen nhw'n dangos y gwirionedd ...

Mae'r adran hon yn mynd yn fwy a mwy cyffrous. Eto, mae pedair prif adran i'w dysgu. Dysgwch y pennawd yn gyntaf, yna ceisiwch ysgrifennu'r manylion i gyd ar gyfer pob pennawd, gan gynnwys y diagramau. Cofiwch fod tonnau S yn rhai ardrawS – felly rhaid mai'r tonnau P yw'r rhai hydredol.

Adeiledd y Ddaear

Cramen, Mantell, Craidd Allanol a Mewnol

1) Mae'r gramen yn denau iawn (wel, tua 20 km!).
2) Mae'r fantell yn ymestyn bron hanner ffordd at ganol y Ddaear.
3) Mae ganddo holl briodweddau solid, ond gall lifo'n araf iawn.
4) Mae'r craidd ychydig yn fwy na radiws y Ddaear.
5) Mae'r craidd wedi'i wneud o haearn a nicel. Dyma dardd maes magnetig y Ddaear.
6) Mae'r craidd yn solet yn y canol ac yn hylifol ar yr ymyl.
7) Dadfeiliad ymbelydrol sy'n creu'r holl wres y tu mewn i'r Dadaer.
8) Mae'r gwres hwn yn achosi'r ceryntau darfudol sy'n peri i blatiau arwyneb y Ddaear symud.

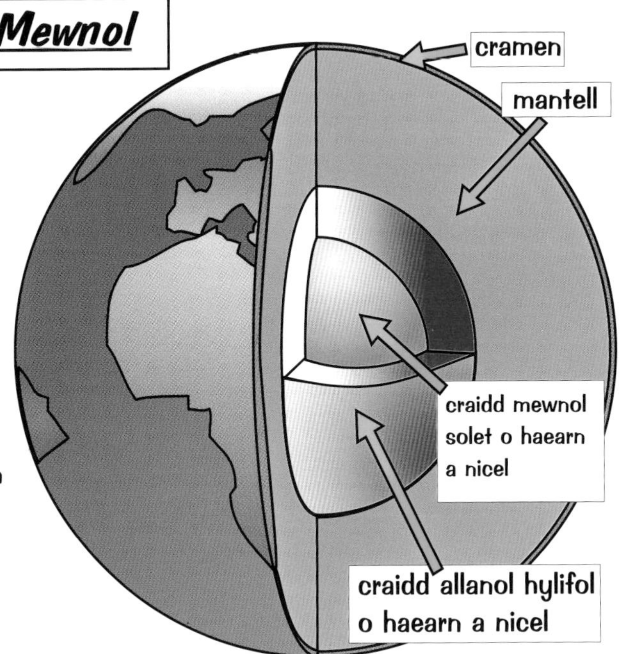

Cliwiau Mawr: Tonnau Seismig, Magnetedd a Meteorynnau

1) Mae dwysedd cyffredinol y Ddaear tipyn yn fwy na dwysedd craig. Mae hyn yn golygu bod yn rhaid bod y tu mewn wedi'i wneud o rywbeth sydd yn fwy dwys na chraig.
2) Mae meteorynnau sy'n cwympo i'r Ddaear yn aml wedi'u gwneud o haearn a nicel.
3) Mae haearn a nicel yn fagnetig a hefyd yn ddwys iawn.
4) Felly os yw craidd y Ddaear wedi'i wneud o haearn a nicel, byddai hyn yn esbonio tipyn, h.y. dwysedd uchel y Ddaear a'r ffaith fod ganddi faes magnetig o'i hamgylch.
5) Hefyd, drwy ddilyn llwybrau tonnau seismig wrth iddyn nhw deithio trwy'r Ddaear, gallwn ddweud fod yna newid i hylif tua hanner ffordd trwy'r Ddaear.
6) Rhaid bod yna graidd allanol hylifol o haearn a nicel. Mae'r tonnau seismig hefyd yn dangos craidd mewnol solet. Mae hyn i gyd yn hawdd â dweud y gwir.

Mae Arwyneb y Ddaear wedi'i wneud o Blatiau Mawr o Graig

1) Mae'r platiau hyn fel rafftiau mawr sy'n arnofio ar y fantell.
2) Mae'r map yn dangos ymylon y platiau hyn. Wrth iddyn nhw symud, mae cyfandiroedd yn symud hefyd.
3) Mae'r platiau hyn yn symud ar fuanedd o tua 1 cm i 2 cm y flwyddyn.

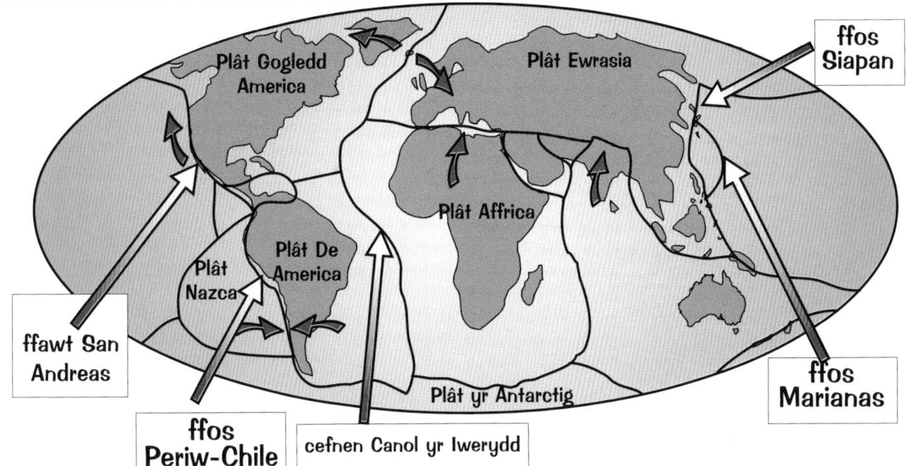

Yr ateb i fywyd, y Bydysawd a phopeth arall ...

Rhagor o ddeunydd hawdd iawn i ddysgu – sy'n golygu llawer o farciau yn yr Arholiad hefyd. Maen nhw'n rhoi'r gwaith hawdd i mewn hefyd i wneud yn siŵr bod pawb yn cael rhai marciau o leiaf. Dysgwch y manylion i gyd – does dim yn waeth na cholli marciau hawdd. Cuddiwch y dudalen a gwiriwch eich bod yn gwybod y cyfan.

Tystiolaeth o Dectoneg Platiau

Ers talwm, credai pobl fod nodweddion arwyneb y Ddaear, e.e. mynyddoedd, yn ganlyniad i gramen y Ddaear yn crebachu wrth oeri. Efallai bydd cwestiwn ar hyn yn yr Arholiad, ac yna byddan nhw'n gofyn am dystiolaeth o blaid tectoneg platiau fel gwell damcaniaeth. Dysgwch:

1) Y Jig-sô – yr uwch-gyfandir "Pangaea"

a) Mae yna ffit jig-sô amlwg rhwng Affrica a De America.
b) Gellir gosod y cyfandiroedd eraill gyda'i gilydd hefyd heb lawer o drafferth.
c) Credir eu bod i gyd, ar un adeg, yn ffurfio un darn mawr o dir, a elwir erbyn hyn yn Pangaea.

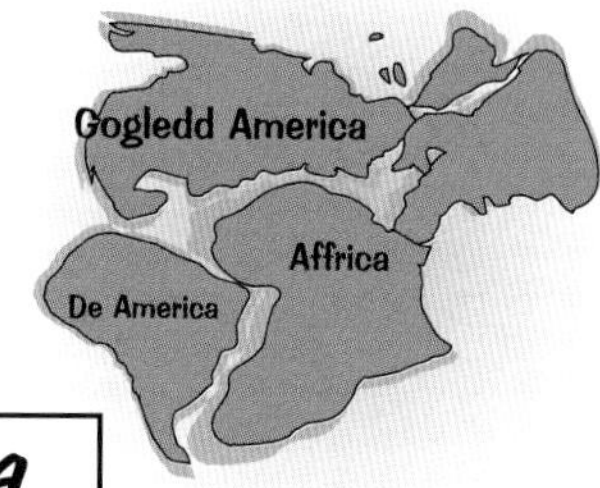

2) Ffosiliau yn Cyfateb yn Affrica ac yn Ne America

a) Darganfuwyd ffosiliau planhigion o'r un oed mewn creigiau yn Ne Affrica, Awstralia, Antarctica, India a De America, sy'n awgrymu'n gryf eu bod, ar un adeg, wedi'u cysylltu.

b) Mae ffosiliau anifeiliaid yn cefnogi'r ddamcaniaeth hefyd. Mae ffosiliau unfath o grocodeil dŵr croyw wedi'u darganfod yn Brasil a hefyd De Affrica. Mae'n sicr nad nofio ar draws a wnaeth.

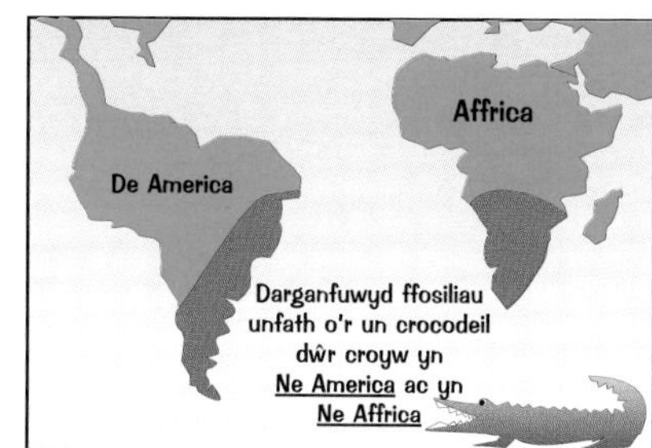

3) Dilyniannau Unfath o Graig

a) Wrth astudio strata creigiau sydd tua'r un oedran mewn gwahanol wledydd, maen nhw'n debyg iawn.

b) Dyma dystiolaeth gref fod y gwledydd wedi'u huno â'i gilydd pan ffurfiodd y creigiau.

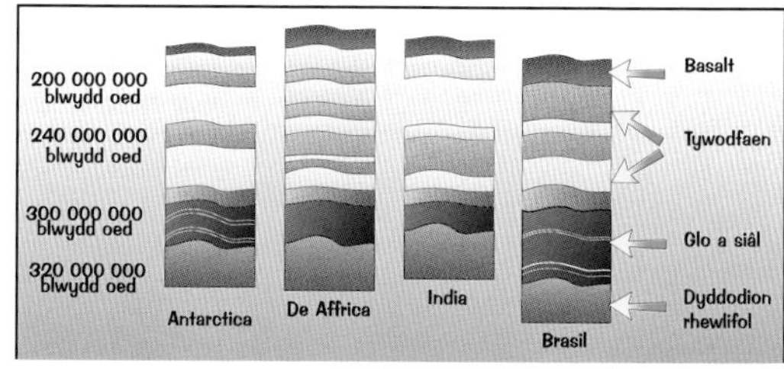

4) Creaduriaid Byw: Pryf Genwair

a) Mae yna amryw o greaduriaid byw sydd i'w cael yn America yn ogystal ag Affrica.

b) Un o'r rhain yw pryf genwair penodol sy'n byw ar waelod De America a hefyd ar waelod De Affrica.

c) Mae'n siŵr ei fod wedi teithio ar draws yn araf bach ar rafft a elwir erbyn heddiw yn America.

Damcaniaeth Symudiad Cramennog Wegener

Sylwyd ar hyn oll gannoedd o flynyddoedd yn ôl, ond doedd neb yn credu y gallai'r cyfandiroedd fod wedi cael eu huno ar un adeg.

Yn 1915, cynigiodd dyn o'r enw Alfred Wegener ei ddamcaniaeth ar "ddrifft cyfandirol", gan ddweud eu bod yn bendant wedi eu huno ar un adeg, a'u bod yn drifftio ar wahân yn araf. Ni dderbyniwyd hyn am ddau reswm:

a) ni allai roi reswm pendant pam y digwyddodd hyn,

b) nid oedd yn ddaearegwr cymwys.

Dim ond yn yr 1960au, gyda thystiolaeth ffosiliau a'r patrwm magnetig (gweler T.52) o gefnen canol yr Iwerydd y derbyniwyd y ddamcaniaeth ar led.

Dysgwch am Dectoneg Platiau ...

Pum darn o dystiolaeth sy'n cefnogi'r ddamcaniaeth bod darnau mawr o graig yn symud ar hyd y lle. Dysgwch y pump yn ddigon da i fedru ateb cwestiynau tebyg i hyn: "Disgrifiwch dystiolaeth sy'n cefnogi damcaniaeth Tectoneg Platiau" (5 marc). Dysgwch, cuddiwch, ysgrifennwch, ac ati ...

Ffiniau Platiau

Fel arfer, ar y ffiniau rhwng platiau tectonig, mae yna gynnwrf megis llosgfynyddoedd neu ddaeargrynfeydd. Mae platiau'n rhyngweithio mewn tair gwahanol ffordd: gwrthdaro, gwahanu neu lithro heibio'i gilydd.

Platiau Cefnforol a rhai Cyfandirol yn Gwrthdaro: Yr Andes

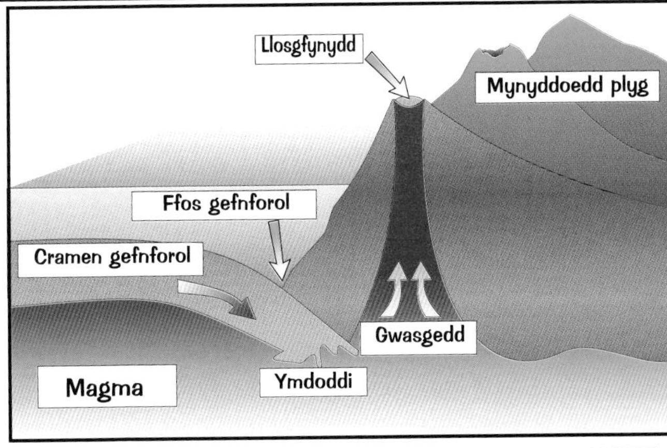

1) Caiff y plât cefnforol ei yrru o dan y plât cyfandirol bob tro.
2) Dyma'r rhanbarth tansugno.
3) Wrth i'r gramen gefnforol gael ei gwthio i lawr mae'n ymdoddi ac mae'r gwasgedd yn cynyddu o ganlyniad i'r holl graig dawdd.
4) Mae'r graig dawdd yn dod at yr wyneb gan ffurfio llosgfynyddoedd.
5) Ceir daeargrynfeydd hefyd, wrth i'r ddau blât grafu yn araf yn erbyn ei gilydd.
6) Mae ffos ddofn yn ffurfio ar wely'r cefnfor lle caiff y plât cefnforol ei wthio i lawr.

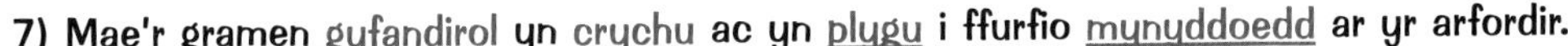

7) Mae'r gramen gyfandirol yn crychu ac yn plygu i ffurfio mynyddoedd ar yr arfordir.

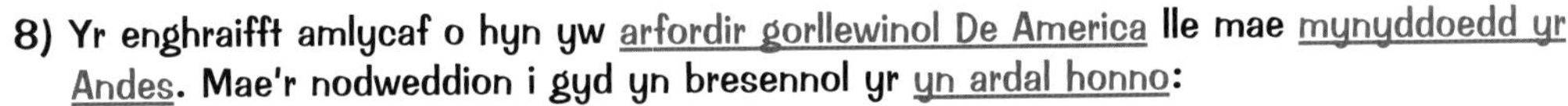

8) Yr enghraifft amlycaf o hyn yw arfordir gorllewinol De America lle mae mynyddoedd yr Andes. Mae'r nodweddion i gyd yn bresennol yr yn ardal honno:

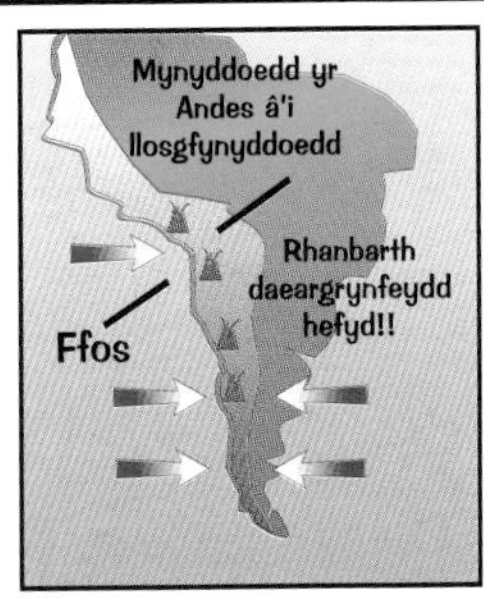

Llosgfynyddoedd, daeargrynfeydd, ffos gefnforol a mynyddoedd.

Dau Blât Cyfandirol yn Gwrthdaro: Yr Himalayas

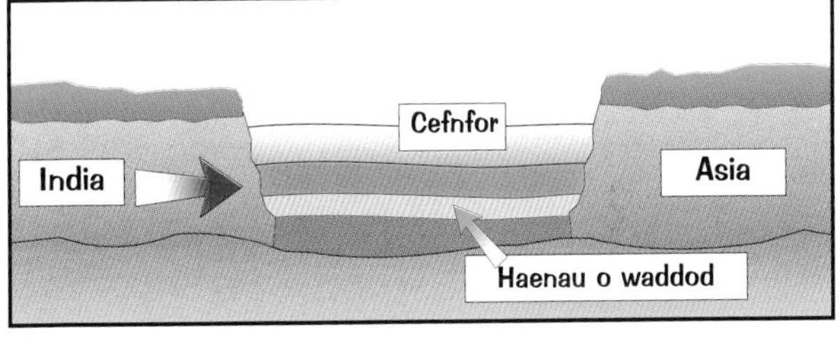

1) Mae'r ddau blât cyfandirol yn gwrthdaro ben wrth ben, heb i'r un gael ei dansugno.
2) Caiff unrhyw haenau o waddod sy'n gorwedd rhwng y ddau fàs o gyfandir eu gwasgu rhyngddyn nhw.
3) Yn anochel, mae'r haenau hyn o waddod yn crychu ac yn plygu ac yn fuan yn ffurfio mynyddoedd mawr.
4) Mae mynyddoedd yr Himalaya yn enghraifft dda o hyn.

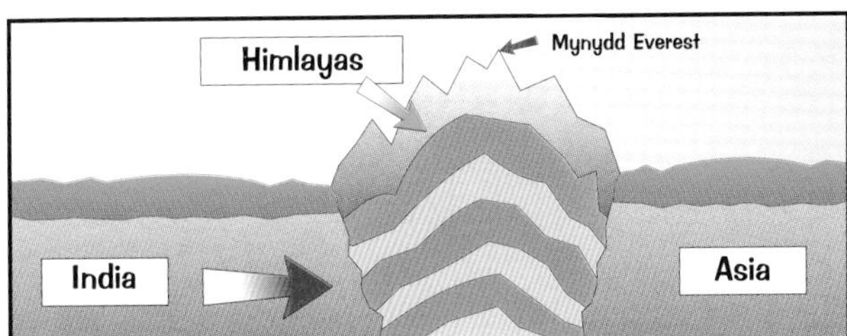

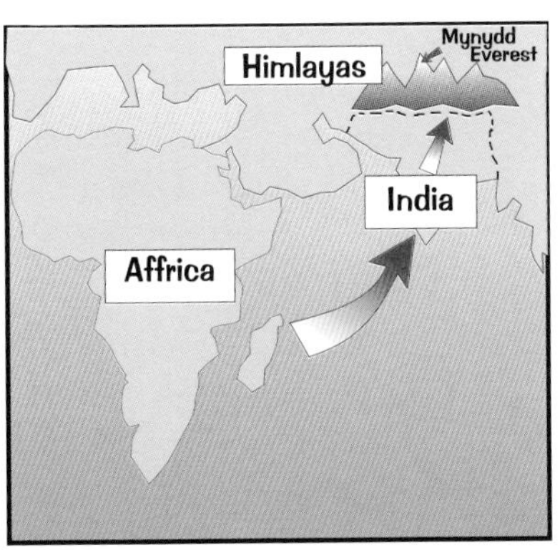

5) Fe dorrodd India ymaith o ochr Affrica a tharo yn erbyn gwaelod Asia, ac mae'n dal i wneud, gan wthio'r Himalayas i fyny wrth fynd.
6) Mae Mynydd Everest yno ac mae'n mynd ychydig cm yn fwy bob blwyddyn wrth i India barhau i wthio i fyny i gyfandir Asia.

Tudalen arall i'w dysgu – peidiwch â gwneud môr a mynydd ohoni ...

Gwnewch yn siŵr eich bod yn dysgu'r diagramau i gyd – maen nhw'n crynhoi'r holl wybodaeth sydd yn y testun. Mae'n bosib y byddan nhw'n gofyn am enghraifft yn yr Arholiad, felly gwnewch yn siŵr eich bod yn gwybod y ddwy wahanol fath o sefyllfa y mae'r Andes a'r Himalayas yn eu cynrychioli. Cuddiwch ac ysgrifennwch ...

Ffiniau Platiau

Llawr y Môr yn Lledaenu: Cefnen canol yr Iwerydd

1) Pan yw platiau tectonig yn symud ar wahân, mae magma yn codi i lenwi'r bwlch gan gynhyrchu cramen newydd wedi'i wneud o fasalt (wrth gwrs). Weithiau, daw allan â grym enfawr, gan achosi llosgfynyddoedd tanfor.

2) Mae CEFNEN CANOL YR IWERYDD yn rhedeg ar hyd yr Iwerydd ac yn torri trwy ganol Gwlad yr Iâ – dyna pam mae ganddyn nhw ddŵr tanddaear poeth.

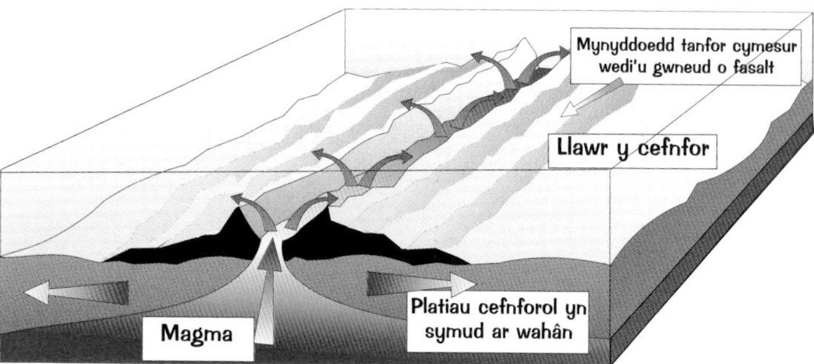

3) Wrth i'r magma godi trwy'r bwlch, mae'n ffurfio cefnennau a mynyddoedd tanfor.

4) Mae'r rhain yn ffurfio patrwm cymesur ar y naill ochr a'r llall i'r gefnen, gan ddarparu tystiolaeth gref dros y ddamcaniaeth drifftio cyfandirol.

5) Fodd bynnag, daw'r dystiolaeth gryfaf o gyfeiriadaeth magnetig y creigiau.

6) Wrth i'r magma hylifol echdorri o'r bwlch, mae'r gronynnau haearn yn tueddu i alinio eu hunain â maes magnetig y Ddaear ac wrth iddo oeri cânt eu dal yn eu lle.

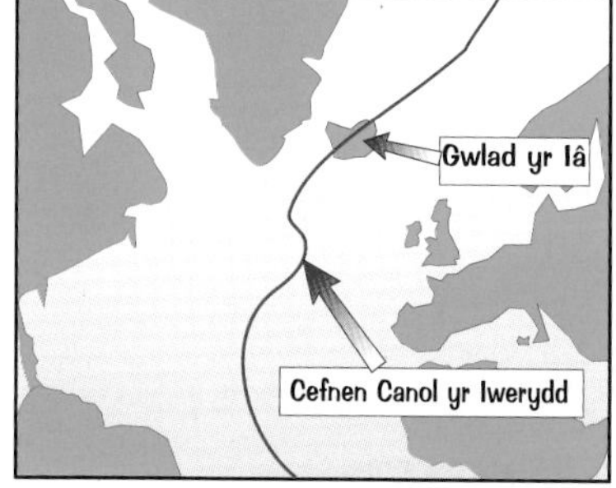

7) Pob rhyw hanner miliwn o flynyddoedd, mae maes magnetig y Ddaear yn tueddu i newid cyfeiriad.

8) Mae hyn yn golygu bod gan y graig sydd ar y naill ochr a'r llall i'r gefnen bolaredd magnetig eiledol.

9) Mae'r patrwm hwn yn gymesur ar y naill ochr a'r llall i'r gefnen.

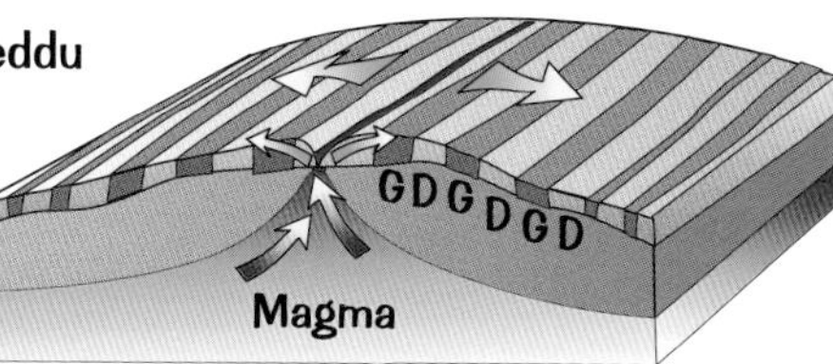

Platiau'n Llithro Heibio'i Gilydd: San Francisco

1) Weithiau mae'r platiau'n llithro heibio'i gilydd.

2) Yr enghraifft fwyaf cyffredin o hyn yw ffawt San Andreas yng Nghalifornia.

3) Mae stribed cul o'r arfordir yn llithro tua'r gogledd tua 7 cm y flwyddyn.

4) Nid yw platiau mawr o graig yn llithro'n llyfn heibio'i gilydd.

5) Maen nhw'n cydio yn ei gilydd ac wrth i'r grym gynyddu maen nhw'n neidio'n sydyn.

6) Mae'r naid sydyn ond yn parhau am ychydig eiliadau – ond gall ddymchwel adeiladau, dim problem.

7) Mae dinas San Francisco yn gorwedd dros y llinell ffawt hon. (Doedden nhw ddim yn gwybod pan adeiladon nhw'r ddinas.)

8) Dinistriwyd y ddinas gan ddaeargryn yn 1906, a digwyddodd un arall, eithaf difrifol, yn 1991. Gallai un arall ddigwydd unrhyw bryd.

9) Mewn rhanbarthau daeargrynfeydd, maen nhw'n ceisio adeiladu adeiladau a all wrthsefyll daeargrynfeydd, sydd wedi'u cynllunio i wrthsefyll ychydig o ysgwyd.

10) Mae daeargrynfeydd fel arfer yn achosi llawer mwy o ddifrod mewn gwledydd tlawd, lle ceir dinasoedd gorboblog, adeiladau sydd heb eu hadeiladu'n iawn a gwasanaethau achub annigonol.

11) Mae'n amhosib dweud yn sicr pryd y bydd daeargryn yn digwydd oherwydd bod gymaint o resymau pam maen nhw'n digwydd ac mae'n anodd gwneud mesuriadau.

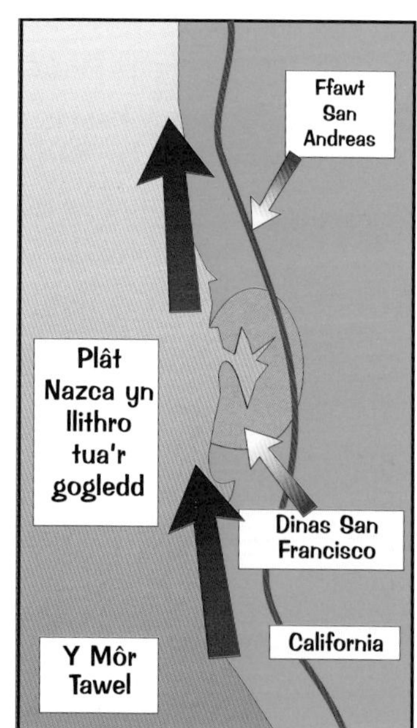

Daeargrynfeydd – y gwir ysgytwol ...

Gadewch i mi eich atgoffa o rinweddau'r trawethawd byr. Darllenwch y gwaith a cheisiwch ei ddysgu. Yna cuddiwch y dudalen ac ysgrifennwch draethawdd byr ar bob topig. Yna edrychwch nôl i weld beth rydych wedi ei adael allan. Yna triwch eto, ac eto – nes i chi ei ddeall i gyd.

Crynodeb Adolygu Adran Tri

Mae un peth yn sicr – mae yna lwythi o ffeithiau hawdd eu dysgu am donnau. Wrth gwrs, mae yna rannau sy'n rhaid meddwl amdanyn nhw, ond ar y cyfan, mae'n waith hawdd sydd ond yn rhaid i chi ei ddysgu. Peidiwch ag anghofio, mae'r llyfr hwn yn cynnwys yr holl wybodaeth bwysig sydd wedi'i chrybwyll yn y maes llafur, sef yr union waith sy'n debygol o ymddangos yn yr Arholiad. Rhaid i chi geisio ateb y cwestiynau hyn dro ar ôl tro nes eu bod yn hawdd.

1) Brasluniwch donnau ardraws a hydredol. Diffiniwch nhw a rhowch enghreifftiau o'r ddau fath.
2) Diffiniwch amledd a chyfnod amser ton. Rhowch dair enghraifft o donnau yn cludo egni.
3) Ysgrifennwch fuanedd sain mewn aer. Disgrifiwch arbrawf y glochen. Beth mae hwn yn ei ddangos?
4) Brasluniwch graffiau o glyw normal a chlyw wedi'i niweidio. Ysgrifennwch dair ffordd o leihau llygredd sŵn.
5) Beth yw'r cysylltiad rhwng osgled a'r egni y mae ton yn ei gludo?
6) Pa effaith gaiff osgled mwy ar a) seindonnau b) tonnau golau?
7) Beth yw'r berthynas rhwng amledd a thraw ar gyfer seindon?
8) Brasluniwch sgriniau osgilosgop i ddangos traw uchel ac isel a synau tawel a chryf.
9) Beth yw uwchsain? Rhowch fanylion llawn ar gyfer pump cymhwysiad uwchsain.
10) Brasluniwch y patrymau pan fydd crychdonnau plân yn adlewyrchu addi ar a) arwyneb plân b) arwyneb crwm.
11) Brasluniwch adlewyrchiad crychdonnau crwm oddi ar arwyneb plân.
12) Beth yw deddf adlewyrchiad? Gwnewch fraslun i ddangos adlewyrchiad tryledol goleuni.
13) Lluniwch ddiagram taclus i ddangos sut i ganfod safle delwedd mewn drych plân.
14) Beth yw plygiant? Beth sy'n ei achosi? Sut mae'n effeithio ar donfedd ac amledd?
15) Brasluniwch baladr o oleuni yn mynd trwy floc gwydr petryalog, gan ddangos onglau i ac r.
16) Pa mor gyflym mae golau'n teithio mewn gwydr? Pa ffordd mae'n plygu wrth fynd i mewn i'r gwydr? Beth os yw i = 90°?
17) Beth yw gwasgariad? Brasluniwch y diagram sy'n ei ddangos yngyd â'r labeli i gyd.
18) Brasluniwch y tri diagram i ddangos Adlewyrchid Mewnol Cyflawn a'r Ongl Gritigol.
19) Brasluniwch dri diben adlewyrchiad mewnol cyflawn sy'n defnyddio prismau 45°, ac esboniwch nhw.
20) Rhowch fanylion y prif ddefnydd a wneir o ffibrau optegol. Sut mae ffibrau optegol yn gweithio?
21) Disgrifiwch signalau analog a digidol. Pam mae signalau digidol yn well?
22) Beth yw diffreithiant? Brasluniwch ddiffreithiant a) tonnau dŵr b) seindonnau c) goleuni.
23) Beth yw'r tair fformiwla sy'n ymwneud â thonnau? Sut ydych chi'n penderfynu pa un i'w defnyddio?
24) A yw unedau SI yn bwysig? Beth yw'r unedau SI ar gyfer: tonfedd; amledd; cyflymder; amser?
25) Newidiwch y rhain yn unedau SI: a) 500 kHz, b) 35 cm, c) 4.6 MHz, ch) 4 cm/s, d) $2^1/2$ mun.
26) Darganfyddwch fuanedd ton sydd ag amledd 50 kHz a thonfedd 0.3 cm.
27) Darganfyddwch gyfnod amser ton â thonfedd 1.5 km a buanedd 3×10^8 m/s.
28) Clywir dwndwr taran 0.6 eiliad ar ôl fflach y fellten. Pa mor bell i ffwrdd yw'r fellten?
29) Os yw gwely'r môr 600 m i lawr, pa mor hir y bydd yn ei gymryd i dderbyn atsain sonar oddi wrtho?
30) Pa agwedd ar donnau EM sy'n pennu eu gwahanol brioddwedau?
31) Brasluniwch y sbectrwm EM ynghyd â'r manylion i gyd. Beth sy'n digwydd pan gaiff tonnau EM eu hamsugno?
32) Rhowch fanylion llawn o'r defnydd a wneir o donnau radio. Sut mae'r tri gwahanol math yn symud o gwmpas?
33) Rhowch fanylion llawn am ddau brif ddiben microdonnau, a thri phrif ddiben isgoch.
34) Rhowch enghraifft synhwyrol o ddiben golau gweladwy. Beth yw ei brif ddiben?
35) Rhowch fanylion tri o ddibenion golau UF, dau o ddibenion pelydrau X ac un o ddibenion pelydrau gama.
36) Pa niwed all UF, pelydrau X a phelydrau gama ei wneud mewn dosiau <u>uchel</u>? Beth am ddosiau <u>isel</u>?
37) Beth sy'n achosi tonnau seismig? Brasluniwch ddiagramau yn dangos llwybrau'r ddau fath, ac esboniwch.
38) Lluniwch ddiagram o adeiledd mewnol y Ddaear, yngyd â labeli.
39) Pa mor fawr yw'r gwahanol rannau o'u cymharu â'i gilydd?
40) Beth mae'r craidd wedi'i wneud ohono? Beth yw'r tri chliw mawr sy'n dweud wrthym am y Ddaear?
41) Beth oedd yr hen ddamcaniaeth am arwyneb y Ddaear? Beth yw'r ddamcaniaeth am Dectoneg Platiau?
42) Rhowch fanylion o'r pump darn o dystiolaeth sy'n cefnogi damcaniaeth tectoneg platiau.
43) Ym mha dair gwahanol ffordd y mae platiau tectonig yn rhyngweithio ar y ffiniau?
44) Beth sy'n digwydd pan fydd plât cefnforol yn gwrthdaro yn erbyn plât cyfandirol? Lluniwch ddiagram.
45) Pa bedwar nodwedd y mae hyn yn eu cynhyrchu?
46) Beth sy'n digwydd pan fydd dau blât cyfandirol yn gwrthdaro? Lluniwch ddiagramau.
47) Pa nodweddion mae hyn yn eu cynhyrchu? Pa ran o'r byd sy'n enghraifft dda o hyn?
48) Beth yw cefnen canol yr Iwerydd? Beth sy'n digwydd yno?
49) Pa wlad sydd yn gorwdd arni? Ydyn nhw'n cael daeargrynfeydd? Beth maen nhw'n eu cael?
50) Ble mae ffawt San Andreas? Beth mae'r platiau tectonig yn ei wneud ar hyd y ffawt hwn?
51) Pam mae hyn yn achosi daeargrynfeydd – a pham y cafodd San Francisco ei hadeiladu yn union ar ben y ffawt?

Cysawd yr Haul

Mae angen i chi adolygu trefn y planedau. Ceisiwch feddwl am gofrif diddorol i'ch helpu:

Mercher, Gwener, y Ddaear, Mawrth, (Asteroidau), Iau, Sadwrn, Wranws, Neifion, Plwton

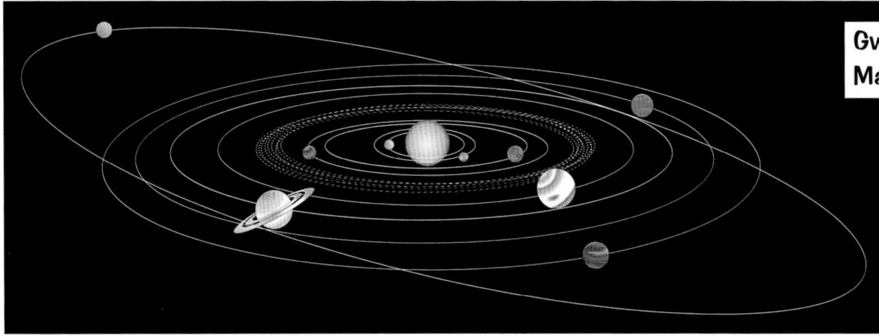

Gwregys o greigiau sy'n troelli rhwng Mawrth a Iau yw'r Asteroidau.

Mercher, Gwener, y Ddaear a Mawrth yw'r planedau mewnol.

Mae Iau, Sadwrn, Wranws, Neifion a Phlwton tipyn yn bellach i ffwrdd ac fe'u gelwir yn blanedau allanol.

Blwyddyn yw Un Orbit Llawn o'r Ddaear o amgylch yr Haul

1) Mae'r Ddaear yn troelli ar ei echelin ei hun unwaith bob 24 awr. Mae hyn yn achosi dydd a nos wrth i'r gwahanol ochrau droi i wynebu'r Haul.
2) Fodd bynnag, ar yr un pryd mae'r Ddaear yn teithio'n gyflym iawn trwy'r gofod (ar oddeutu 100,000 km/awr) gan droi o gwmpas yr Haul. Mae hyn yn ffordd bell iawn, a hyd yn oed ar y buanedd hwn mae'n cymryd 365 diwrnod i fynd yr holl ffordd o amgylch. Dyna flwyddyn gyfan wrth gwrs.

Nid oes gan Blanedau eu Golau eu Hunain – maen nhw'n Adlewyrchu Golau Haul

1) Gallwch weld rhai o'r planedau agosaf â'r llygad noeth yn y nos, e.e. Mawrth a Gwener.
2) Maen nhw'n edrych fel sêr, ond wrth gwrs maen nhw'n gwbl wahanol.
3) Mae sêr yn enfawr ac yn bell iawn i ffwrdd ac yn allyrru llawer o olau. Mae'r planedau yn llai ac yn nes ac maen nhw'n adlewyrchu golau'r haul sy'n disgyn arnynt.
4) Mae planedau bob amser yn troi o gwmpas sêr. Yng Nghysawd yr Haul mae'r planedau'n troi o gwmpas yr Haul, wrth gwrs.
5) Mae'r orbitau hyn i gyd yn elipsau (hirgrwn).
6) Mae pob planed yng Nghysawd yr Haul yn troi yn yr un plân ac eithrio Plwton (fel y dangosir yn y llun uchod).
7) Y pellaf yw'r blaned o'r Haul, y mwyaf yw amser yr orbit (gweler y dudalen nesaf am ddisgyrchiant).

Mae'r Haul yn Seren sy'n Rhyddhau Pob Math o Belydriad EM

1) Yr Haul yw canol Cysawd yr Haul.
2) Mae'r Haul yn cynhyrchu symiau enfawr o wres a golau o adweithiau niwclear oddi mewn iddo. Mae'n boeth iawn.
3) Mae'n rhyddhau'r sbectrwm cyflawn o belydriad electromagnetig.
4) Mae'r diagram hwn yn dangos pa mor enfawr yw'r Haul o'i gymharu â'r planedau.

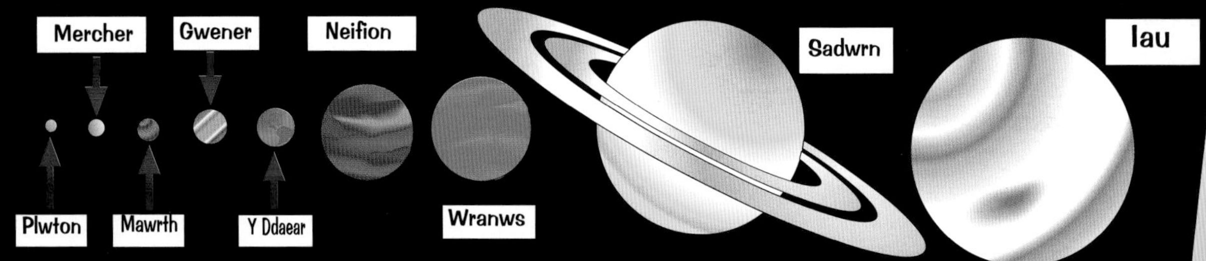

Dysgwch y Planedau – gallan nhw oleuo'r ffordd i chi ...

Tydi Cysawd yr Haul yn hyfryd! Yr holl blanedau lliwgar yna a'r gofod mawr du. Gallwch edrych ymlaen at un neu ddau gwestiwn hawdd ar y planedau – neu ddau ddychrynllyd yn lle. Byddwch yn barod i ddysgu'r holl waith pwysig fel eich bod yn ei wybod yn iawn.

Y Planedau

Mae'r Planedau yn Awyr y Nos yn edrych fel pe baent yn Symud ar draws y Cytser

1) Mae'r sêr yn yr awyr yn ffurfio patrymau sefydlog o'r enw cytserau.
2) Mae'r rhain yn aros yn sefydlog mewn perthynas â'i gilydd ac yn "cylchdroi" wrth i'r Ddaear droelli.
3) Mae'r planedau yn edrych fel sêr ac eithrio eu bod yn teithio ar draws y cytserau dros gyfnodau o ddyddiau neu wythnosau, gan fynd yn aml i'r cyfeiriad dirgroes.
4) Mae eu safle a'u symudiad yn dibynnu ar ble maen nhw yn eu horbit o'u cymharu â ni.
5) Gwnaeth mudiant hynod y planedau i seryddwyr cynnar sylweddoli nad y Ddaear yw canol y Bydysawd wedi'r cyfan, ond yn hytrach y drydedd graig o'r Haul. Dyma dystiolaeth gref dros fodel Haul-ganolog Cysawd yr Haul.
6) Yn anffodus, doedd hogiau Chwilys Sbaen ddim yn rhy hoff o'r fath heresi, a chafodd Copernicus druan amser eithaf caled am dipyn. Serch hynny, daeth y gwir i'r amlwg yn y diwedd.

Disgyrchiant yw'r Grym sy'n Cadw Popeth yn ei Orbit

1) Mae disgyrchiant yn rym atyniad sy'n gweithredu rhwng pob màs.
2) Yn achos masau mawr iawn megis sêr a phlanedau, mae'r grym yn fawr iawn ac yn gweithredu dros bellter mawr.
3) Po agosaf yr ewch at seren neu blaned, y cryfaf yw'r grym atynnu.
4) I wrthsefyll y disgyrchiant cryfach, mae'r planedau sydd agosaf at yr Haul yn symud yn gyflymach ac yn cwblhau eu horbit mewn llai o amser.
5) Caiff comedau eu dal mewn orbit gan ddisgyrchiant hefyd, a lleuadau a lloerenni a gorsafoedd gofod.
6) Mae maint grym disgyrchiant yn dilyn y berthynas "sgwâr gwrthdro" enwog. Prif effaith hyn yw bod y grym yn lleihau yn gyflym iawn wrth i'r pellter fynd yn fwy. Dyma'r syniad sylfaenol mewn geiriau:

Os ewch DDWYWAITH mor agos bydd y disgyrchiant yn mynd BEDAIR gwaith yn gryfach.

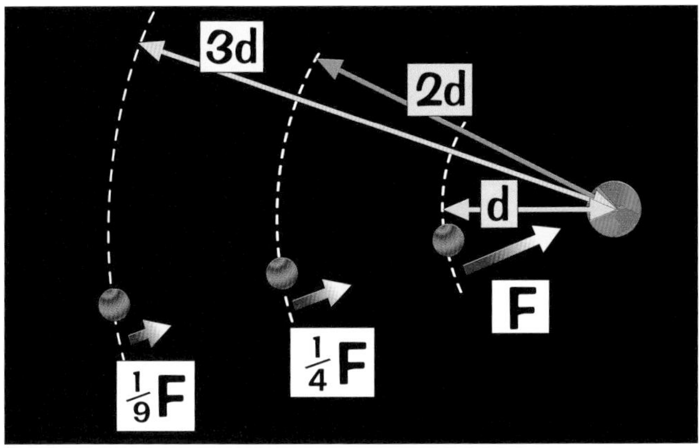

a) Os ydych yn dyblu'r pellter o blaned, bydd maint y grym yn lleihau â ffactor o bedwar (2^2).
b) Os ydych yn treblu'r pellter, bydd grym disgyrchiant yn lleihau â ffactor o naw (3^2), ac yn y blaen.
c) Y peth pwysicaf i'w gofio yw: os ewch ddwywaith mor agos mae'r disgyrchiant bedair gwaith mor gryf.

Dysgwch y dudalen hon – ond dim gair wrth yr hogiau yn y gynnau coch ...

Tydi planedau'n wych! Yr holl ddata cyffrous yma i gyfarwyddo ag ef. Yna wrth gwrs y ffaith y gallwch weld un neu ddau ohonyn nhw yn awyr y nos, dim ond trwy godi eich llygaid i'r nefoedd. Dysgwch bopeth sydd ar y dudalen hon, yna cuddiwch ac ysgrifennwch.

Lleuadau, Meteorynnau, Asteroidau a Chomedau

Cyrff Wybrennol sy'n Troi o Gwmpas Planedau yw Lleuadau

1) Dim ond un Lleuad sydd gan y Ddaear, ond mae gan rai o'r planedau eraill nifer ohonynt.
2) Gallwn weld y Lleuad oherwydd ei bod yn adlewyrchu golau haul.
3) Mae gwahanol weddau'r Lleuad yn dibynnu ar faint o ochr oleuedig y Lleuad y gallwn ei gweld, fel y dangosir:

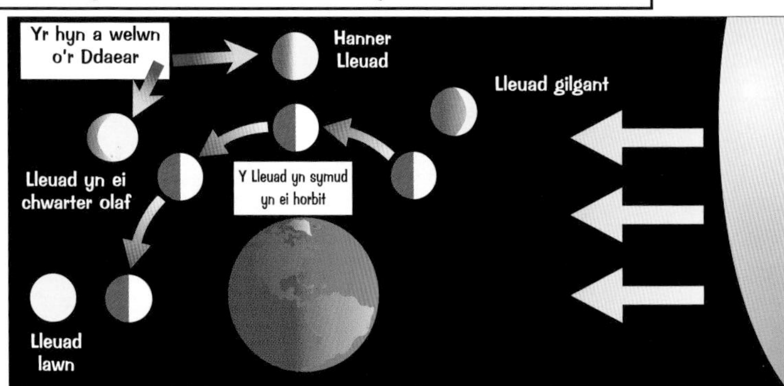

Gwregys o Greigiau sy'n Troelli Rhwng Mawrth a Iau yw'r Asteroidau

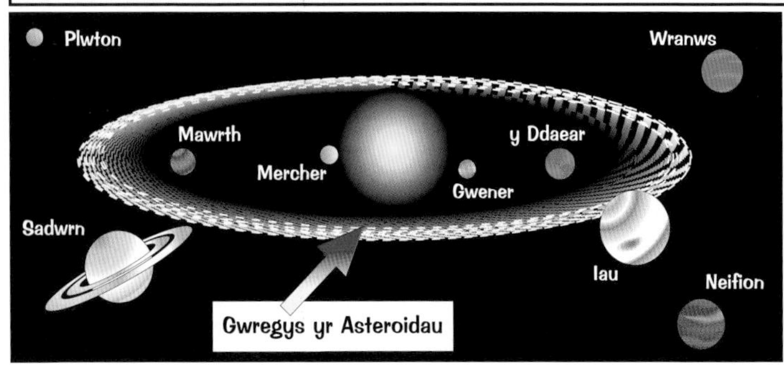

1) Mae miloedd o ddarnau o graig yn troi o gwmpas yr Haul mewn gwregys rhwng orbitau Mawrth ac Iau.
2) Mae eu maint yn amrywio o ddiamedr o tua 1,000 km i gyn lleied ag 1 km.
3) Mae'r asteroidau hyn fel arfer yn aros yn eu horbitau, ond os ydyn nhw'n gwrthdaro ac yn cael eu taro allan o'u horbitau, cânt eu galw'n feteorynnau ...

Talpiau o Graig sy'n Disgyn i'r Ddaear yw Meteorynnau

1) Peidiwch â chymysgu rhwng meteorynnau ac asteroidau.
2) Mae asteroidau'n aros mewn orbit sefydlog o gwmpas yr Haul.
3) Meteorynnau yw asteroidau sydd wedi eu taro allan o'u horbit sefydlog ac yna'n taro'r Ddaear.
4) Pan fydd meteoryn yn mynd i mewn i atmosffer y Ddaear, bydd yn llosgi, ac fe'i gwelwn fel seren wib.
5) Os ydyn nhw'n ddigon mawr maen nhw'n cyrraedd arwyneb y Ddaear. Mae hyn yn anghyffredin, ond yn ddifrifol os yw'n digwydd.

Mae Comedau yn Troi o Gwmpas y Ddaear, ond mae ganddyn nhw Orbitau Echreiddig (hir) iawn

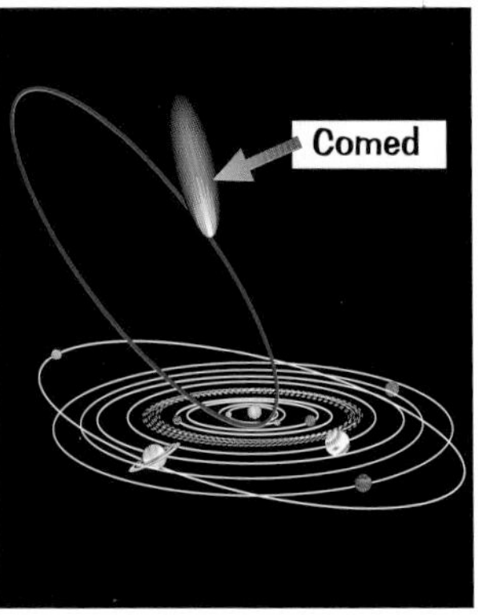

1) Mae comedau yn ymddangos bob ychydig o flynyddoedd yn unig oherwydd bod eu horbitau yn eu cymryd ymhell o'r Haul ac yna'n ôl yn agos, a dyna pryd y byddwn ni'n eu gweld.
2) Nid yw'r Haul yng nghanol yr orbit, ond yn nes at un pen, fel yn y llun.
3) Gall orbitau comedau fod mewn gwahanol blân i orbitau planedau.
4) Mae comedau wedi'u gwneud o iâ a chraig, ac wrth iddyn nhw nesáu at yr Haul mae'r iâ yn ymdoddi gan adael cynffon lachar o falurion a all fod yn filiynau o km o hyd.
5) Mae'r comed yn teithio'n llawer cyflymach pan yw'n nes at yr Haul nag y mae yn rhannau pell ei orbit. Mae hyn yn digwydd oherwydd bod tyniad disgyrchiant yn gwneud iddo gyflymu wrth iddo nesáu, ac yna'n ei arafu wrth iddo fynd ymhellach i ffwrdd o'r Haul.

Dysgwch am y Talpiau hyn o Graig – a gwyliwch nhw ...

Pedwar darn diddorol tu hwnt o wybodaeth i chi eu dysgu. Nid dim ond planedau sydd yng Nghysawd yr Haul, wyddoch chi. Gwnewch yn siŵr eich bod yn dysgu'r manylion i gyd am y gwahanol dalpiau o graig. Mae popeth yn y maes llafur, felly gallent ofyn cwestiwn ar unrhyw ran. Pedwar traethawd byr os gwelwch yn dda. Nawr.

Lloerenni

Weithiau caiff lleuadau eu galw'n lloerenni naturiol.
Caiff lloerenni artiffisial eu hanfon i'r gofod gan ddyn am bedair prif reswm:

1) Monitro'r tywydd.
2) Cyfathrebu, e.e. ffôn a theledu.
3) Gwaith ymchwil ar y gofod megis Telesgop Hubble.
4) Ysbïo ar gnafon drwg.

1) Defnyddir Lloerenni Geosefydlog ar gyfer Cyfathrebu

1) Cânt hefyd eu galw'n lloerenni geosyncronus.
2) Fe'u lleolir mewn orbit eithaf uchel dros y Cyhydedd sy'n cymryd 24 awr union i'w gwblhau.
3) Mae hyn yn golygu eu bod yn aros uwchben yr un pwynt ar arwyneb y Ddaear gan fod y Ddaear yn cylchdroi gyda nhw – sy'n esbonio'r enw Geo(Daear)-sefydlog.
4) Mae hyn yn eu gwneud yn ddelfrydol ar gyfer y ffôn a'r teledu gan eu bod bob amser yn yr un lle a gallant drosglwyddo signalau o un ochr y Ddaear i'r llall mewn ffracsiwn o eiliad.
5) Mae lle i oddeutu 400 lloeren geosefydlog – pe bai mwy, byddai eu horbitau'n ymyrryd.

2) Defnyddir Lloerenni Orbit Polar Isel ar gyfer y Tywydd ac Ysbïo

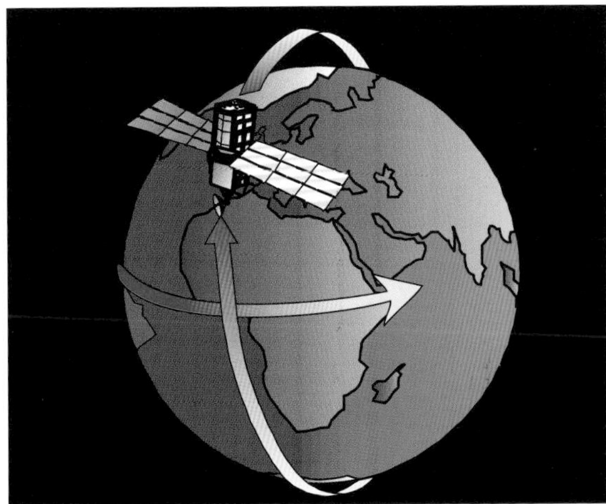

1) Yn achos orbit polar isel, mae'r lloeren yn ysgubo dros y ddau begwn tra bo'r Ddaear yn cylchdroi oddi tano.
2) Mae pob orbit yn cymryd ychydig o oriau.
3) Bob tro y daw'r lloeren o amgylch, gall sganio'r rhan nesaf o'r glôb.
4) Mae hyn yn caniatáu i holl wyneb y blaned gael ei fonitro bob dydd.
5) Mae lloerenni geosefydlog yn rhy uchel i dynnu lluniau tywydd neu ysbïo da, ond mae'r lloerenni sydd mewn orbit polar yn ddigon isel.

3) Nid oes Atmosffer yn ffordd Telesgop Hubble

1) Mantais fawr cael telesgopau ar loerenni yw y gallant edrych allan i'r gofod heb i atmosffer y Ddaear achosi afluniad neu bylu.
2) Mae hyn yn ein caniatáu i weld llawer mwy o fanylion y sêr pell a hefyd y planedau yng Nghysawd yr Haul.

Dysgwch am Loerenni – ac edrychwch i lawr oddi fry ...

Gallwch weld y lloerenni orbit polar isel ar noson dywyll glir. Maen nhw'n edrych fel sêr ond eu bod yn symud yn eithaf cyflym mewn llinell syth ar draws yr awyr. Welwch chi byth mo'r rhai geosefydlog serch hynny! Dysgwch y manylion i gyd am loerenni, er mwyn ennill digon o farciau.

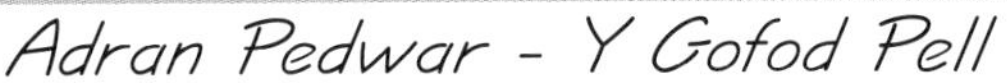

Y Bydysawd

Mae angen i chi ddysgu popeth a ddangosir isod am y Bydysawd – ceisiwch beidio â meddwl yn rhy galed.

Mae Sêr a Chysodau yr Haul yn ffurfio o Gymylau o Lwch

1) Mae sêr yn ffurfio o gymylau o lwch sy'n troelli at ei gilydd oherwydd atyniad disgyrchiant.
2) Mae disgyrchiant yn cywasgu'r mater gymaint fel ei fod yn poethi ddigon i gychwyn adweithiau ymholltiad niwclear, a bydd y seren wedyn yn allyrru golau a phelydriad arall.
3) Ar yr un pryd ag y mae'r seren yn ffurfio, gall talpiau eraill ffurfio yn y llwch troellog a bydd y rhain yn ymgasglu yn y pen draw i ffurfio planedau sy'n troi o gwmpas y seren.

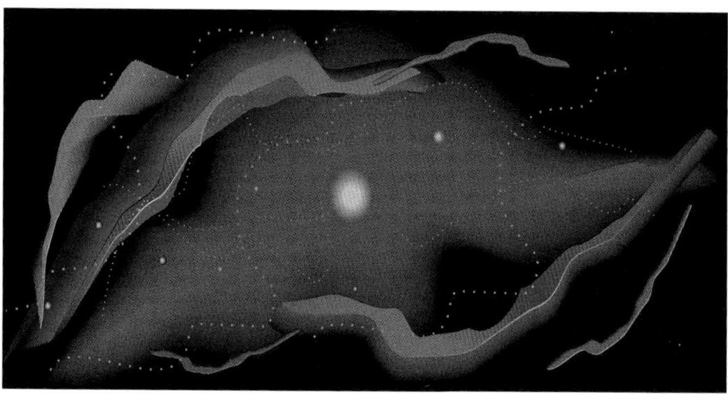

Mae ein Haul ni yng Ngalaeth y Llwybr Llaethog

1) Mae'r Haul yn un o filiynau o sêr sy'n ffurfio Galaeth y Llwybr Llaethog.
2) Mae'r pellter rhwng sêr cyfagos fel arfer filiynau o weithiau yn fwy na'r pellter rhwng planedau yng Nghysawd ein Haul ni.
3) Disgyrchiant, wrth gwrs, yw'r grym sy'n cadw'r sêr gyda'i gilydd mewn galaeth ac, fel y rhan fwyaf o bethau yn y Bydysawd, mae'r glaethau i gyd yn cylchdroi, yn debyg iawn i Olwyn Gatrin ond yn arafach.
4) Mae'r Haul yn agos at ben un o freichiau troellog galaeth y Llwybr Llaethog.

Mae gan y Bydysawd Fwy na Biliwn o Alaethau

1) Mae galaethau eu hunain yn aml filiynau o weithiau ymhellach o'i gilydd nag yw'r sêr o fewn galaeth.
2) Felly, bydd hyd yn oed y twpaf ohonoch wedi sylweddoli mai gofod gwag yn bennaf yw'r Bydysawd, a'i fod yn fawr iawn, iawn. Ydych chi erioed wedi bod yn Stadiwm y Mileniwm? Wel mae'n fwy na hwnnw.

Galaethau, Llwybr Llaethog – mae'r cyfan yn enfawr

Rhagor o ffeithiau diddorol am y Bydysawd. Edrychwch ar y rhifau yna: mae yna filiynau o sêr yn y Llwybr Llaethog, mae'r Bydysawd yn cynnwys miliynau o alaethau, pob un filiynau o weithiau ymhellach o'i gilydd na 100,000 blwyddyn golau ... Anhygoel ...

Cylchred Bywyd Sêr

Mae sêr yn mynd trwy sawl cam trawmatig yn eu bywydau – yn union fel plant yn eu harddegau.

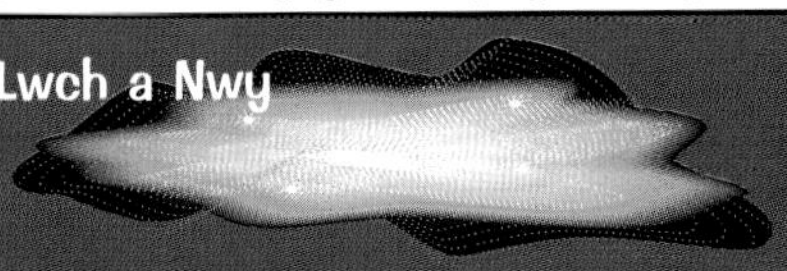

Cymylau o Lwch a Nwy

1) Mae sêr yn ffurfio'n gyntaf o gymylau o LWCH A NWY.

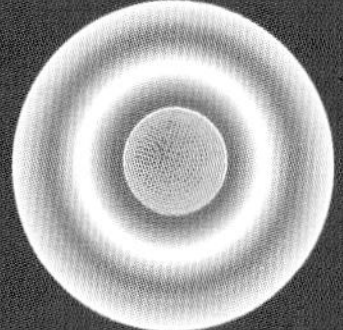

2) Mae grym disgyrchiant yn achosi i'r gronynnau llwch droelli at ei gilydd. Wrth iddyn nhw wneud hyn, caiff egni disgyrchiant ei drawsnewid yn egni gwres, ac mae'r tymheredd yn codi.

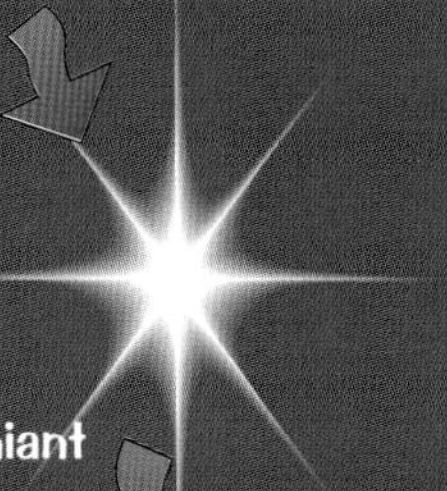

Cynseren

3) Pan fydd y tymheredd yn ddigon uchel, bydd niwclysau hydrogen yn ffurfio niwclysau heliwm o ganlyniad i ymasiad niwclear gan allyrru symiau enfawr o wres a golau. Caiff seren ei geni. Bydd yn cychwyn ar unwaith ar gyfnod sefydlog hir, lle mae'r gwres a gynhyrchwyd gan yr ymasiad niwclear yn darparu gwasgedd tuag allan i gydbwyso grym disgyrchiant sy'n tynnu popeth i mewn. Fe'i gelwir yn SEREN PRIF DDILYNIANT yn y cyfnod sefydlog hwn, a bydd yn parhau am tua 10 biliwn o flynyddoedd. (Mae'r Haul yng nghanol y cyfnod sefydlog hwn, neu, o'i roi mewn ffordd arall, mae'r Ddaear eisoes wedi bod drwy hanner ei hoes cyn i'r Haul ei hamlyncu!)

Seren Prif Ddilyniant

Cawr Coch

4) Yn y pen draw, bydd yr hydrogen yn dod i ben a bydd y seren yn chwyddo yn GAWR COCH. Mae'n troi'n goch oherwydd bod yr arwyneb yn oeri.

5) Yna bydd seren fechan, fel ein Haul ni, yn dechrau oeri a chyfangu yn GORRACH GWYN ac yna, yn olaf, wrth i'r golau bylu'n llwyr, bydd yn troi'n GORRACH DU. (Bydd hyn yn gyfnod trist iawn.)

Sêr bach

Corrach Gwyn

Corrach Du

Sêr mawr

6) Fodd bynnag, mae sêr mawr yn dechrau tywynnu'n llachar unwaith eto wrth iddyn nhw ehangu a chyfangu lawer gwaith o ganlyniad i wahanol adweithiau ymasiad niwclear i ffurfio elfennau trymach. Yn y pen draw, maen nhw'n ffrwydro mewn UWCHNOFA.

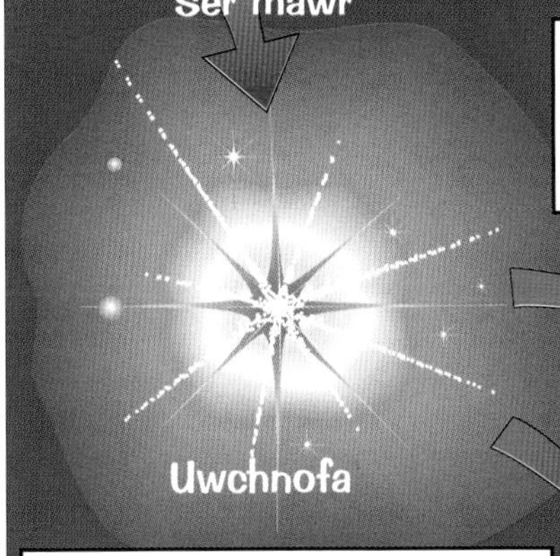

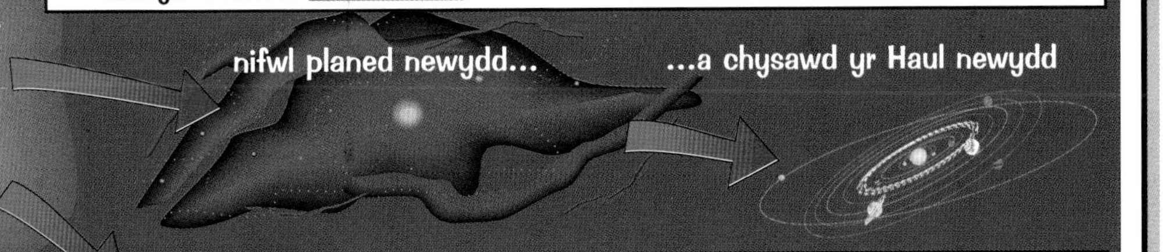

nifwl planed newydd...

...a chysawd yr Haul newydd

Uwchnofa

Seren Niwtron...

...neu Dwll Du

7) Wrth ffrwydro, mae'r uwchnofa yn taflu'r haenau allanol o lwch a nwy i'r gofod gan adael craidd dwys o'r enw SEREN NIWTRON. Os yw'r seren yn ddigon mawr, bydd yn troi yn DWLL DU.

8) Bydd y llwch a'r nwy a daflwyd ymaith gan yr uwchnofa yn ffurfio SÊR YR AIL GENHEDLAETH fel ein Haul ni. Dim ond yng nghamau olaf seren fawr, ychydig cyn yr uwchnofa terfynol, y caiff yr elfennau mawr eu ffurfio. Felly, mae presenoldeb elfennau trymach yn yr Haul a'r planedau mewnol yn dystiolaeth glir fod ein byd hardd, hyfryd ni, â'i fachlud haul cynnes a gwlith ffres y bore, wedi ffurfio o weddillion anadl olaf hen seren.

9) Mae'r mater sy'n ffurfio sêr niwtron a chorachod gwyn a chorachod du FILIYNAU O WEITHIAU'N DDWYSACH nag unrhyw fater ar y Ddaear oherwydd bod y disgyrchiant mor gryf fel bod hyd yn oed yr atomau'n cael eu malu.

Sêr y Nos yn Gwenu, Clychau Llon yn ... – DYSGWCH AMDANYN NHW...

Ym. Sut yn union maen nhw'n gwybod hyn i gyd? Nid yn unig ydyn nhw'n honni eu bod yn gwybod hanes y Ddaear am y pum biliwn o flynyddoedd diwethaf, maen nhw hefyd yn honni eu bod yn gwybod cylchred bywyd gyfan y sêr, ac mae'r rheini biliynau a biliynau o filltiroedd i ffwrdd. Mae'n anghredadwy.

Tarddiad y Bydysawd

Damcaniaeth y Glec Fawr yw'r ddamcaniaeth fwyaf credadwy am y Bydysawd ar hyn o bryd. Mae yna ddamcaniaeth y cyflwr sefydlog hefyd, sydd yn eithaf derbyniol, ond nid yw hon yn esbonio'n rhy dda rhai o'r nodweddion y sylwyd arnyn nhw.

Mae angen Esbonio Rhuddiad a Phelydriad Cefndirol

Mae tri darn pwysig o dystiolaeth sydd angen i chi wybod amdanyn nhw:

1) Caiff Golau o Alaethau Eraill ei Syflyd at y Coch

1) Wrth i ni edrych ar olau o alaethau eraill, gwelwn fod yr amleddau i gyd wedi eu syflyd tuag at ben coch y sbectrwm. Yr enw ar hyn yw rhuddiad.
2) Mewn geiriau eraill, mae'r amleddau i gyd ychydig yn is nag y dylent fod. Dyma'r un effaith â thraw corn car yn swnio'n is os yw'r car yn teithio i ffwrdd oddi wrthych. Mae amledd y sain yn disgyn.
3) Gelwir hyn yn EFFAITH DOPPLER.
4) Mae mesuriadau'r rhuddiad hwn yn awgrymu bod pob galaeth yn symud ymaith oddi wrthym yn gyflym iawn – ac mae'r canlyniad yr un peth i ba bynnag gyfeiriad yr edrychwch.

2) Po Bellaf i Ffwrdd yw Galaeth, y Mwyaf yw'r Rhuddiad

1) Mae gan alaethau pellach ruddiadau mwy na rhai sy'n nes.
2) Mae hyn yn golygu bod galaethau pellach yn symud ymaith yn gyflymach na'r rhai sy'n nes.
3) Y casgliad amlwg, mae'n debyg, yw bod y Bydysawd yn ehangu.

3) Mae Pelydriad Microdon Unffurf o Bob Cyfeiriad

1) Daw'r pelydriad amledd isel hwn o bob cyfeiriad ac o bob rhan o'r Bydysawd.
2) Fe'i gelwir yn belydriad cefndirol (y Glec Fawr). Does a wnelo hyn ddim â phelydriad cefndirol ymbelydrol ar y Ddaear.
3) Am resymau cymhleth, mae'r pelydriad cefndirol hwn yn dystiolaeth gref am Glec Fawr cychwynnol ac, wrth i'r Bydysawd ehangu ac oeri, mae'r pelydriad cefndirol hwn yn "oeri" ac yn lleihau o ran ei amledd.

Damcaniaeth Cyflwr Sefydlog y Bydysawd – Ddim yn Boblogaidd

1) Mae hon yn seiliedig ar y syniad bod y Bydysawd yn ymddangos bron yr un fath ym mhobman, a'i fod wedi bod felly erioed.
2) Mewn geiriau eraill mae'r Bydysawd wedi bod yno erioed, ac fe fydd yno am byth yn yr un ffurf ag y mae nawr.
3) Mae'r ddamcaniaeth hon yn esbonio ehangiad ymddangosiadol y Bydysawd drwy awgrymu bod mater yn cael ei greu yn y gofod wrth i'r Bydysawd ehangu.
4) Fodd bynnag, hyd yn hyn, does dim eglurhad pendant i esbonio o ble y daw'r mater newydd.
5) Does dim llawer o gefnogaeth i'r ddamcaniaeth cyflwr sefydlog, yn enwedig er darganfod pelydriad cefndirol, sy'n ffitio'n llawer gwell i syniad y Glec Fawr.
6) Ond wyddom ni ddim yn siŵr ...

Tarddiad a Dyfodol y Bydysawd

Damcaniaeth y Glec Fawr – Poblogaidd Iawn

1) Gan fod y galaethau i gyd fel pe baent yn symud oddi wrth ei gilydd yn gyflym iawn, y casgliad amlwg yw y digwyddodd ffrwydriad mawr yn y dechrau: y Glec Fawr.
2) Rhaid bod yr holl fater yn y Bydysawd wedi'i gywasgu i ofod bychan iawn ac yna ffrwydro ac mae'r ffrwydriad yn dal i fynd hyd heddiw.
3) Credir bod y Glec Fawr wedi digwydd oddeutu 15 biliwn o flynyddoedd yn ôl.
4) Gellir amcangyfrif oedran y Bydysawd o gyfradd bresennol yr ehangu.
5) Nid yw'r brasamcanion hyn yn fanwl iawn gan ei fod yn anodd dyfalu faint mae'r ehangiad wedi arafu ers y Glec Fawr.
6) Mae cyfradd arafu'r ehangiad yn ffactor pwysig wrth benderfynu dyfodol y Bydysawd.
7) Heb ddisgyrchiant byddai'r Bydysawd yn ehangu ar yr un gyfradd am byth.
8) Fodd bynnag, mae'r atyniad rhwng y masau i gyd yn y Bydysawd yn tueddu i arafu'r ehangiad.

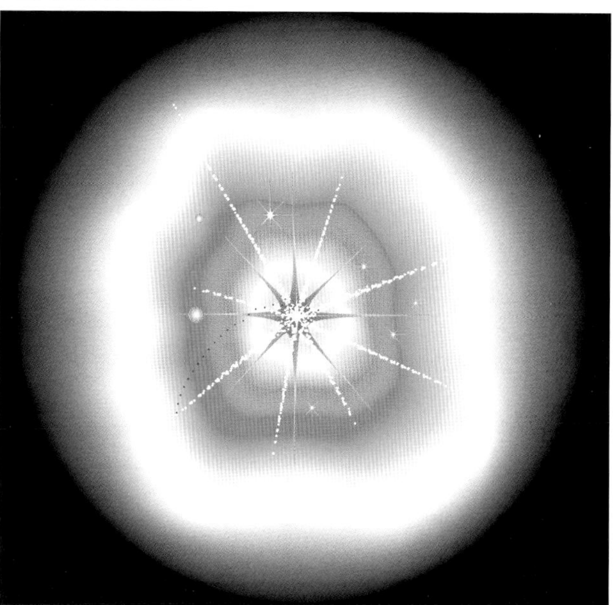

Dyfodol y Bydysawd:

Gallai Ehangu am Byth – neu Gwympo yn y Crensh Mawr

1) Mae tynged y Bydysawd yn dibynnu ar ba mor gyflym mae'r galaethau'n symud ar wahân a beth yw cyfanswm y màs sydd ynddo.
2) Gallwn fesur pa mor gyflym mae'r galaethau'n gwahanu'n eithaf hawdd, ond hoffem wybod yn union faint o fàs sydd yn y Bydysawd er mwyn rhagfynegi ei ddyfodol.
3) Mae hyn ychydig yn anodd, gan fod y rhan fwyaf o'r màs yn anweladwy, e.e. tyllau duon, planedau mawr, llwch rhyngserol ac ati.

Fodd bynnag, yn dibynnu ar faint o fàs sydd yno, mae yna ddwy ffordd y gall y Bydysawd fynd:

1) Y Crensh Mawr – Dim Ond os oes Digon o Fàs

Os oes digon o fàs o'i gymharu â pha mor gyflym mae'r galaethau'n symud ar hyn o bryd, yn y pen draw bydd y Bydysawd yn peidio ag ehangu ac yn dechrau cyfangu. Byddai hyn yn diweddu gyda'r Crensh Mawr. Gallai Clec Fawr arall ddilyn y Crensh Mawr ac yna cylchredau di-ddiwedd o ehangu a chyfangu.

2) Os oes rhy Ychydig o Fàs – yna diflastod hyd Oes Oesoedd

Os oes rhy ychydihg o fàs yn y Bydysawd i arafu'r ehangiad, yna gallai ehangu am byth gyda'r Bydysawd yn lledu fwyfwy i dragwyddoldeb. Mae hyn yn rhy ddigalon o'r hanner yn fy marn i. Mae'n well gen i'r syniad o'r Bydysawd yn mynd yn ei flaen yn ddi-baid mewn cylchredau. Ond beth oedd yno cyn y Bydysawd? Neu beth sydd y tu allan iddo? Pwy a ŵyr?

Amser a Gofod – rhyfedd ond hudolus ...

Mae'n wych bod yr holl stwff yma ar y gofod yn y maes llafur Ffiseg erbyn hyn. Rhywbeth diddorol o'r diwedd! Dysgwch yr ychydig ffeithiau hyn am y Bydysawd a gallwch swnio'n glyfar iawn. Gallech ddweud, "Well, mae'r cyfan yn ymwneud â'r rhuddiad Doppler lleihaol dros y 15 biliwn o flynyddoedd diwethaf."

Chwilio am Fywyd ar Blanedau Eraill

Mae yna siawns dda bod bywyd yn bodoli yn rhywle arall yn y Bydysawd. Mae gwyddonwyr yn defnyddio tri dull i chwilio am unrhyw beth o amoebâu i ddynion bach gwyrdd.

1) Mae SETI yn Chwilio am Signalau Radio o Blanedau Eraill

1) Rydym ni bobl y Ddaear yn gyson yn pelydru radio, teledu a radar i'r gofod i unrhyw estroniaid eu canfod. Eallai fod bywyd allan yna sydd yr un mor glyfar â ni. Neu hyd yn oed yn fwy clyfar. Efallai eu bod wedi adeiladu trosglwyddyddion i anfon signalau fel ein rhai ni.

2) Ystyr SETI yw "Search for Extra Terrestrial Intelligence". Mae gwyddonwyr y project SETI yn chwilio am fandiau cul o donfeddi radio sy'n dod i'r Ddaear o'r gofod pell. Mae'n nhw'n chwilio am signalau ystyrlon yn yr holl 'sŵn'.

3) Dim ond o drosglwyddydd y gall signalau ar fand cul ddod. Daw'r sŵn o sêr enfawr a chymylau nwy.

4) Mae dadansoddi'r holl donnau radio yn cymryd oesoedd, felly mae'r bobl yn SETI yn cael ychydig o help gan y cyhoedd – gallwch lwytho arbedwr sgrin i lawr o'r rhyngrwyd sy'n dadansoddi talp o'r tonnau radio.

5) Mae SETI wedi bod mewn bodolaeth ers dros 40 o flynyddoedd, ond dydn nhw ddim wedi dod o hyd i unrhyw beth hyd yn hyn. Dim smic.

6) Erbyn hyn mae gwyddonwyr yn chwilio am signalau laser o'r gofod pell. Pob lwc iddyn nhw ...

2) Mae Robotiaid yn Casglu Ffotograffau a Samplau

1) Mae gwyddonwyr wedi anfon robotiaid mewn llongau gofod i Fawrth ac Ewropa (un o leuadau Iau) i chwilio am ficro-organebau.
2) Mae'r robotiaid yn crwydro o amgylch y blaned, gan anfon ffotograffau yn ôl i'r Ddaear neu'n casglu samplau i'w dadansoddi.
3) Gall gwyddonwyr ganfod pethau byw neu dystiolaeth amdanyn nhw, megis ffosiliau neu weddillion, yn y samplau. Daw'r "ffosil" hwn o Fawrth, ond does neb yn siŵr yn union beth ydyw.
4) O'r gorau, mae un neu ddau facteria ychydig yn ddiflas, ond dyna sut y dechreuom ni ar y Ddaear ...

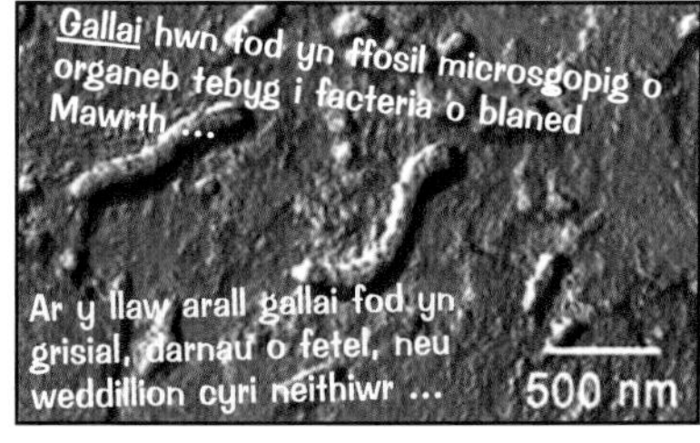

3) Mae Newidiadau Cemegol a Golau wedi'i Adlewyrchu yn Gliwiau Mawr

Mae Newidiadau yn Dangos bod yna Fywyd

1) Mae gwyddonwyr yn chwilio am newidiadau cemegol yn atmosffer planedau eraill.
2) Achosir rhai newidiadau gan bethau megis llosgfynyddoedd ond mae eraill yn gliw bod bywyd yno.
3) Mae swm yr ocsigen a'r carbon deuocsid yn atmosffer y Ddaear wedi newid dros amser – mae'n wahanol iawn i'r hyn a fyddai pe na bai bywyd yma. Mae planhigion wedi peri i lefelau'r ocsigen gynyddu ac i lefelau'r carbon deuocsid leihau.
4) Maen nhw'n edrych ar atmosfferau planedau o'r Ddaear – does dim angen llongau gofod.

Mae Golau'n rhoi Syniad o'r hyn sydd ar yr Arwyneb

Mae'r golau sy'n adlewyrchu oddi ar blaned (o'r Haul) yn wahanol yn dibynnu a yw'n adlamu oddi ar graig, coed, dŵr neu beth bynnag. Dyma ffordd dda o ddarganfod beth sydd ar arwyneb planed.

Dydy gwyddonwyr ddim wedi dod o hyd i unrhywbeth cyffrous (dyna syrpreis), ond maen nhw'n defnyddio'r dulliau hyn i chwilio am blanedau sydd â'r amodau addas i gynnal bywyd.

Mae gen i SETI – rwy'n eistedd arno i wylio'r teledu ...

Mae angen i chi ddysgu'r tair ffordd wahanol hyn y mae gwyddonwyr yn chwilio am fywyd ar blanedau eraill. Mae angen i chi ei ddysgu hyd yn oes os rhoddir mwy o wybodaeth i chi yn yr arholiad. Cuddiwch y dudalen ac ysgrifennwch nodiadau am sut mae'r dulliau'n gweithio a beth maen nhw wedi ei ddarganfod.

Crynodeb Adolygu Adran Pedwar

Mae'r Bydysawd y tu hwnt i bob rheswm. Ond y peth mwyaf anhygoel yw'r ffaith ein bod ni yma, yn myfyrio am y ffaith anhygoel ein bod ni yma. Os nad yw eich pen yn troi, dydych chi ddim wedi ei ddeall yn iawn. Meddyliwch am y peth. 15 biliwn o flynyddoedd yn ôl digwyddodd ffrwydrad anferthol, ond doedd dim rhaid i'r gadwyn o ddigwyddiadau ddigwydd a arweiniodd (neu a achosodd?) at esblygiad bywyd deallusol i'r pwynt lle roedd yn ymwybodol o'i fodolaeth ei hun. Ond dyna ni. Fe ddigwyddodd, pa mor annhebygol bynnag yr oedd. Rydym ni yma – anhygoel! Gallai'r Bydysawd fod wedi bodoli'r un mor hawdd heb i fywyd ymwybodol esblygu o gwbl.

A dweud y gwir, does dim angen i'r Bydysawd fodoli o gwbl. Dim ond tywyllwch di-ddiwedd. Felly pam mae'n bod? Pam ydym ni yma? A pham mae'n rhaid gwneud cymaint o adolygu? Pwy a ŵyr – a dechreuwch ddysgu.

1) Rhestrwch enwau'r naw planed yn y drefn gywir, o'r Haul allan.
2) Beth yw'r asteroidau, a ble maen nhw yng Nghysawd yr Haul?
3) Faint o amser mae'n ei gymryd i'r Ddaear gwblhau a) un cylchdroad ar ei echelin b) un orbit o'r Haul?
4) Sut mae'r planedau yn edrych yn awyr y nos? Pa rai y gellir eu gweld â'r llygad noeth?
5) Beth yw'r gwahaniaeth mawr rhwng planedau a sêr?
6) Esboniwch pam mae'r Haul a'r Lleuad yn edrych tua'r un faint yn yr awyr.
7) Pa blaned yw'r fwyaf? Pa un yw'r lleiaf? Pa un sydd ag orbit anarferol?
8) Beth sy'n cadw'r planedau yn eu horbitau?
9) O amgylch beth y mae'r planedau'n troi a beth yw siâp eu horbitau?
10) Pa bethau eraill sy'n cael eu dal mewn orbit heblaw am blanedau?
11) Beth yw cytserau? Beth mae planedau yn ei wneud yn y cytserau? Esboniwch pam maen nhw'n gwneud hyn.
12) Pwy gafodd drafferth gyda'r hogiau yn y gynnau cochion? Pam y fath drafferth?
13) Beth yw'r berthynas "sgwâr gwrthdro" enwog? Brasluniwch ddiagram i'w hesbonio.
14) Brasluniwch ddiagram i esbonio gweddau'r Lleuad.
15) Beth yw'r gwahaniaeth rhwng asteroid a meteoryn?
16) O ba ddefnydd y mae comedau wedi'u gwneud? Pam dim ond bob rhyw ychydig flynyddoedd maen nhw'n ymddangos?
17) Brasluniwch orbit comed, gan gynnwys Cysawd yr Haul a'r Haul.
18) Beth yw lloerenni naturiol a lloerenni artiffisial? Beth yw pedwar diben lloerenni artiffisial?
19) Pa fath o orbitau sydd eu hangen ar gyfer lloerenni cyfathrebu? Pam?
20) Pa fath o orbitau sydd eu hangen ar gyfer lloerenni ysbïo? Pam?
21) Beth yw telesgop Hubble a ble mae? Beth yw ei bwrpas?
22) O beth mae'r Bydysawd wedi'i wneud? Pa mor fawr ydyw?
23) Beth sy'n ffurfio sêr a chysodau'r haul? Pa rym sy'n gwneud i hyn ddigwydd?
24) Beth yw'r Llwybr Llaethog? Brasluniwch hwn a dangoswch ein Haul mewn perthynas ag ef.
25) Disgrifiwch gamau cyntaf ffurfio seren. O ble y daw'r egni cychwynnol?
26) Pa broses sy'n cychwyn y tu mewn i seren yn y pen draw i wneud iddi gynhyrchu cymaint o wres a golau?
27) Beth yw seren "prif ddilyniant"? Am faint mae'n parhau? Beth sy'n digwydd wedi hynny?
28) Beth yw dau gam olaf bywyd seren fach?
29) Beth yw dau gam olaf bywyd seren fawr?
30) Beth yw ystyr seren "ail genhedlaeth"? Sut y gwyddom fod ein Haul ni yn un o'r rhain?
31) Beth yw dwy brif ddamcaniaeth tarddiad y Bydysawd? Pa un sydd fwyaf tebygol?
32) Beth yw'r tri darn pwysig o dystiolaeth sydd raid eu hegluro gan y damcaniaethau hyn?
33) Rhowch fanylion bras y ddwy ddamcaniaeth. Pa mor bell yn ôl yr awgryma'r naill ddamcaniaeth a'r llall y dechreuodd y Bydysawd?
34) Beth yw ystyr SETI? Pam maen nhw'n chwilio am signalau band cul?
35) Beth yw dau ddyfodol posib y Bydysawd? Ar beth y mae'r ddau ddyfodol hyn yn dibynnu?
36) Pa ddau beth y mae robotiaid yn eu hanfon yn ôl o blanedau? I ba leoedd yr anfonwyd robotiaid?
37) Disgrifiwch ddwy ffordd y mae gwyddonwyr yn chwilio am fywyd ar blaned heb anfon llong ofod yno.
38) A ddarganfuwyd bywyd ar blanedau eraill?
39) Pa mor rhyfedd yw'r Bydysawd? Beth yw'r peth rhyfeddaf erioed?

Trosglwyddo Egni

Dysgwch bob un o'r Deg Math o Egni

Dylech wybod pob un o'r rhain yn ddigon da i'w rhestru oddi ar eich cof:

1) EGNI TRYDANOL .... – pryd bynnag mae cerrynt yn llifo.
2) EGNI GOLEUNI .... – o'r Haul, bylbiau golau ac ati.
3) EGNI SAIN .... – o uchelseinyddion neu rywbeth swnllyd.
4) EGNI CINETIG, neu EGNI SYMUDIAD .... – mae hwn gan unrhyw beth sy'n symud.
5) EGNI NIWCLEAR .... – fe'i rhyddheir o adweithiau niwclear yn unig.
6) EGNI THERMOL, neu EGNI GWRES .... – yn llifo o wrthrychau poeth i wrthrychau oer.
7) EGNI GWRES PELYDROL neu WRES ISGOCH.... – fe'i rhyddheir fel pelydriad EM gan wrthrychau poeth.
8) EGNI POTENSIAL DISGYRCHIANT .... – mae hwn gan unrhyw beth a all ddisgyn.
9) EGNI POTENSIAL ELASTIG .... – estyn sbringiau, elastig, bandiau rwber ac ati.
10) EGNI CEMEGOL .... – mae hwn gan fwydydd, tanwyddau a batrïau.

Mae -Potensial a -Chemegol yn ffurfiau o Egni wedi'i Storio

Mae'r tri olaf uchod yn ffurfiau ar egni wedi'i storio gan nad yw'r egni yn amlwg yn gwneud unrhyw beth, mae'n aros i ddigwydd, h.y. yn aros i'w newid yn un o'r ffurfiau eraill.

Mae'n nhw'n Hoffi rhoi Cwestiynau Arholiad ar Drosglwyddo Egni

Mae'r rhain yn enghreifftiau pwysig iawn. Rhaid i chi eu dysgu nes y gallwch eu hailadrodd yn rhwydd.

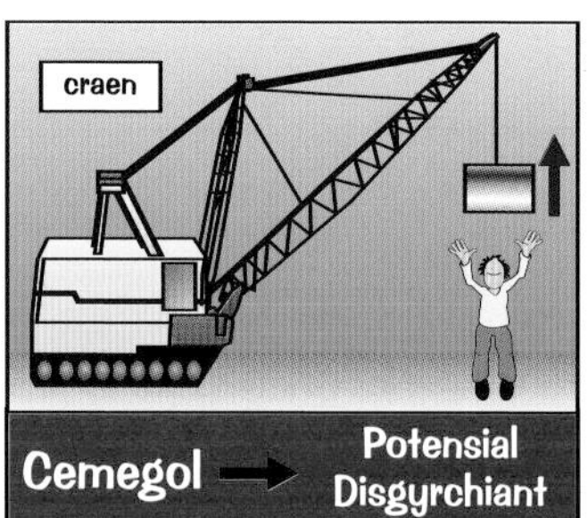

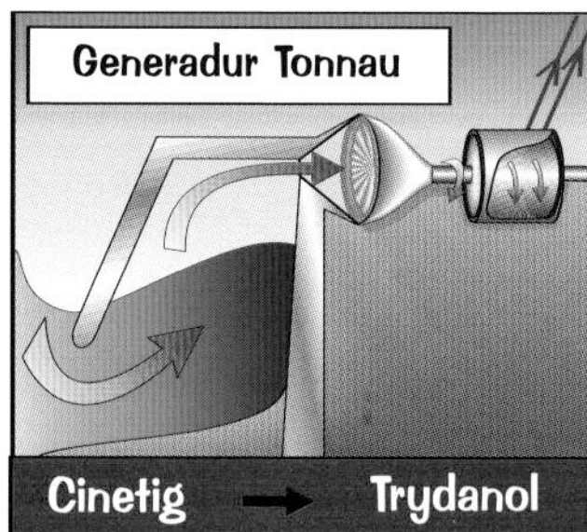

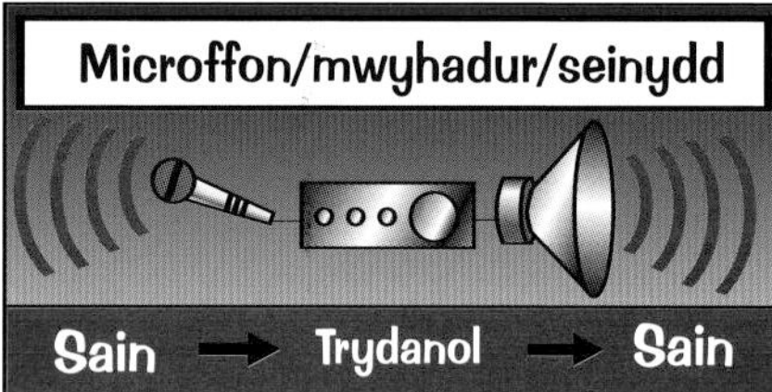

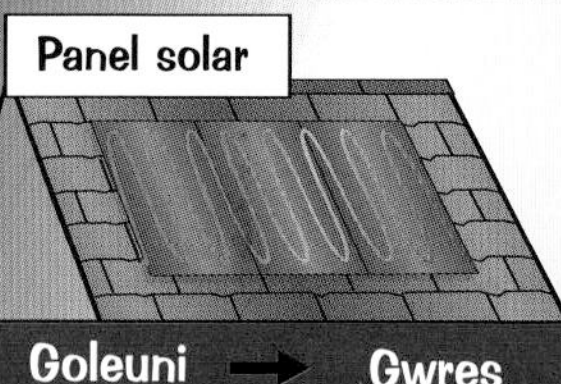

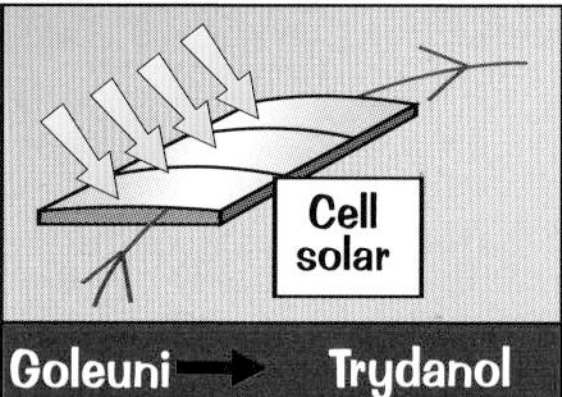

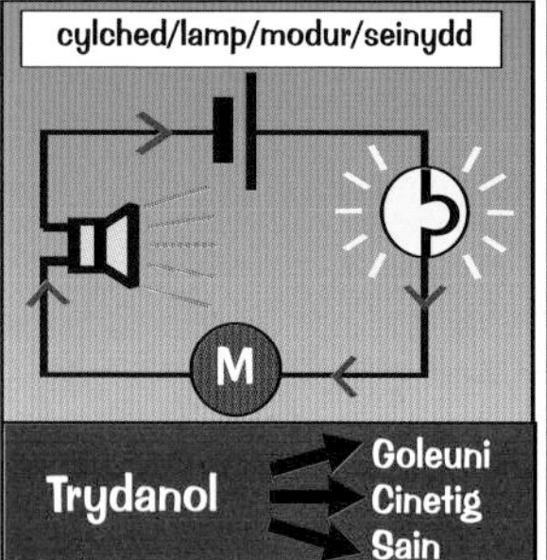

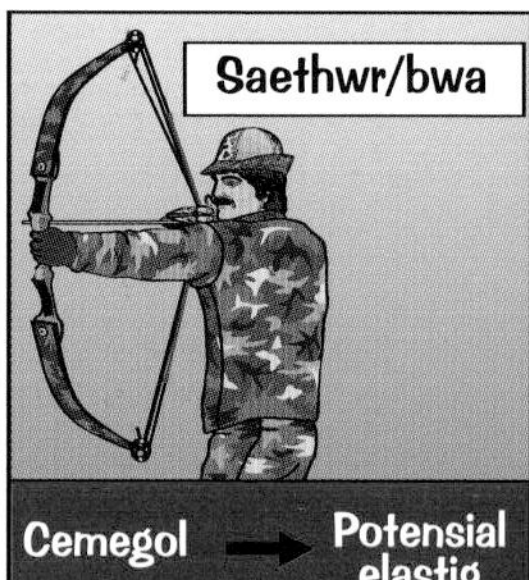

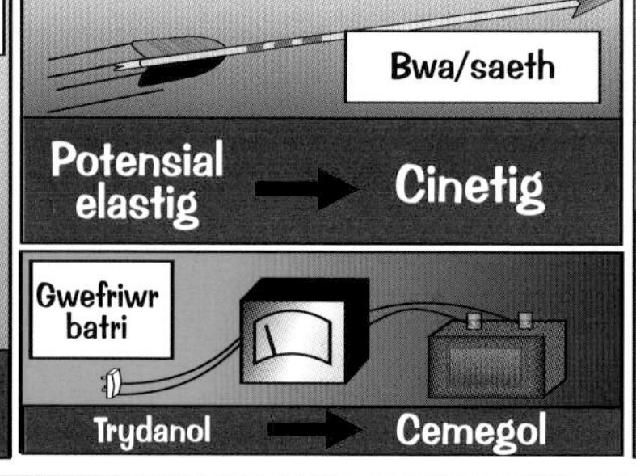

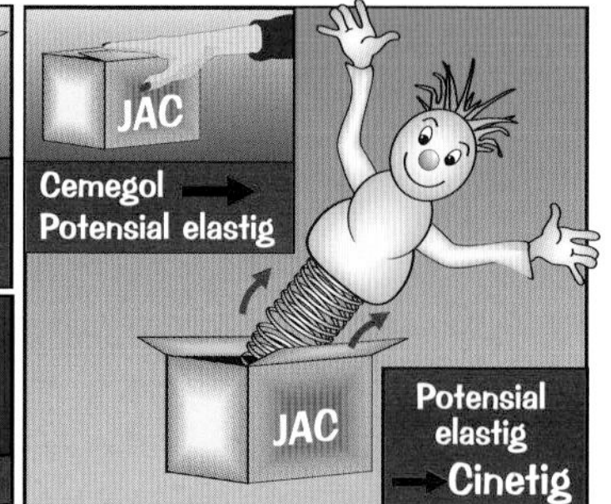

A PHEIDIWCH AG ANGHOFIO – caiff POB math o EGNI ei fesur mewn JOULEAU

Dysgwch am Egni – a daliwch i weithio ...

Mae'n nhw'n hoff iawn o'r gwahanol fathau o egni a hefyd trosglwyddiadau egni. Bydd cwestiwn ar hyn yn yr Arholiad yn bendant. Os dysgwch bopeth ar y dudalen hon, dylech chi fod yn iawn. Dysgwch, cuddiwch, ysgrifennwch, dysgwch, cuddiwch, ysgrifennwch, ac ati.

Egni Cinetig ac Egni Potensial

Egni Cinetig yw Egni Symudiad

Mae gan unrhyw beth sy'n symud egni cinetig.
Mae'r fformiwla ychydig yn lletchwith, felly bydd rhaid i chi ganolbwyntio.
Ond dyna ni, dydy bywyd ddim yn fêl i gyd:

Egni Cinetig = ½ × màs × cyflymder²

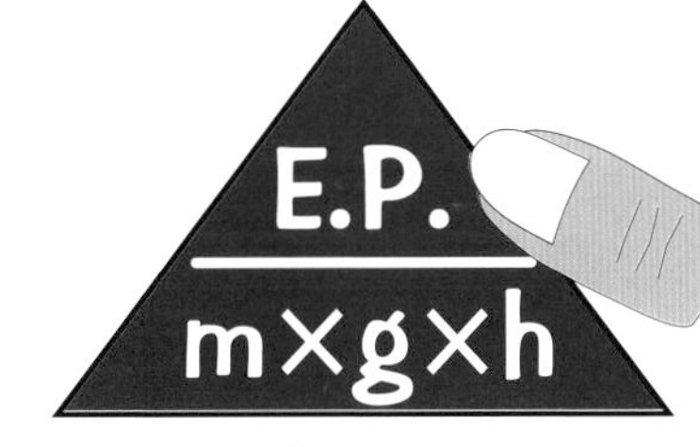

ENGHRAIFFT: Mae car â màs 2450 kg yn teithio ar 38 m/s.
Cyfrifwch ei egni cinetig.

ATEB: Mae'n hawdd. Rhowch y rhifau yn y fformiwla, ond gwyliwch y "v^2"!

$$EC = \frac{1}{2} mv^2 = \frac{1}{2} \times 2450 \times 38^2 = 1\,768\,900\text{J}$$ (Jouleau gan ei fod yn egni)

(Pan yw'r car yn stopio'n sydyn, caiff yr holl egni hyn ei afradloni ar ffurf gwres yn y breciau – mae'n dipyn o wres.)

Cofiwch fod egni cinetig gwrthrych yn dibynnu ar y màs yn ogystal â'r buanedd.
Po fwyaf yw ei bwysau a pho gyflymaf mae'n symud, y mwyaf fydd yr egni cinetig.

Egni Potensial yw Egni o ganlyniad i Uchder

Egni Potensial = màs × g × uchder

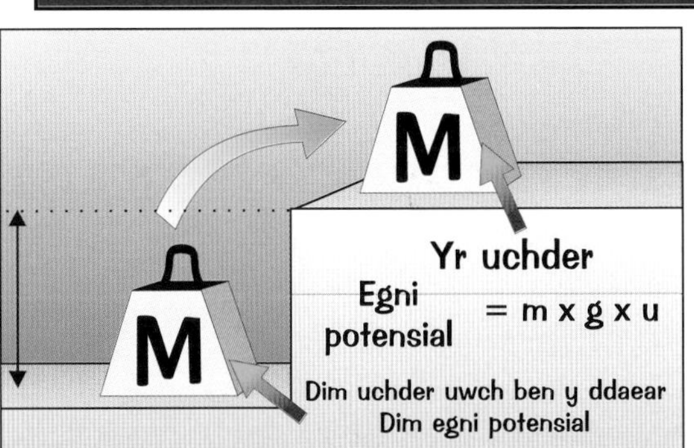

Yr enw cywir ar y math hwn o "Egni Potensial" yw Egni Potensial Disgyrchiant, (yn hytrach nag "egni potensial elastig" neu "egni potensial cemgol").
Yr enw cywir ar g yw "cryfder maes disgyrchiant".
Ar y Ddaear, mae g tua 10 m/s².

ENGHRAIFFT: Caiff dafad â màs 47 kg ei chodi'n araf drwy 6.3 m.
Darganfyddwch yr egni potensial mae'n ei ennill.

ATEB: Mae'n haws na'r tro diwethaf.
Rhowch y rhifau yn y fformiwla:

$$EP = mgh = 47 \times 10 \times 6.3 = 2961\text{ J}$$

(Jouleau eto gan mai egni ydyw eto.)

A bod yn fanwl gywir, y newid yn yr egni potensial rydym yn sôn amdano. Felly, gellir ysgrifennu'r fformiwla weithiau ar y ffurf: "Newid yn yr Egni Potensial = màs × g × newid yn yr uchder". Ond manylyn bach yw hyn a dweud y gwir, gan ei fod yn gweithio'r un peth beth bynnag.

Egni Cinetig – symudwch! a dysgwch ...

Waw! Dwy fformiwla letchwith i chi eu dysgu – mwy na thair llythyren ynddyn nhw! O leiaf maen nhw'n ffitio yn y triongl fformiwla, felly mae gennych chi siawns o'u cael yn gywir.

Gwaith a wneir, Egni a Phŵer

Pan fydd grym yn symud gwrthrych, caiff egni ei drosglwyddo a bydd gwaith yn cael ei wneud

Mae'r datganiad hwn yn swnio'n fwy cymhleth nag sydd angen iddo. Beth am:

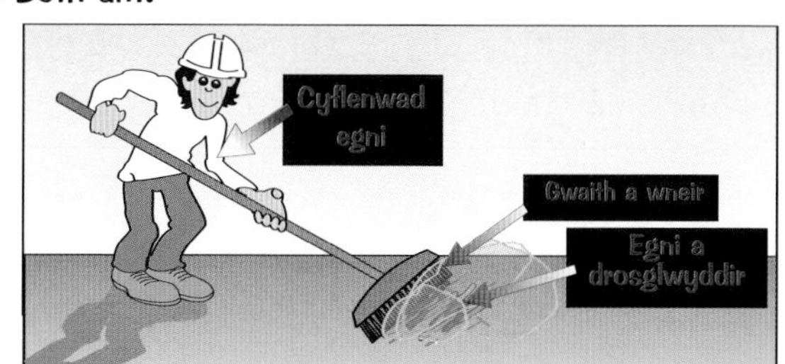

1) Pryd bynnag mae rhywbeth yn symud, mae rhywbeth arall yn darparu rhyw fath o "ymdrech" i'w symud.
2) Mae angen cyflenwad o egni (megis tanwydd neu fwyd neu drydan, ac ati) ar y peth sy'n gwneud yr ymdrech.
3) Wedyn mae'n gwneud "gwaith" drwy symud y gwrthrych – ac mae'n trosglwyddo'r egni mae'n ei dderbyn (fel tanwydd) yn ffurfiau eraill.
4) P'un ai yw'r egni hwn yn cael ei drosglwyddo'n "ddefnyddiol" (e.e. trwy godi llwyth) neu'n cael ei "wastraffu" (e.e. cael ei golli yn ffrithiant), gellir dweud bod "gwaith yn cael ei wneud". Yn union fel Batman a Bruce Wayne, mae "gwaith a wnaed" ac "egni a drosglwyddwyd" yr un peth. (Ac mae'r ddau mewn Jouleau.)

Dim ond fformiwla syml arall:

Gwaith a wneir = Grym × Pellter

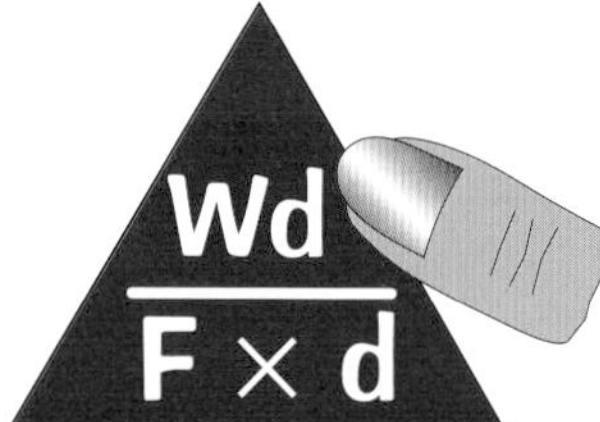

P'un ai yw'r grym yn ffrithiant, neu'n bwysau neu'n dyniant mewn rhaff, mae bob amser yr un peth. I ddarganfod faint o egni sydd wedi ei drosglwyddo (mewn Jouleau), rhaid lluosi'r grym mewn N â'r pellter a symudwyd mewn m. Hawdd. Dyma enghraifft ...

ENGHRAIFFT: Mae plant afreolus yn llusgo hen deiar tractor 5 m ar draws daear garw. Maen nhw'n tynnu â chyfanswm grym o 340 N. Darganfyddwch yr egni a drosglwyddir.
ATEB: Wd = F × d = 340 × 5 = 1700 J. Hawdd, neu beth?

Pŵer yw'r "Gyfradd Gwneud Gwaith" – h.y. faint yr eiliad

Nid yw pŵer yr un peth â grym, nac egni. Nid yw peiriant pwerus o reidrwydd yn un sy'n gallu rhoi grym cryf (ond mae hyn fel arfer yn digwydd). Mae peiriant pwerus yn un sy'n trosglwyddo llawer o egni mewn cyfnod byr o amser.
Dyma'r fformiwla hawdd iawn ar gyfer pŵer:

$$\text{Pŵer} = \frac{\text{Gwaith a wneir}}{\text{Amser a gymerir}}$$

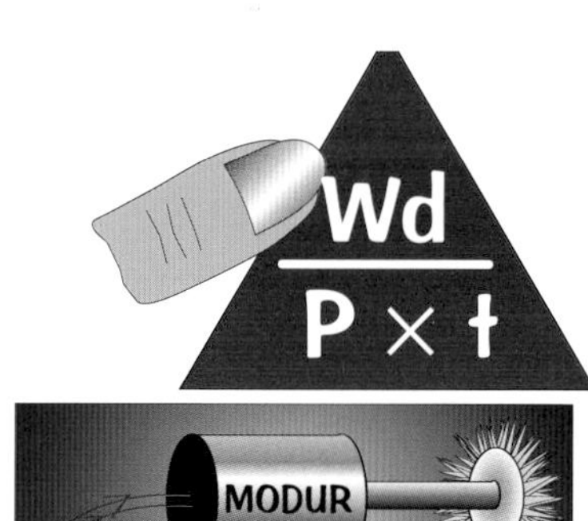

ENGHRAIFFT: Mae modur yn trosglwyddo 4.8 kJ o egni defnyddiol mewn 2 funud. Darganfyddwch yr allbwn pŵer.
ATEB: P = Wd / t = 4,800/120 = 40 W (neu 40 J/s)
(Sylwch fod yn rhaid newid y kJ yn J, a'r munudau yn eiliadau.)

Caiff Pŵer ei Fesur mewn Watiau (neu J/s)

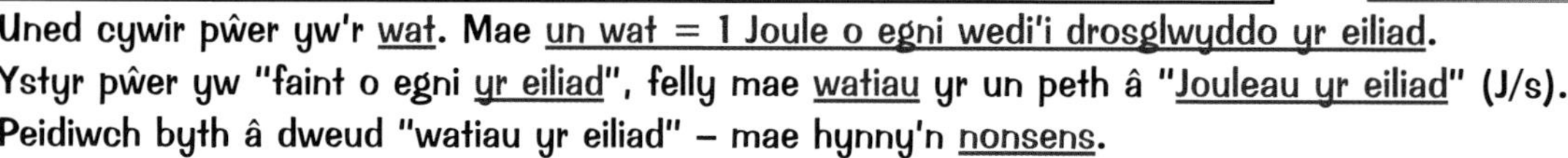

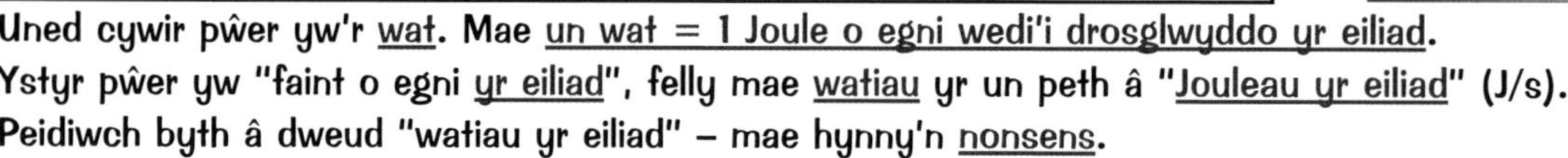

Uned cywir pŵer yw'r wat. Mae un wat = 1 Joule o egni wedi'i drosglwyddo yr eiliad.
Ystyr pŵer yw "faint o egni yr eiliad", felly mae watiau yr un peth â "Jouleau yr eiliad" (J/s).
Peidiwch byth â dweud "watiau yr eiliad" – mae hynny'n nonsens.

Adolygwch y gwaith a wneir – beth arall ...

Mae "egni a drosglwyddir" a "gwaith a wneir" yr un peth. Sawl gwaith fydd yn rhaid i fi ddweud hynny cyn i chi ei gofio? Y pŵer yw'r "gwaith a wneir wedi'i rannu ag amser". Sawl gwaith fydd yn rhaid i chi weld hynny cyn i chi sylweddoli bod yn rhaid ei ddysgu ...

Cadwraeth Egni

Mae Dau Fath o "Gadwraeth Egni"

Ceisiwch ddysgu'r gwahaniaeth rhwng y ddau hyn:

1) Mae "CADWRAETH EGNI" yn sôn am ddefnyddio llai o danwyddau ffosil oherwydd y niwed mae'n ei achosi ac oherwydd efallai y byddant yn dod i ben. Mae hyn yn amgylcheddol, ac yn eithaf dibwys ar raddfa gosmig.
2) Ar y llaw arall, "EGWYDDOR CADWRAETH EGNI" yw un o brif ystyriaethau Ffiseg fodern. Dyma egwyddor hollbwysig sy'n rheoli sut mae'r Bydysawd Ffisegol cyfan yn gweithio. Pe na bai'r egwyddor hon yn bod, ni fyddai bywyd, fel rydym ni'n ei adnabod, yn bodoli.
3) Ydych chi'n deall? Da iawn. Peidiwch ag anghofio.

Gellir mynegi Egwyddor Cadwraeth Egni fel hyn:

Ni ellir CREU na DINISTRIO EGNI - dim ond ei DRAWSNEWID o un ffurf yn ffurf arall.

Dyma egwyddor bwysig arall sydd raid i chi ei dysgu:

Nid yw egni yn DDEFNYDDIOL oni bai ei fod yn cael ei DRAWSNEWID o un ffurf yn ffurf arall.

Mae'r Mwyafrif o Drosglwyddiadau Egni yn Golygu ychydig Golledion, ar ffurf Gwres

1) Mae dyfeisiau defnyddiol dim ond yn ddefnyddiol oherwydd eu bod yn trawsnewid egni o un ffurf yn ffurf arall.
2) Wrth wneud hyn, bydd ychydig o'r egni mewnbwn defnyddiol bob amser yn cael ei golli neu ei wastraffu, yn aml ar ffurf gwres.
3) Po leiaf o egni a wastraffir, y mwyaf effeithlon yw'r ddyfais.
4) Mae'r diagram llif egni yn debyg iawn ar gyfer pob dyfais. Mae angen i chi ddysgu'r diagram llif egni sylfaenol hwn:

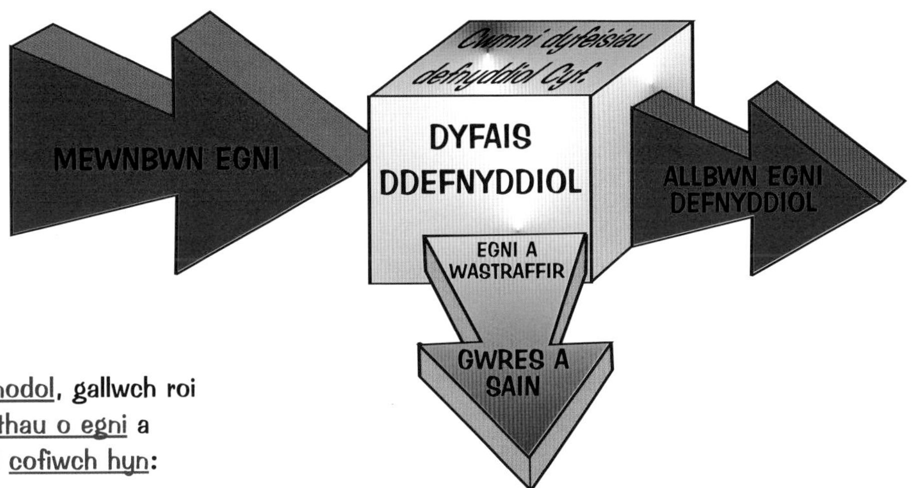

Ar gyfer unrhyw enghraifft benodol, gallwch roi mwy o fanylion ynglŷn â'r mathau o egni a fewnbynnir ac a allbynnir, ond cofiwch hyn:

Does DIM UN ddyfais yn 100% effeithlon a chaiff yr EGNI GWASTRAFF ei afradloni bob amser ar ffurf GWRES a SAIN.

Gwresogyddion trydan yw'r eithriad. Maen nhw'n 100% effeithlon gan fod yr egni i gyd yn cael ei drawsnewid yn wres "defnyddiol". Beth arall allai fod? Yn y pen draw, mae pob egni yn diweddu yn egni gwres. Os defnyddiwch ddril trydan, mae'n rhyddhau amryw fathau o egni, ond maen nhw i gyd yn diweddu yn wres yn gyflym iawn. Dyma beth pwysig i'w sylweddoli. Felly sylweddolwch – a pheidiwch ag anghofio.

Dysgwch am afradloniad egni – ond cadwch yn cŵl ...

Y peth am golli egni yw ei fod bob amser yr un peth – mae bob amser yn diflannu ar ffurf gwres a sain, ac mae sain hyd yn oed yn diweddu'n wres yn fuan iawn. Felly pan fyddan nhw'n gofyn, "Pam mae'r egni mewnbwn yn fwy na'r egni allbwn?" bydd yr ateb bob amser yr un peth ... Dysgwch a mwynhewch.

Effeithlonedd Peiriannau

Mae peiriant yn ddyfais sy'n newid un math o egni yn fath arall.
Caiff effeithlonedd dyfais ei ddiffinio fel a ganlyn:

$$\text{Effeithlonedd} = \frac{\text{ALLBWN Egni DEFNYDDIOL}}{\text{CYFANSWM MEWNBWN Egni}}$$

$$\frac{\text{Egni allan}}{\text{Effeithlonedd} \times \text{Egni i mewn}}$$

Gallwch fynegi effeithlonedd fel ffracsiwn, degolyn neu ganran, h.y. 3/4 neu 0.75 neu 75%.

Dewch – mae effeithlonedd yn Syml Iawn ...

1) Rhaid darganfod faint o egni sy'n cael ei gyflenwi i'r peiriant. (Cyfanswm MEWNBWN yr Egni.)
2) Rhaid darganfod faint o egni defnyddiol mae'r peiriant yn ei gynhyrchu. (ALLBWN Egni Defnyddiol.) Byddan nhw naill ai yn dweud hyn wrthych yn uniongyrchol, neu byddan nhw'n dweud faint gaiff ei wastraffu ar ffurf gwres/sain.
3) Y naill ffordd neu'r llall, rhaid cael y ddau rif pwysig hyn ac yna rhannu'r rhif lleiaf â'r rhif mwyaf i gael gwerth yr effeithlonedd rhwng 0 ac 1 (neu 0 a 100%). Hawdd.
4) Y ffordd arall o ofyn y cwestiwn yw trwy ddweud beth yw'r effeithlonedd a'r mewnbwn egni a gofyn am yr allbwn egni. Y ffordd orau o ateb hwn yw trwy ddysgu'r fersiwn hwn o'r fformiwla:

$$\text{ALLBWN EGNI DEFNYDDIOL} = \text{Effeithlonedd} \times \text{CYFANSWM MEWNBWN Egni}$$

Pum Enghraifft Bwysig ar Effeithlonedd i chi eu Dysgu

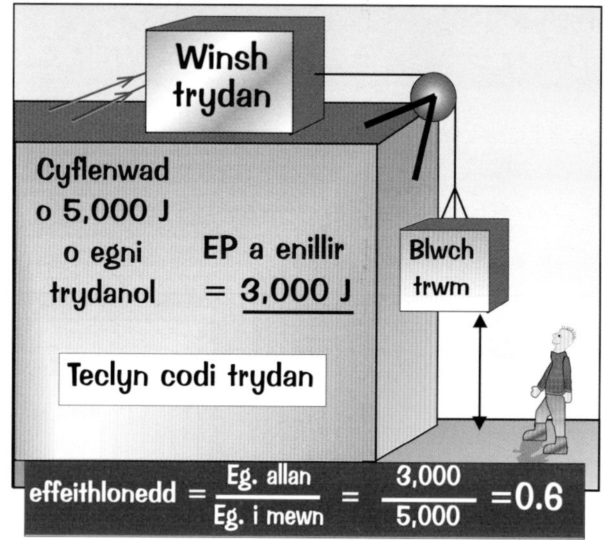

$$\text{effeithlonedd} = \frac{\text{Eg. allan}}{\text{Eg. i mewn}} = \frac{3{,}000}{5{,}000} = 0.6$$

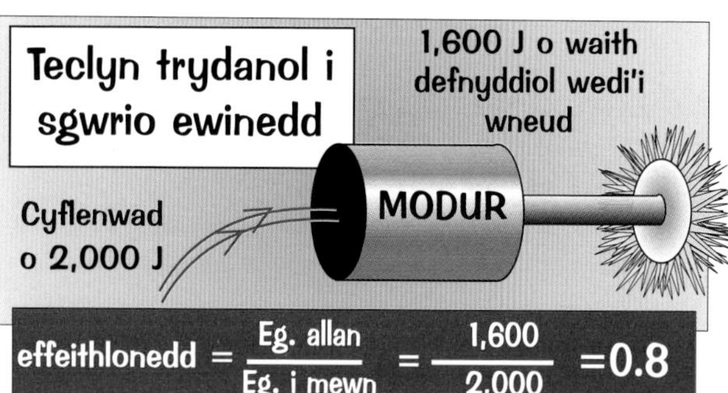

$$\text{effeithlonedd} = \frac{\text{Eg. allan}}{\text{Eg. i mewn}} = \frac{1{,}600}{2{,}000} = 0.8$$

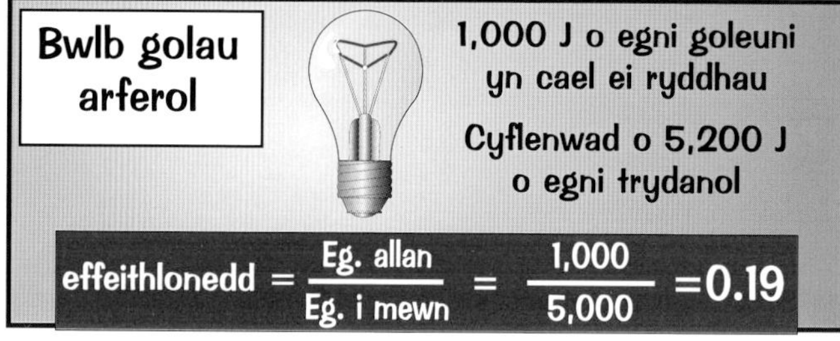

$$\text{effeithlonedd} = \frac{\text{Eg. allan}}{\text{Eg. i mewn}} = \frac{1{,}000}{5{,}000} = 0.19$$

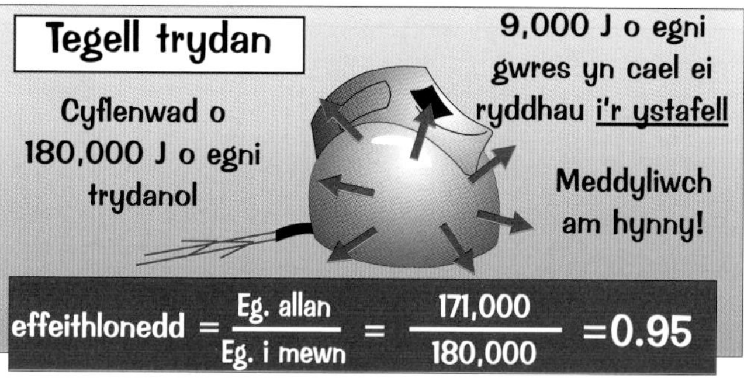

$$\text{effeithlonedd} = \frac{\text{Eg. allan}}{\text{Eg. i mewn}} = \frac{171{,}000}{180{,}000} = 0.95$$

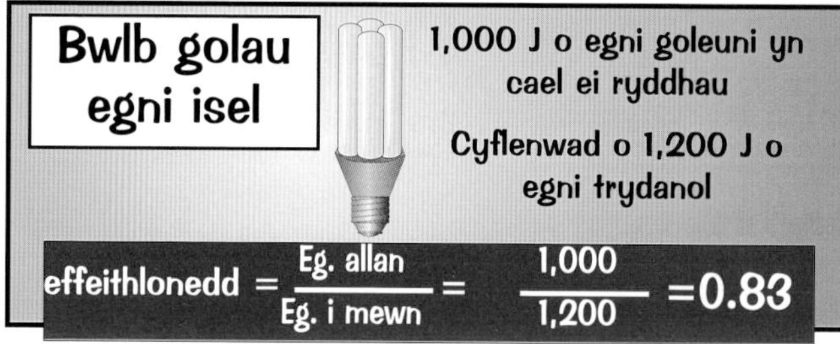

$$\text{effeithlonedd} = \frac{\text{Eg. allan}}{\text{Eg. i mewn}} = \frac{1{,}000}{1{,}200} = 0.83$$

Dysgwch am drosglwyddo egni – ond gwnewch hyn yn effeithlon ...

Mae effeithlonedd yn gysyniad arall sy'n hynod o syml. Rwy'n cytuno bod y gair ei hun braidd yn rhyfedd, ond mae'r ystyr yn hawdd. Chwarae plant a dweud y gwir – rhannwch E_{allan} ag E_{mewn} a dyna ni. Dysgwch y dudalen hon, yna cuddiwch hi ac ysgrifennwch bopeth rydych yn ei wybod.

Trosglwyddo Gwres

Mae tri dull pendant o drosglwyddo gwres: dargludiad, darfudiad a phelydriad.
I ateb cwestiynau yn yr Arholiad, rhaid i chi ddefnyddio'r tri gair allweddol hyn yn yr union fannau cywir.
Mae hynny'n golygu bod yn rhaid i chi wybod yn union beth ydyn nhw, a'r gwahaniaethau rhyngddyn nhw.

Mae Egni Gwres yn achosi i Foleciwlau symud yn Gyflymach

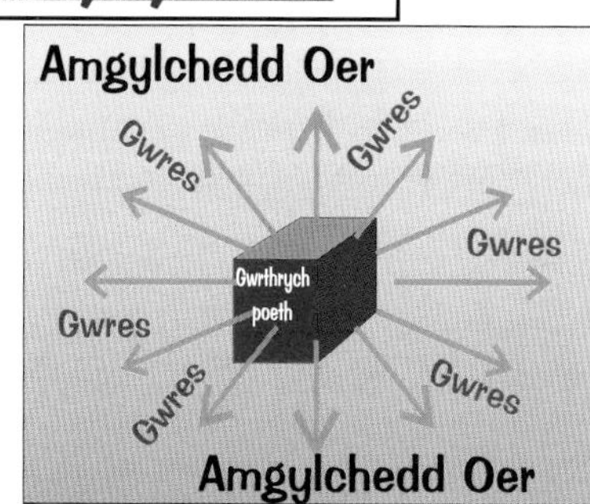

1) Mae egni gwres yn achosi i foleciwlau nwy a hylif symud o gwmpas yn gyflymach, ac yn achosi i ronynnau mewn solidau ddirgrynu'n gyflymach.
2) Pan fydd gronynnau'n symud yn gyflymach, bydd hyn yn dangos fel codiad yn y tymheredd.
3) Mae'r egni cinetig ychwanegol hwn yn y gronynnau yn tueddu i gael ei afradloni i'r amgylchedd.
4) Mewn geiriau eraill mae'r egni gwres yn tueddu i lifo ymaith oddi wrth wrthrych poethach i'w amgylchedd oerach.

Os oes GWAHANIAETH YN Y TYMHEREDD rhwng dau le, yna bydd GWRES YN LLIFO rhyngddyn nhw.

Cymharu Dargludiad, Darfudiad a Phelydriad

Mae'r gwahaniaethau hyn yn bwysig iawn – dysgwch nhw:

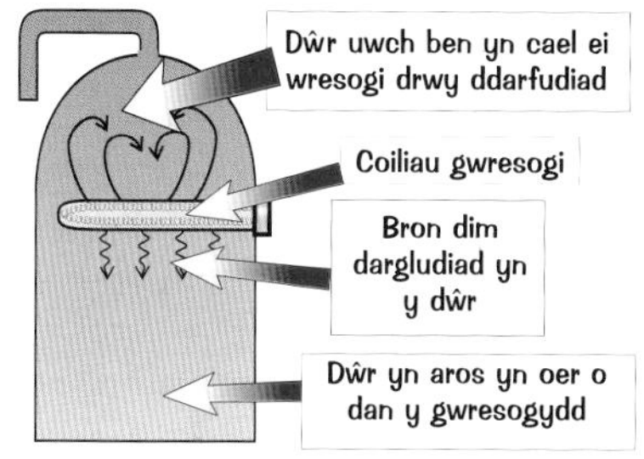

1) Mae dargludiad yn digwydd yn bennaf mewn solidau.
2) Mae darfudiad yn digwydd yn bennaf mewn hylifau a nwyon.
3) Mae nwyon a hylifau yn ddargludyddion gwael iawn – darfudiad yw'r brif broses fel rheol. Lle na all darfudiad ddigwydd, caiff y gwres ei drosglwyddo drwy ddargludiad yn araf iawn fel y mae'r diagram o wresogydd troch yn ei ddangos. Dyma enghraifft amlwg, felly byddai'n syniad da ei dysgu.
4) Mae pelydriad yn teithio drwy unrhyw beth tryloyw, gan gynnwys gwactod.
5) Caiff pelydriad gwres ei ryddhau gan unrhyw beth sydd yn gynnes neu'n boeth.
6) Mae swm y pelydriad gwres a gaiff ei amsugno neu ei allyrru yn dibynnu ar liw a gwead yr arwyneb.
   Ond peidiwch ag anghofio, nid yw lliw a gwead yr arwyneb yn effeithio ar ddargludiad a darfudiad. Bydd arwyneb gwyn, sgleiniog yn dargludo cystal ag un du mat.

Gwresgyddion Darfudiad a Rheiddiaduron – Gwyliwch!

1) Dylai "rheiddiadur" fod yn rhywbeth sy'n tywynnu'n goch ac sy'n allyrru'r rhan fwyaf o'r gwres drwy belydriad, megis tân glo neu wresogydd bar trydan.

2) Nid yw "rheiddiaduron" gwres canolog yn gwneud hyn. Daw'r rhan fwyaf or gwres allan ohonyn nhw ar ffurf ceryntau darfudiad o aer cynnes yn codi. Dyna waith "gwresogydd darfudiad".

Dysgwch y ffeithiau am drosglwyddiad gwres ...

Diolch am hynny, dim rhagor o rifau a fformiwlâu, dim ond dysgu ffeithiau unwaith eto. Llai cymhleth – ond rhaid gweithio'r un mor galed. Rhaid i chi weithio'n ddyfal i wahaniaethu rhwng y tair proses trosglwyddo gwres fel eich bod yn gwybod yn union pa bryd bydd pob un yn digwydd ac ymhle. Dysgwch a gwenwch.

Dargludiad a Darfudiad Gwres

Dargludiad Gwres – yn digwydd yn bennaf mewn Solidau

Mae dargludiad gwres yn digwydd oherwydd bod y gronynnau "poeth" sy'n dirgrynu yn trosglwyddo eu hegni dirgrynol ychwanegol i'r atomau "oerach" sydd nesaf atyn nhw, ac sydd ddim yn dirgrynu cymaint.

1) Dargludiad yw'r ffordd symlaf o drosglwyddo egni – a'r hawsaf ei deall.
2) Y camgymeriad mawr y mae llawer yn ei wneud yw credu bod "llif gwres" yn golygu dargludiad yn unig.
3) Rhaid i chi ddysgu bod "llif gwres" hefyd yn digwydd mewn dwy ffordd arall: darfudiad a phelydriad.
4) Dargludiad yw'r ffordd arferol y mae gwres yn teithio drwy solidau.
5) Mae'n gyflym iawn mewn metelau. Mae'n eithaf araf ym mhopeth arall.

DARGLUDIAD GWRES yw'r broses lle bydd GRONYNNAU SY'N DIRGRYNU yn trosglwyddo eu HEGNI DIRGRYNOL YCHWANEGOL i RONYNNAU AGOS.

Mae'r broses hon yn parhau ledled y solid ac, yn raddol, caiff yr egni dirgrynol ychwanegol (neu'r gwres) ei symud yr holl ffordd drwy'r solid, gan achosi i'r tymheredd godi yn y pen arall.

Mae metelau bob amser yn TEIMLO yn boethach neu'n oerach gan eu bod yn dargludo cystal

Fe sylwch, os gadewch chi raw allan yn yr Haul, fod y rhan fetel bob amser yn teimlo llawer poethach na'r goes bren. Ond nid yw'n boethach – mae'n dargludo'r gwres yn llawer cyflymach na'r pren i'ch llaw, felly mae eich llaw yn poethi tipyn yn gyflymach.

Www! Aw! Mae'n boeth – neu beidio.

Mewn tywydd oer, bydd rhan fetel y rhaw, neu unrhyw beth arall, bob amser yn teimlo'n oerach gan eu bod yn tynnu gwres oddi wrth eich llaw yn gyflymach. Nid ydynt yn oerach a dweud y gwir. Cofiwch hynny.

Darfudiad Gwres – Hylifau a Nwyon yn Unig

Mae nwyon a hylifau fel arfer yn rhydd i slochian o gwmpas – ac mae hynny'n eu caniatáu i drosglwyddo gwres drwy ddarfudiad. Mae hon yn broses llawer mwy effeithiol na dargludiad.
Ni all darfudiad ddigwydd mewn solidau gan na all y gronynnau symud.

Bydd DARFUDIAD yn digwydd pan fydd y gronynnau mwy egnïol y SYMUD o'r ardal boethach i'r ardal oerach – GAN FYND Â'U HEGNI GWRES GYDA NHW

Pan fydd y gronynnau mwy egnïol (poethach) yn cyrraedd rhywle oerach, byddan nhw'n trosglwyddo eu hegni trwy'r broses arferol o wrthdrawiadau sy'n cynhesu'r amgylchedd.

Mae dargludyddion da bob amser yn fetelau

Gwyliwch. Dau air Ffiseg arall sy'n edrych mor debyg i'w gilydd fel bo'r mwyafrif ohonoch chi'n meddwl mai'r un gair ydyn nhw. Na, na, na! Edrychwch: DARFUDIAD. Mae'n wahanol i DDARGLUDIAD. Nid yn unig y mae'r geiriau yn wahanol, ond mae'r ddwy broses yn gwbl wahanol hefyd. Gwnewch yn siŵr eich bod yn gwybod union ystyr y ddau air.

Pelydriad Gwres

Gellir galw pelydriad gwres hefyd yn belydriad isgoch. Tonnau electromagnetig o amledd penodol ydyw, sydd yn union islaw golau gweladwy yn y sbectrwm electromagnetig.

Gall Pelydriad Gwres Deithio trwy Wactod

Mae pelydriad gwres yn wahanol i'r ddau ddull arall o drosglwyddo gwres mewn sawl ffordd:

1) Mae'n teithio mewn llinellau syth ar fuanedd golau.
2) Mae'n teithio trwy wactod. Dyma'r unig ffordd y gall gwres ein cyrraedd ni o'r Haul.
3) Gellir ei adlewyrchu ymaith eto gan arwyneb arian.
4) Dim ond trwy gyfryngau tryloyw y mae'n teithio, megis aer, gwydr a dŵr.
5) Mae ei ymddygiad yn dibynnu'n gryf ar liw a gwead yr arwyneb. Nid dyma'r achos yn bendant ar gyfer dargludiad a darfudiad.

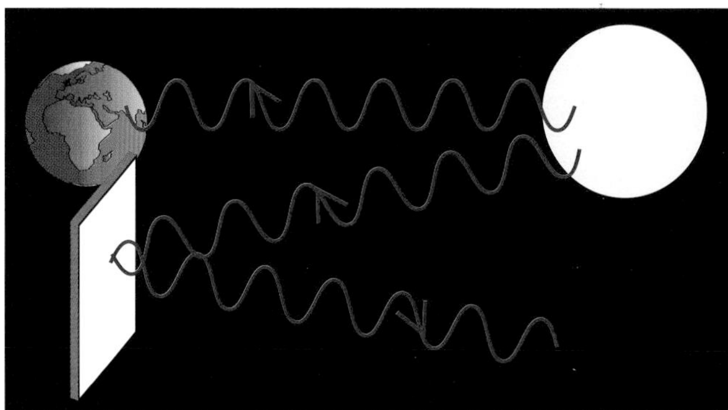

Allyrru ac Amsugno Pelydriad Gwres

1) Mae pob gwrthrych yn allyrru ac yn amsugno pelydriad gwres yn ddi-baid.
2) Po boethaf ydyn nhw, y mwyaf o belydriad maen nhw'n ei allyrru.
3) Bydd gwrthrychau oerach o'u cwmpas yn amsugno'r pelydriad gwres hwn. Gallwch deimlo'r pelydriad gwres hwn wrth sefyll yn agos at rywbeth poeth megis tân.

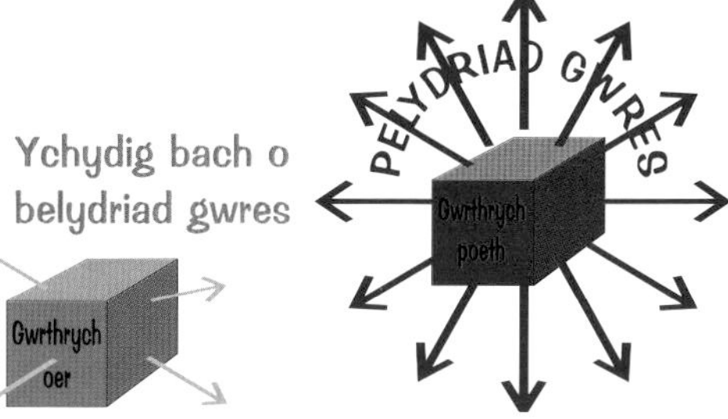

Mae'n Dibynnu Tipyn ar Liw a Gwead yr Arwyneb

1) Mae arwynebau tywyll mat yn amsugno pelydriad gwres sy'n disgyn arnyn nhw llawer cryfach nag arwynebau llachar sgleiniog, megis gwyn sgleiniog neu arian. Maen nhw hefyd yn allyrru pelydriad gwres tipyn mwy hefyd.
2) Mae arwynebau arian yn adlewyrchu'r pelydriad gwres sydd yn disgyn arnyn nhw bron i gyd.
3) Yn y labordy, mae sawl arbrawf diflas i ddangos effaith yr arwyneb ar allyriad ac amsugniad pelydriad gwres. Dyma ddau o'r rhai mwyaf diddorol:

Ciwb Leslie

Yr ochr du mat sy'n allyrru'r rhan fwyaf o'r gwres, felly y thermomedr hwn sy'n mynd boethaf.

Yr arwyneb du mat sy'n amsugno'r mwyaf o'r gwres, felly mae'r cŵyr sydd arno'n ymdoddi yn gyntaf ac mae'r pelferyn yn disgyn.

Tric y Cŵyr sy'n Ymdoddi

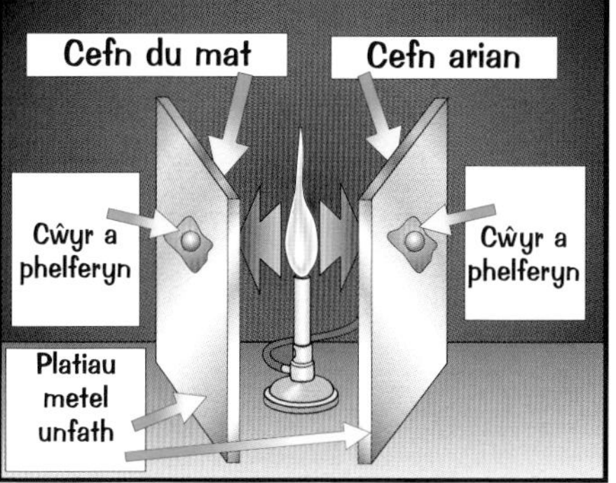

Adolygwch Belydriad Gwres

Y prif beth i ddysgu fan hyn yw bod pelydriad gwres yn cael ei effeithio'n gryf gan liw a gwead arwynebau. Peidiwch ag anghofio nad yw'r ddau ddull arall o drosglwyddo gwres, dargludiad a darfudiad, yn cael eu heffeithio gan liw a gwead yr arwyneb o gwbl. Mae pelydriad gwres yn hollol wahanol i ddargludiad a darfudiad. Dysgwch yr holl fanylion ar y dudalen hon, yna cuddiwch hi ac ysgrifennwch.

Cymwysiadau Trosglwyddo Gwres

Dargludyddion Da ac Ynysyddion Da

1) Mae pob metel yn ddargludydd da, e.e. haearn, pres, alwminiwm, copr, aur, arian, ac ati.
2) Mae pob anfetel yn ynysydd da.
3) Mae nwyon a hylifau yn ddargludyddion gwarthus (ond yn ddarfudyddion gwych, cofiwch).
4) Yr ynysyddion gorau yw'r rhai sy'n dal pocedi o aer. Os na all yr aer symud, ni all drosglwyddo gwres drwy ddarfudiad. Felly rhaid i'r gwres ddargludo ymaith yn araf iawn drwy'r pocedi aer, yn ogystal â'r defnydd sydd rhyngddyn nhw. Mae hyn yn ei arafu tipyn.
   Dyma sut mae dillad a blancedi ac ynysydd to ac ynysydd ceudod waliau a chwpanau polystyren a menig gwlân del ac anifeiliaid bach blewog a hwyaid bach melyn yn gweithio.

Dylai Ynysiad hefyd ystyried Pelydriad Gwres

1) Mae gorffeniadau arian yn ynysydd effeithiol iawn yn erbyn trosglwyddo gwres drwy belydriad.
2) Gall hyn weithio'r ddwy ffordd, naill ai trwy gadw pelydriad gwres allan, neu gadw gwres i mewn.

CADW PELYDRIAD GWRES ALLAN:	CADW'R GWRES I MEWN:
Siwtiau gofod	Tegellau metel sgleiniog
Ffoil coginio ar dwrci	Blancedi achub bywyd
Fflasgiau thermos	Fflasgiau thermos (eto)

3) Anaml y defnyddir du mat am ei briodweddau thermol o amsugno ac allyrru pelydriad gwres.
4) Mae'n ddefnyddiol pan ydych chi eisiau cael gwared ar wres yn unig, e.e. esgyll oeri neu'r rheiddiadur ar beiriant.

Y Fflasg Thermos – Ynysu ar ei orau

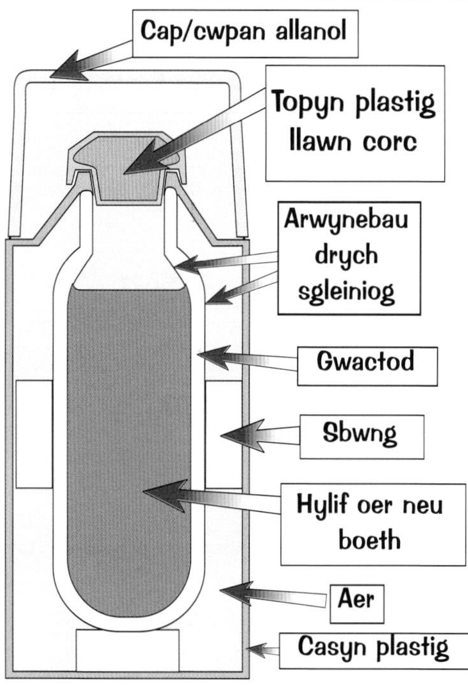

1) Mae gan y botel wydr wal ddwbl â gwactod tenau rhwng y ddwy wal. Mae hyn yn atal dargludiad a darfudiad yn llwyr trwy'r ochrau.
2) Mae'r waliau ar y naill ochr a'r llall i'r gwactod yn lliw arian i leihau'r gwres a gollir drwy belydriad.
3) Cynhelir y botel ar ewyn ynysu. Mae hyn yn lleihau dargludiad gwres i'r botel allanol gwydr ac oddi wrtho.
4) Mae'r topyn wedi ei wneud o blastig a'i lenwi â chorc neu ewyn i leihau dargludiad gwres trwyddo.
5) Yn y cwestiwn Arholiad, rhaid i chi nodi pa fath o drosglwyddiad gwres sydd ym mhob pwynt, naill ai dargludiad, darfudiad neu belydriad. Bydd ateb megis: "Mae'r gwactod yn atal y gwres rhag dianc" yn ennill dim marciau i chi.

Trosglwyddiad Gwres ac Ynysiad – cymrwch y cyfan i mewn ...

Mae yna fwy i ynysiad nag ydych chi'n sylweddoli. Mae hynny oherwydd bod tair ffordd y gellir trosglwyddo gwres. Felly, rhaid i ynysu effeithiol ddelio â'r tair, wrth gwrs. Mae'r Fflasg Thermos yn enghraifft ardderchog o ynysiad tri-mewn-un. Dysgwch.

Cadw Adeiladau yn Gynnes

Ynysiad to
Cost cychwynnol: £200
Arbedion blynyddol: £50
Amser talu 'nôl: 4 blynedd

Siaced Tanc Dŵr Poeth
Cost cychwynnol: £10
Arbedion blynyddol: £15
Amser talu 'nôl: 1 flwyddyn

Rheoli Thermostatig
Cost cychwynnol: £100
Arbedion blynyddol: £20
Amser talu 'nôl: 5 mlynedd

Gwydro Dwbl
Cost cychwynnol: £3,000
Arbedion blynyddol: £60
Amser talu 'nôl: 50 mlynedd

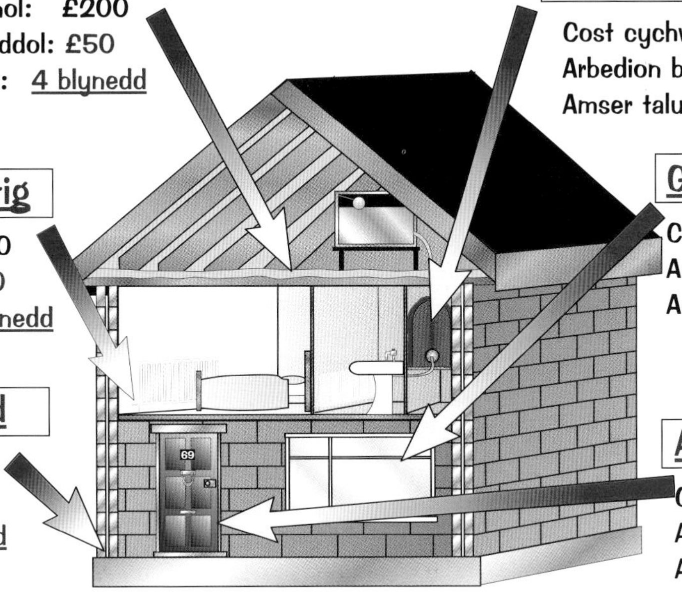

Ynysiad Wal Geudod
Cost cychwynnol: £500
Arbedion blynyddol: £70
Amser talu 'nôl: 7 blynedd

Atal Drafftiau
Cost cychwynnol: £50
Arbedion blynyddol: £50
Amser talu 'nôl: 1 flwyddyn

Nid yw Effeithiolrwydd a Chost-effeithiolrwydd yr un peth ...

1) Mae'r ffigurau uchod yn weddol gywir ond, wrth gwrs, byddan nhw'n amrywio o dŷ i dŷ.
2) Mae'r dulliau rhad o ynysu yn tueddu i fod yn fwy cost-effeithiol na'r dulliu mwy drud.
3) Gellid ystyried y rhai sy'n arbed y mwyaf o arian bob blwyddyn fel y rhai mwyaf "effeithiol", h.y. ynysiad ceudod wal. Mae pa mor gost-effeithiol yw'r dull yn dibynnu ar yr amser rydych yn ei ystyried.
4) Os tynnwch yr arbediad blynyddol o'r gost gychwynnol dro ar ôl tro yna, yn y pen draw, yr un sydd â'r arbediad blynyddol mwyaf fydd ar y blaen.
5) Fe allech werthu'r tŷ (neu farw) cyn i hynny ddigwydd. Os ystyriwch y gost dros gyfnod o bum mlynedd dyweder, yna atal drafftiau sy'n ennill.
6) Fodd bynnag, gwydro dwbl yw'r lleiaf cost-effeithiol bob amser, sydd braidd yn ddoniol a dweud y gwir.

Dysgwch y Math o Drosglwyddiad Gwres sy'n Digwydd:

1) YNYSIAD WAL GEUDOD – mae ewyn wedi'i chwistrelli i'r bwlch rhwng y briciau yn bennaf yn lleihau darfudiad a hefyd, i raddau llai, yn lleihau pelydriad ar draws y bwlch.
2) YNYSIAD TO – mae haen drwchus o wlân gwydr ffibr wedi'i gosod ar draws llawr cyfan y to yn lleihau dargludiad a phelydriad i'r to o'r nenfwd.
3) ATAL DRAFFTIAU – mae stribedi o ewyn a phlastig o amgylch drysau a ffenestri yn atal drafftiau o aer oer rhag chwythu i mewn, h.y. maen nhw'n atal colli gwres drwy ddarfudiad.
4) GWYDRO DWBL – mae dwy haen o wydr â bwlch aer yn lleihau dargludiad a phelydriad.
5) FALFIAU TERMOSTATIG AR REIDDIADURON – mae'r rhain yn syml iawn yn atal y tŷ rhag gor-boethi.
6) SIACED TANC DŴR POETH – mae ynysydd megis gwlân gwydr ffibr yn lleihau dargludiad a phelydriad o'r tanc dŵr poeth.
7) LLENNI TRWCHUS – darnau mawr o ddefnydd rydych yn eu tynnu ar draws y ffenestri i atal pobl rhag edrych i mewn atoch chi, maen nhw hefyd yn lleihau'r gwres a gollir drwy ddargludiad a phelydriad.

Does ganddyn nhw mo'r problemau hyn yn Sbaen ...

Cofiwch, y dull ynysu mwyaf effeithiol yw'r un sy'n cadw'r mwyaf o'r gwres i mewn (arbediad blynyddol mwyaf). Pe na bai to ar eich tŷ, yna gosod to fyddai'r dull mwyaf effeithiol, yntê ... Ar y llaw arall, mae cost-effeithiolrwydd yn dibynnu ar yr amser rydych yn ei ystyried.

Ffynonellau Egni

Mae yna ddeuddeg gwahanol fath o adnodd egni.
Gellir eu gosod yn fras mewn dau grŵp: adnewyddadwy ac anadnewyddadwy.

Bydd Adnoddau Egni Anadnewyddadwy yn Dod i Ben Rhyw Ddydd

Y rhai anadnewyddadwy yw'r tri THANWYDD FFOSIL ac egni NIWCLEAR:

1) Glo
2) Olew
3) Nwy naturiol
4) Tanwyddau niwclear (wraniwm a phlwtoniwm)

a) Byddan nhw i gyd yn dod i ben rhyw ddydd.
b) Maen nhw i gyd yn niweidio'r amgylchedd.
c) Ond maen nhw'n darparu'r rhan fwyaf o'n hegni ni.

Ni fydd Adnoddau Egni Adnewyddadwy byth yn Dod i Ben

Y rhai adnewyddadwy yw:

1) Gwynt
2) Tonnau
3) Llanw
4) Trydan dŵr
5) Solar
6) Geothermol
7) Bwyd
8) Biomas (pren)

a) Ni fydd y rhain byth yn dod i ben.
b) Dydyn nhw ddim yn niweidio'r amgylchedd (dim ond yn weledol).
c) Yn anffodus dydyn nhw ddim yn darparu llawer o egni ac mae nifer ohonyn nhw'n annibynadwy gan eu bod yn dibynnu ar y tywydd.

Yr Haul yw'r Ffynhonnell Sylfaenol ar gyfer Naw o'r Adnoddau Egni

(Yr eithriadau yw'r llanw, niwclear a geothermol – gweler isod)

Mae angen i chi wybod y cadwynau trosglwyddo egni ar gyfer y naw ohonyn nhw, gan gychwyn â'r Haul. Fodd bynnag, dim ond pum cadwyn egni sylfaenol sydd:

1) Haul → egni golau → planhigion → ffotosynthesis → BIOMAS (pren) neu FWYD.

2) Haul → egni golau → ffotosynthesis → planhigion/anifeiliaid marw → TANWYDDAU FFOSIL.

3) Haul → gwresogi'r atmosffer → creu GWYNTOEDD → ac felly TONNAU hefyd.

4) Haul → gwresogi dŵr y môr → cymylau → glaw → TRYDAN DŴR.

5) Haul → egni golau → EGNI SOLAR.

Mae'r Haul yn Cynhyrchu ei Egni drwy Adweithiau Ymasiad Niwclear

1) Mae niwclysau hydrogen yn ymasio i ffurfio niwclysau heliwm.
2) Caiff yr egni hwn ei ryddhau yn donnau EM sy'n cyrraedd y Ddaear ar ffurf pelydriad gwres a golau.

NID yw Egni Niwclear, Geothermol a Llanw yn Tarddu o'r Haul

1) Daw egni niwclear o'r egni sydd wedi'i gloi yn niwclysau atomau.
2) Mae dadfeiliad niwclear hefyd yn creu gwres y tu mewn i'r Ddaear ar gyfer egni geothermol. Mae hyn y digwydd tipyn yn arafach na mewn adweithydd niwclear.
3) Atyniad disgyrchiant y Lleuad a'r Haul sy'n achosi'r llanw.

Dewch, dysgwch cyn i'r amser ddod i ben ...

Mae llawer o fanylion fan hyn am ffynonellau egni – llawer iawn o fanylion. Yn anffodus, gallen nhw ofyn cwestiwn ar unrhyw un ohonyn nhw yn yr Arholiad, felly dysgwch bob un. Rhestri sydd ar y dudalen hon yn bennaf – sy'n beth newydd! Dysgwch!

Ffynonellau Egni Anadnewyddadwy

1) Caiff y rhan fwyaf o'r trydan rydym ni'n ei ddefnyddio ei gynhyrchu o'r pedwar ffynhonnell egni ANADNEWYDDADWY (glo, olew a niwclear) mewn gorsafoedd pŵer mawr.
2) Mae'r gorsafoedd pŵer hyn i gyd yn eithaf tebyg i'w gilydd heblaw am y boeler.
3) Dylech ddysgu nodweddion sylfaenol yr orsaf bŵer nodweddiadol a ddangosir fan hyn:

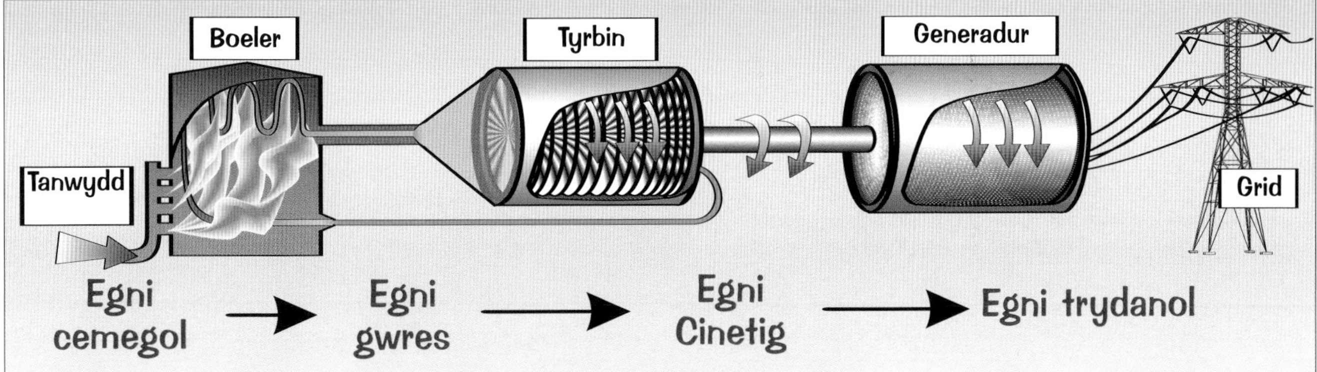

Boeleri ffansi yw Adweithyddion Niwclear

1) Mae gorsaf bŵer niwclear, yn ei hanfod, yr un peth â'r un a ddangosir uchod. Caiff gwres ei gynhyrchu mewn boeler i wneud ager i yrru tyrbinau, ac ati. Y gwahaniaeth yw bod ganddi foeler mwy cymhleth.
2) Nhw sy'n cymryd y mwyaf o amser (o'r rhai anadnewyddadwy) i gychwyn. Nwy naturiol sydd gyflymaf.

Problemau Amgylcheddol wrth ddefnyddio Adnoddau Anadnewyddadwy

1) Mae'r tri thanwydd ffosil (glo, olew a nwy) yn rhyddhau CO_2. Am yr un faint o egni a gynhyrchir, glo sy'n rhyddhau'r mwyaf o CO_2, yna olew, yna nwy. Mae'r holl CO_2 hwn yn ychwanegu at yr Effaith Tŷ Gwydr, gan achosi cynhesu byd-eang. Does dim ffordd ddichonadwy o'i atal rhag cael ei ryddhau chwaith. O, diar!
2) Mae llosgi glo ac olew yn rhyddhau sylffwr deuocsid sy'n achosi glaw asid.
   Gellir lleihau hyn drwy dynnu'r sylffwr allan cyn ei losgi, neu drwy lanhau'r allyriannau.
3) Mae cloddio am lo yn gwneud llanastr o'r tirwedd, yn enwedig "cloddio glo brig".
4) Mae colledion olew yn achosi problemau amgylcheddol difrifol. Rydym yn ceisio osgoi hyn, ond bydd bob amser yn digwydd.
5) Mae egni niwclear yn lân ond mae'r gwastraff niwclear yn beryglus dros ben ac yn anodd cael ei wared.
6) Mae tanwydd niwclear (h.y. wraniwm) yn rhad, ond mae cost gyffredinol egni niwclear yn uchel oherwydd cost yr atomfa a'r dadgomisiynu yn y diwedd.
7) Mae yna berygl o drychineb enfawr, tebyg i drychineb Chernobyl, gyda phŵer niwclear.

Mae angen Cadw'r Adnoddau Anadnewyddadwy

1) Pan fydd y tanwyddau ffosil yn dod i ben yn y pen draw, bydd rhaid i ni ddefnyddio ffurfiau eraill ar egni.
2) Yn fwy pwysig, fodd bynnag, mae tanwyddau ffosil yn ffynonellau defnyddiol o gemegion (yn enwedig olew crai), a bydd dod o hyd i ddewis arall wedi iddyn nhw fynd yn anodd.
3) I atal y tanwyddau ffosil rhag dod i ben mor gyflym, gallwn wneud dau beth:

1) Defnyddio Llai o Egni drwy fod yn Fwy Effeithlon:

i. Ynysu adeiladau yn well,
ii. Diffodd goleuadau a phethau eraill pan nad oes eu hangen,
iii. Gwneud i bawb yrru ceir bach pitw â pheiriannau truenus.

2) Defnyddio mwy o'r Ffynonellau Egni Adnewyddadwy

fel y gwelir ar y tudalennau sydd i ddilyn.

Dysgwch am yr Adnoddau Anadnewyddadwy – cyn ei bod y rhy hwyr ...

Gwnewch yn siŵr eich bod yn sylweddoli ein bod ni'n cynhyrchu'r rhan fwyaf o'n trydan o'r pedwar adnodd anadnewyddadwy, a bod pob gorsaf bŵer mwy neu lai yr un peth, fel y dangosir yn y diagram uchod. Hefyd, dysgwch yr holl broblemau yn eu cylch a pham y dylid defnyddio llai ohonyn nhw.

Pŵer Gwynt a Phŵer Trydan Dŵr

Pŵer Gwynt – Nifer o Dyrbinau Gwynt

1) Mae hyn yn golygu codi nifer o felinau gwynt (tyrbinau gwynt) mewn mannau agored iawn megis ar rostir neu'r arfordir.
2) Mae gan bob tyrbin gwynt ei eneradur ei hun y tu mewn. Caiff trydan ei gynhyrchu'n uniongyrchol wrth i'r gwynt droi'r llafnau, sy'n troi'r generadur.
3) Does dim llygredd.
4) Maen nhw'n difetha'r olygfa. Mae angen tua 5000 o dyrbinau gwynt yn lle un gorsaf bŵer glo, a byddai 5000 ohonyn nhw yn gorchuddio llawer iawn o dir – ni fyddai hynny'n edrych yn rhy dda.
5) Hefyd, mae'r broblem fach o ddiffyg pŵer pan fo'r gwynt yn peidio, ac mae'n amhosib cynyddu'r cyflenwad pan fo'r galw'n uchel.
6) Mae'r costau cychwynnol yn eithaf uchel, ond does dim costau tanwydd ac mae'r costau cynnal yn fychan iawn.

Trydan Dŵr a Systemau Storfa Bwmp

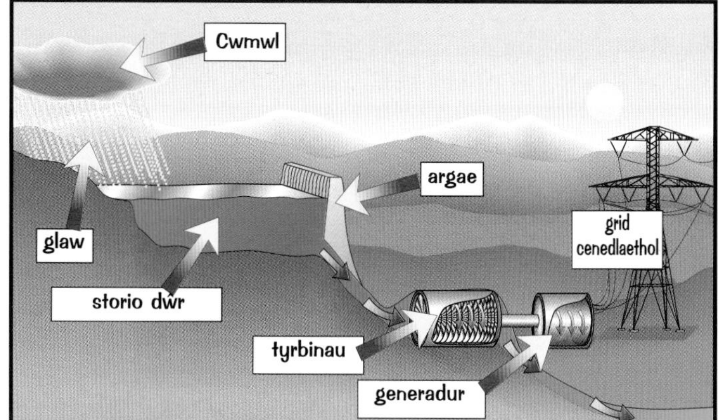

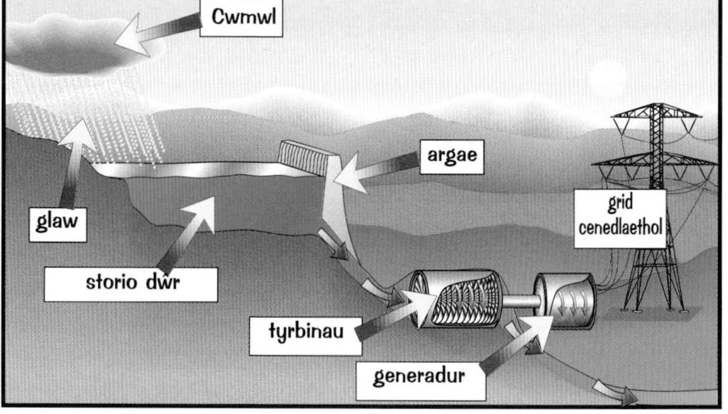

1) Fel arfer, ar gyfer pŵer trydan dŵr, mae angen boddi cwm drwy adeiladu argae mawr.
2) Caiff dŵr glaw ei ddal a'i anfon allan drwy dyrbinau. Does dim llygredd.
3) Mae hyn yn effeithio'n fawr ar yr amgylchedd, o ganlyniad i foddi'r cwm. Gall rhai rhywogaethau golli cynefin. Hefyd gall y cronfeydd edrych yn hyll pan fyddan nhw'n sychu. Mae pobl wedi ceisio osgoi'r problemau hyn drwy eu lleoli mewn cymoedd anghysbell (yng Nghymru a'r Alban).
4) Mantais fawr yw y gellir ymateb ar unwaith i gynnydd yn y galw. Does dim problemau dibynadwyedd heblaw yn adeg sychder – ond cofiwch, rydym ni'n sôn am Brydain.
5) Mae'r costau cychwynnol yn uchel, ond does dim tanwydd ac mae'r costau cynnal yn isel.

Mae Storfeydd Pwmp yn rhoi Cyflenwad Ychwanegol pan fo'r Galw

1) Mae gan y rhan fwyaf o orsafoedd pŵer foeleri mawr sy'n rhaid eu rhedeg drwy'r nos hyd yn oed os yw'r galw'n isel iawn. Mae hyn yn golygu bod yna ormodedd o drydan yn y nos.
2) Mae'n syndod o anodd dod o hyd i ffordd o storio'r egni sbâr hwn i'w ddefnyddio'n hwyrach.
3) Storfa bwmp yw un o'r ffyrdd gorau o ateb y broblem.
4) Yma, caiff trydan nos 'sbâr' ei ddefnyddio i bwmpio dŵr i gronfa uwch.
5) Wedyn gellir rhyddhau hwn yn gyflym pan fydd y galw ar ei uchaf, megis amser te bob prynhawn, i ychwanegu at y cyflenwad cyson o'r gorsafoedd pŵer mawr.
6) Cofiwch, mae storfa bwmp yn defnyddio'r un syniad â Phŵer Trydan Dŵr, ond nid yw'n ffordd o gynhyrchu trydan – dim ond ffordd o storio egni sydd eisoes wedi ei gynhyrchu.

Dysgwch am Bŵer Gwynt – a mwynhewch awel y môr ...

Mae nifer fawr o fanylion pwysig fan hyn am y ffynonellau egni gwyrdd, glan – truenu eu bod yn creu cymaint o ddifrod i'r tirlun. Tri thraethawd byr gwyrdd, glan os gwelwch yn dda.

Pŵer Tonnau a Phŵer Llanw

Peidiwch â chymysgu pŵer tonnau a phŵer llanw. Maen nhw'n hollol wahanol.

Pŵer Tonnau — Nifer o Drawsnewidwyr Tonnau Bychain

1) Mae angen nifer o eneraduron tonnau bychain ar hyd yr arfordir.
2) Wrth i'r tonnau ddod i'r lan, maen nhw'n symud i fyny ac i lawr ac yn gyrru'r generadur.
3) Does dim llygredd. Y prif broblemau yw eu bod yn difetha'r olygfa ac yn beryglus i gychod.
4) Maen nhw'n eithaf annibynadwy, gan fod tonnau'n tueddu i ostwng pan fo'r gwynt yn gostegu.
5) Mae'r costau cychwynnol yn uchel ond does dim tanwydd ac mae'r costau cynnal yn fychan. Dydy pŵer tonnau ddim yn debygol o ddarparu egni ar raddfa fawr ond gall fod yn ddefnyddiol ar ynysoedd bychain.

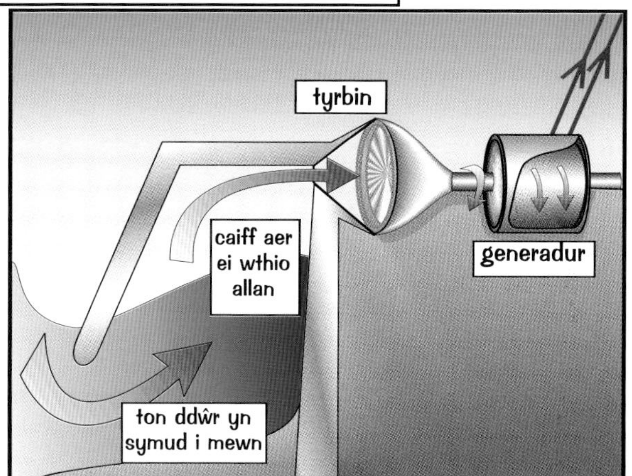

Baredau Llanw — defnyddio Disgyrchiant yr Haul a'r Lleuad

1) Argaeau mawr wedi eu hadeiladu ar draws morydau yw baredau llanw. Mae tyrbinau ynddyn nhw.
2) Wrth i'r llanw ddod i mewn mae'n llenwi'r moryd hyd at sawl metr o ddyfnder. Yna gellir caniatáu i'r dŵr hwn lifo drwy'r tyrbinau ar fuanedd wedi'i reoli. Mae hefyd yn gyrru'r tyrbinau wrth ddod i mewn.
3) Does dim llygredd. Disgyrchiant yr Haul a'r Lleuad yw'r ffynhonnell egni.
4) Y prif broblemau yw nad oes gan gychod fynediad hawdd, caiff yr olygfa ei difetha a chaiff cynefin y bywyd gwyllt ei newid, e.e adar hirgoes, creaduriaid y môr a bwystfilod bach y tywod.
5) Mae'r llanw yn eithaf dibynadwy gan ei fod yn digwydd ddwywaith y dydd yn ddi-ffael, a bob amser at uchder hysbys. Yr unig broblem yw bod uchder y llanw yn amrywio. Felly, bydd y llanw bach yn rhoi tipyn yn llai o egni na'r gorllanw. Ond mae baredau llanw yn ardderchog i storio egni ar gyfer yr adegau pan fo galw mawr.
6) Mae'r costau cychwynnol yn eithaf uchel ond does dim tanwydd ac mae'r costau cynnal yn fychan. Er na ellir ei ddefnyddio ond mewn ychydig o forydau addas, mae gan bŵer llanw y potensial i gynhyrchu symiau sylweddol o egni.

Dysgwch am Bŵer Tonnau a Phŵer Llanw

Gobeithio eich bod yn gwerthfawrogi'r gwahaniaeth mawr rhwng pŵer llanw a phŵer tonnau. Ydyn, mae'r ddau yn defnyddio dŵr môr hallt — ond dyna ddiwedd ar y tebygrwydd. Nifer o fanylion hyfryd i'ch diddanu am oriau. Gwenwch a mwynhewch. A dysgwch.

Egni Geothermol a Llosgi Coed

Egni Geothermol – Gwres o Dan Ddaear

1) Nid yw hyn yn bosib ond mewn rhai lleoedd penodol lle mae creigiau poeth yn gorwedd yn weddol agos at wyneb y ddaear. Ffynhonnell tipyn o'r gwres yw dadfeiliad araf gwahanol elfennau ymbelydrol gan gynnwys wraniwm yng nghrombil y Ddaear.
2) Caiff dŵr ei bwmpio mewn pibellau i lawr at greigiau poeth a daw yn ôl yn ager i yrru generadur.
3) Dyma egni rhad ardderchog heb unrhyw broblemau amgylcheddol o bwys.
4) Y prif broblem yw'r gost o ddrilio sawl km i lawr at y creigiau poeth.
5) Yn anffodus, does dim llawer o leoedd lle mae hyn yn ddewis economaidd (ar hyn o bryd).

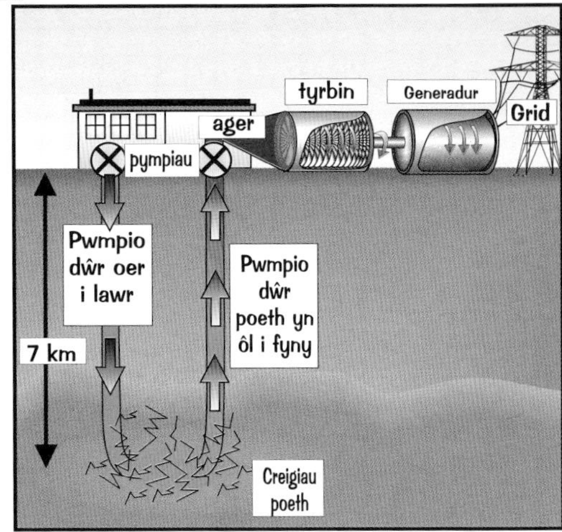

Llosgi Coed – Iawn yn Amgylcheddol

1) Gellir gwneud hyn yn fasnachol ar raddfa fawr.
2) Mae'n golygu trin coed sy'n tyfu'n gyflym, yna'u cynaeafu, eu torri a'u llosgi mewn gorsaf bŵer i gynhyrchu trydan.
3) Yn wahanol i danwyddau ffosil, nid yw llosgi coed yn achosi problemau â'r Effaith Tŷ Gwydr, gan fod unrhyw CO_2 a ryddheir wrth losgi'r pren wedi cael ei dynnu o'r amgylchedd pan oedd y coed yn tyfu yn y lle cyntaf. Hefyd, caiff coed eu tyfu mor gyflym ag y cânt eu llosgi, felly fyddan nhw byth yn dod i ben. Nid yw hyn yn wir am losgi coedwigoedd glaw lle mae'r coed yn tyfu tipyn yn arafach.

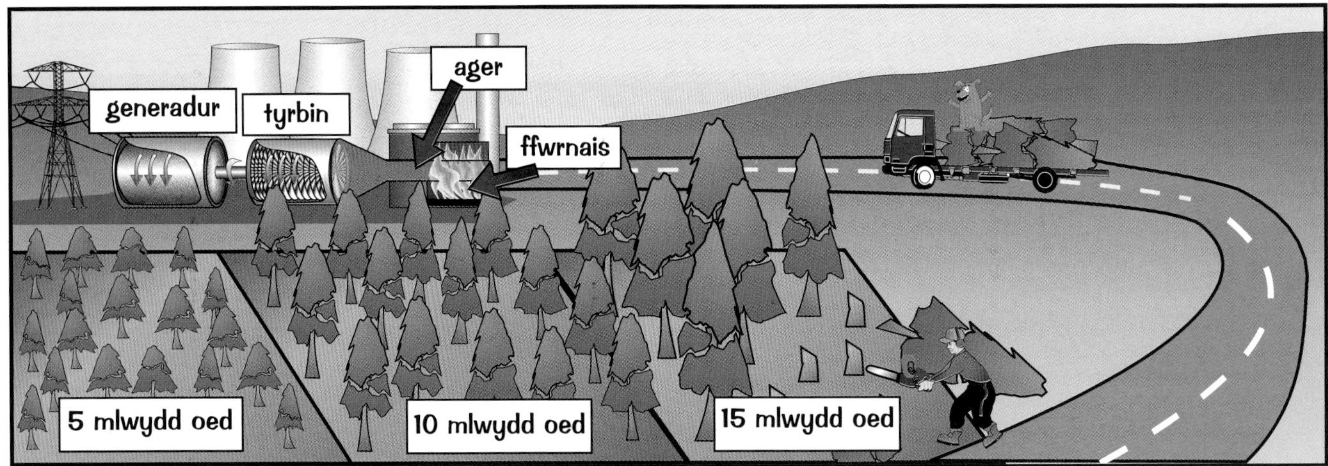

4) Y prif anhawster yw'r tir a ddefnyddir i dyfu'r coed. Os gellir gwneud ardaloedd hamdden o'r coedwigoedd hyn, byddai hynny'n fantais, ac wrth gwrs byddai'r coedwigoedd yn edrych yn ddeniadol o'u cymharu â 5000 o dyrbinau gwynt yn gorchuddio milltiroedd o'r wlad.
5) Gall llosgi coed ymddangos yn ddull hen-ffasiwn o gynhyrchu trydan, ond os tyfir digon o goed, dyma ffynhonnell egni ddibynadwy a digonol. Mae yma lai o anfanteision amgylcheddol na chyda nifer o adnoddau egni eraill.
6) Nid yw'r costau cychwynnol yn rhy uchel, ond mae yna gostau wrth gynaeafu a phrosesu'r coed.

Llosgi Coed i ddatrys yr argyfwng egni – dyma risgl sy'n werth ei gymryd ...

Rhaid dweud, dwi'n meddwl mai egni geothermol yw'r ffordd ymlaen yn y ddau fileniwm nesaf. Does dim ond rhaid drilio 10 i 20 km i lawr a dyna ni – egni rhad di-ddiwedd. Fodd bynnag, dau draethawd byr, gwyrdd arall i'w hysgrifennu. Mwynhewch.

Egni Solar a Chymhariaeth

Egni Solar – Celloedd Solar, Paneli Solar a Ffwrneisi Solar

DYSGWCH y TAIR gwahanol ffordd y gellir rheoli egni solar:

1) Mae CELLOEDD SOLAR yn cynhyrchu ceryntau trydan yn uniongyrchol o olau'r haul. Maen nhw'n ddrud i gychwyn. Celloedd solar yw'r ffynhonnell egni orau ar gyfer cyfrifianellau a watshys nad ydynt yn defnyddio llawer o drydan. Does gan leoedd anghysbell megis Antarctica a lloerenni ddim dewis – rhaid iddyn nhw ddefnyddio egni solar.

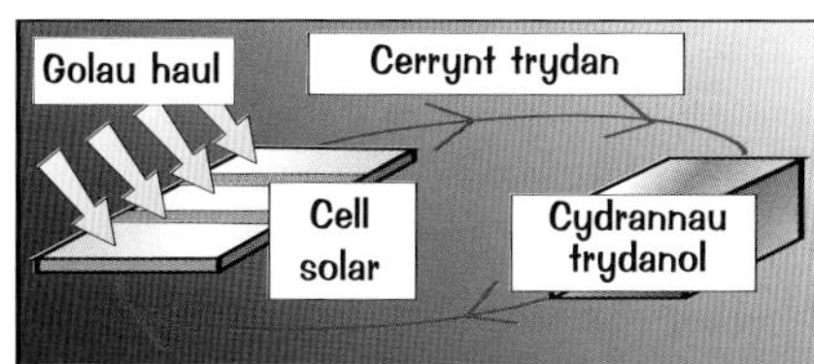

2) Mae PANELI SOLAR tipyn yn llai soffistigedig. Maen nhw'n cynnwys pibellau dŵr o dan arwyneb du. Bydd yr arwyneb du yn amsugno pelydriad gwres o'r Haul i wresogi'r dŵr yn y pibellau.

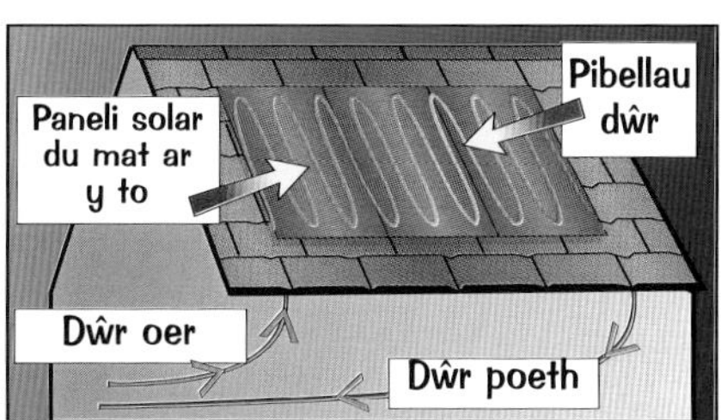

3) Arae mawr o ddrychau crwm yw FFWRNAIS SOLAR. Mae pob un wedi'i ffocysu ar un pwynt i gynhyrchu tymheredd uchel iawn fel y gellir newid dŵr yn ager i yrru tyrbin.

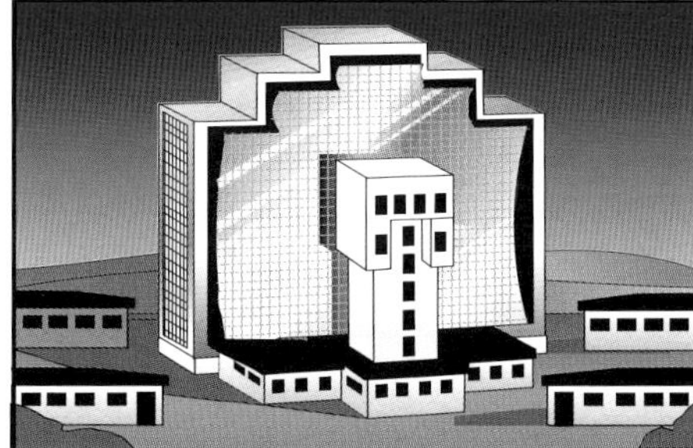

Ym mhob achos, does dim llygredd. Mewn gwledydd heulog, mae pŵer solar yn ffynhonnell egni dibynadwy iawn – ond dim ond yn ystod y dydd. Bydd pŵer solar o hyd yn darparu peth egni hyd yn oed mewn gwledydd cymylog megis Cymru. Mae'r costau cychwynnol yn uchel, ond wedi hynny mae'r egni am ddim ac mae'r costau rhedeg mwy neu lai yn ddim (heblaw am ffwrneisi solar sydd yn fwy cymhleth).

Cymharu Addnoddau Adnewyddadwy â rhai Anadnewyddadwy

1) Yn yr Arholiad maen nhw'n eithaf tebygol o ofyn i chi "werthuso" neu "drafod" manteision cymharol cynhyrchu pŵer ag adnoddau adnewyddadwy ac anadnewyddadwy.
2) Y ffordd orau o ennill marciau yw trwy restru manteision ac anfanteision pob dull.
3) Fe welwch fanylion llawn ar yr ychydig dudalennau diwethaf. Fodd bynnag, mae yna gyffredinoliadau clir y dylech eu dysgu i'ch helpu i ateb cwestiynau o'r fath. Gwnewch yn siŵr y gallwch restru'r rhain ar eich cof:

Adnoddau Anadnewyddadwy (Glo, Olew, Nwy a Niwclear):

MANTEISION:

1) Allbwn uchel iawn.
2) Allbwn dibynadwy, yn annibynnol ar y tywydd.
3) Dim angen gormod o dir, a dydyn nhw ddim yn difetha'r tirlun.

ANFANTEISION:

1) Achosi llawer o lygredd.
2) Gall cloddio neu ddrilio, yna cludo tanwyddau niweidio'r amgylchedd.
3) Maen nhw'n brysur ddod i ben.

Adnoddau Adnewyddadwy (Gwynt, Tonnau, Solar, ac ati):

MANTEISION:

1) Dim llygredd.
2) Fyddan nhw byth yn dod i ben.
3) Nid ydynt yn niweidio'r amgylchedd (ac eithrio'n weledol).
4) Dim costau tanwydd, er bod y costau cychwynnol yn uchel.

ANFANTEISION:

1) Angen ardaloedd mawr o dir neu ddŵr.
2) Dydyn nhw ddim bob amser yn cynhyrchu fel bo'r angen – er enghraifft os nad yw'r tywydd yn iawn.
3) Dydyn nhw ddim yn darparu llawer o egni.

Mae Celloedd Solar yn debyg i dorheulio – rhaid wynebu'r Haul ...

Gwyliwch – mae yna dair ffordd wahanol o ddefnyddio pŵer solar yn uniongyrchol. Dysgwch bob un. Gwnewch yn siŵr hefyd eich bod yn dysgu'r crynodeb sy'n cymharu adnoddau adnewyddadwy â rhai anadnewyddadwy.

Crynodeb Adolygu Adran Pump

Mae gan Adran Pump dair rhan amlwg. Yn gyntaf daw pŵer, gwaith a wneir, effeithlonedd, ac ati, sy'n golygu nifer o fformiwlâu a chyfrifiadau. Yna daw trosglwyddo gwres, sydd yn fwy cymhleth nag y mae pobl yn sylweddoli. Yn olaf daw cynhyrchu pŵer, sydd yn hawdd iawn ond bod yna nifer fawr o fanylion bach lletchwith i'w dysgu. Gwnewch yn siŵr eich bod yn sylweddoli bod angen trin y tair rhan yn wahanol, a chanolbwyntiwch.

1) Rhestrwch y deg gwahanol fath o egni, a rhowch ddeuddeg gwahanol enghraifft o drosglwyddiadau egni.
2) Ysgrifennwch y fformiwlâu ar gyfer EC ac EP. Darganfyddwch EC dafad 78 kg sy'n symud ar 23 m/s.
3) Beth yw'r cysylltiad rhwng "gwaith a wneir" ac "egni a drosglwyddir"?
4) Beth yw'r fformiwla ar gyfer gwaith a wneir? Mae ci gwallgo yn llusgo brigyn 12 m ar draws lawnt y dyn drws nesaf, gan dynnu â grym o 535 N. Faint o egni gafodd ei drosglwyddo?
5) Beth yw'r fformiwla ar gyfer pŵer? Beth yw unedau pŵer?
6) Mae modur trydan yn defnyddio 540 kJ o egni trydanol mewn $4^1/_2$ munud. Faint o egni mae'n ei ddefnyddio? Os oes ganddo effeithlonedd o 85%, beth yw ei allbwn egni?
7) Ysgrifennwch Egwyddor Cadwraeth Egni. Pryd mae egni yn ddefnyddiol?
8) Brasluniwch y diagram llif egni sylfaenol ar gyfer "dyfais ddefnyddiol".
9) Ar ba ffurf y mae'r egni gwastraff bob amser?
10) Beth yw'r fformiwla ar gyfer effeithlonedd? Beth yw'r tair ffurf rifiadol addas ar gyfer effeithlonedd?
11) A yw effeithlonedd yn hawdd iawn neu'n anodd iawn? Darganfyddwch effeithlonedd y peiriannau hyn:
    a) modur sy'n gwneud 500 J o waith defnyddiol, ac sy'n defnyddio 800 J o drydan.
    b) trên ager sy'n cael 2450 kJ oddi wrth y tanwydd ac sy'n cynhyrchu 412 kJ o egni defnyddiol ohono.
    c) dyn sy'n bwyta 4512 kJ o egni bwyd ac sy'n darparu 320 kJ o egni palu defnyddiol.
12) Beth sy'n achosi i wres lifo o un lle i un arall? Beth mae moleciwlau yn ei wneud wrth boethi?
13) Esboniwch yn fras y gwahaniaeth rhwng dargludiad, darfudiad a phelydriad.
14) Rhowch ddiffiniad pendant o ddargludiad gwres a dywedwch pa ddefnyddiau sy'n ddargludyddion da.
15) Rhowch ddiffiniad pendant o ddarfudiad. Rhowch ddwy enghraifft o ddarfudiad naturiol a darfudiad gorfod.
16) Rhestrwch bump o briodweddau pelydriad gwres. Pa fath o wrthrych sy'n allyrru ac yn amsugno pelydriad gwres?
17) Pa arwynebau sy'n amsugno pelydriad gwres orau? Pa arwynebau sy'n ei allyrru orau?
18) Disgrifiwch ddau arbrawf i ddangos effaith gwahanol arwynebau ar wres pelydrol.
19) Disgrifiwch ddulliau ynysu sy'n lleihau a) dargludiad b) darfudiad c) pelydriad.
20) Lluniwch ddiagram wedi'i labelu'n llawn o Fflasg Thermos, ac esboniwch union bwrpas pob darn.
21) Rhestrwch y saith prif ffordd o ynysu tai a dywedwch pa rai yw'r dulliau mwyaf <u>effeithiol</u> a'r mwyaf cost-effeithiol. Sut fyddech chi'n penderfynu'r <u>gost-effeithiolrwydd</u>?
22) Lluniwch bum cadwyn egni sy'n cychwyn â'r Haul yn ffynhonnell egni.
23) Mae naw o'r deuddeg ffynhonnell egni yn tarddu yn yr Haul – pa rai?
24) Pa dair ffynhonnell egni sydd <u>ddim</u> yn tarddu yn yr Haul?
25) Rhestrwch yr wyth math o egni adnewyddadwy.
26) Rhestrwch y pedwar adnodd egni anadnewyddadwy a dywedwch pam maen nhw'n anadnewyddadwy.
27) O ba fath o adnoddau y daw'r rhan fwyaf o'n hegni ni? Brasluniwch orsaf bŵer nodweddiadol.
28) Rhestrwch saith perygl amgylcheddol o ran adnoddau anadnewyddadwy a phedair ffordd y gallwn ddefnyddio llai.
29) Rhowch fanylion llawn sut gallwn ddefnyddio pŵer gwynt, gan gynnwys y manteision a'r anfanteision.
30) Rhowch fanylion llawn sut mae cynllun trydan dŵr yn gweithio. Beth yw Storfa Bwmp?
31) Brasluniwch eneradur tonnau ac esboniwch fanteision ac anfanteision hwn yn ffynhonnell egni.
32) Esboniwch sut y gellir rheoli egni llanw. Beth yw manteision ac anfanteision y syniad hwn?
33) Esboniwch o ble y daw egni geothermol. Disgrifiwch sut gallwn ei ddefnyddio.
34) Esboniwch egwyddorion llosgi coed ar gyfer cynhyrchu trydan. Rhowch y manteision a'r anfanteision.
35) Ble caiff celloedd solar eu defnyddio? Beth yw anfnateision pŵer solar?
36) Rhestrwch fanteision ac anfanteision defnyddio ffynonellau egni adnewyddadwy ac anadnewyddadwy. Beth mae'n ei olygu pan fydd cwestiwn yn dweud "Trafodwch..."?

Adeiledd Atomig ac Isotopau

Gweler y llyfr Cemeg am ragor o fanylion ar hyn.

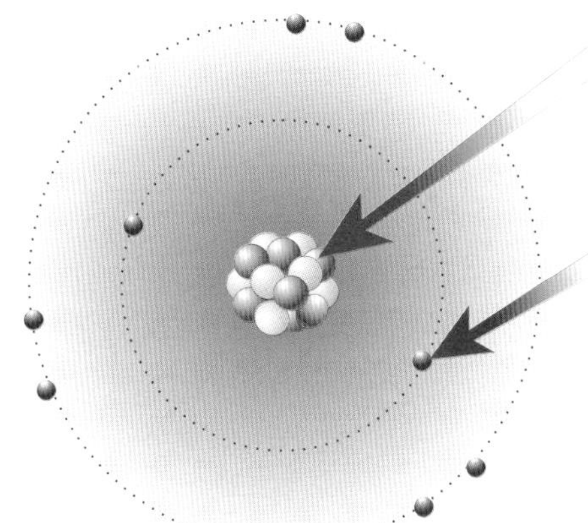

Mae'r niwclews yn cynnwys protonau a niwtronau. Mae'r rhan fwyaf o fàs yr atom yn y niwclews, ond nid yw'n cymryd llawer o le o gwbl – mae'n fychan bach.

Mae'r electronau yn hedfan o amgylch y tu allan. Maen nhw wedi eu gwefru'n negatif ac yn fach iawn, iawn. Maen nhw'n llenwi llawer o le, a dyma sy'n rhoi i'r atom ei faint, er mai lle gwag ydyw gan fwyaf.

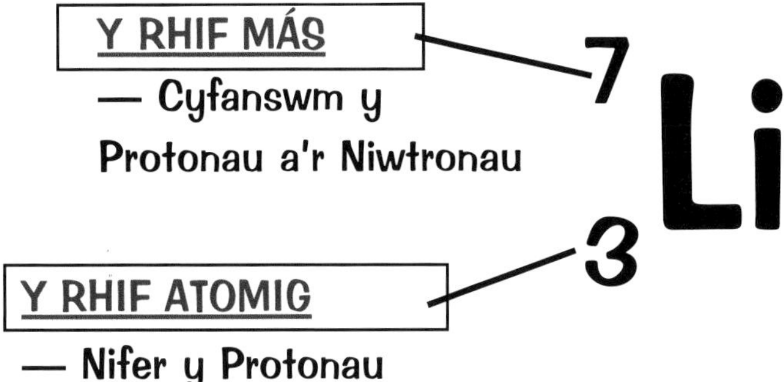

Dysgwch y tabl hwn:

GRONYN	MÀS	GWEFR
Proton	1	+1
Niwtron	1	0
Electron	1/2000	- 1

Ffurfiau Gwahanol o'r un Elfen yw Isotopau

1) Mae isotopau yn atomau o'r un elfen sydd â'r un nifer o brotonau ond gwahanol nifer o niwtronau.
2) Felly, mae ganddyn nhw yr un rhif atomig ond gwahanol rifau màs.
3) Mae Carbon-12 a Charbon-14 yn enghreifftiau da:
4) Mae gan y mwyafrif o elfennau wahanol isotopau, ond dim ond un neu ddau sy'n sefydlog fel arfer.
5) Mae'r isotopau eraill yn tueddu i fod yn ymbelydrol, sy'n golygu eu bod yn dadfeilio yn elfennau eraill ac yn rhyddhau ymbelydredd. Dyma lle daw'r holl ymbelydredd – niwclysau isotopau ymbelydrol ansefydlog yn dadfeilio ac yn poeri allan gronynnau egni uchel.

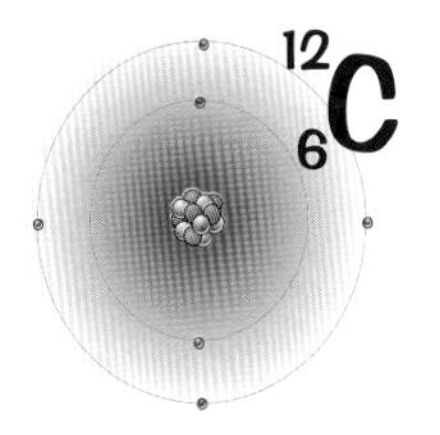

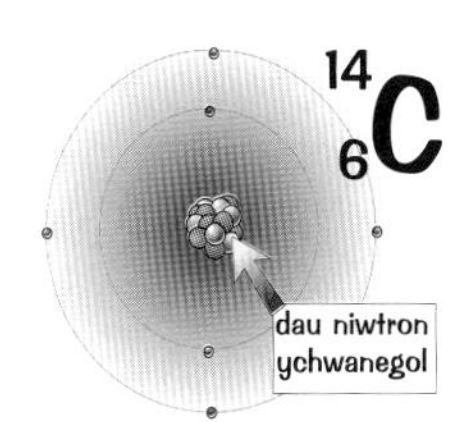

Gwasgariad Rutherford a Diwedd y Pwdin 'Dolig

1) Yn 1804 dywedodd John Dalton fod mater wedi'i wneud o sfferau solet bychan bach. Fe'u galwodd yn atomau.

2) Yn ddiweddarach, darganfuwyd ei bod yn bosib tynnu electronau o atomau. Yna gwelsant atomau yn sfferau o wefr bositif ag electronau negatif pitw bach yn sownd ynddyn nhw, fel cyrens mewn pwdin Nadolig.

3) Yna ceisiodd Ernest Rutherford a'i ffrindiau danio gronynnau alffa at ffoil aur tenau. Aeth y mwyafrif ohonyn nhw'n syth trwodd, ond, er mawr syndod i bawb, daeth un neu ddau yn syth yn ôl atyn nhw. Fodd bynnag, gan eu bod yn eithaf peniog sylweddolon nhw fod hyn yn golygu bod y rhan fwyaf o fàs yr atom wedi'i ganoli yn y canol mewn niwclews bychan bach, â gwefr bositif. Mae hyn yn golygu bod y rhan fwyaf o'r atom wedi'i wneud o ofod gwag, sydd hefyd yn syndod mawr o feddwl am y peth.

Damcaniaeth y Pwdin 'Dolig – erbyn 1911 roedden nhw wedi cael llond bol ...

Ydi, mae'n wir – gofod gwag yw atomau yn bennaf. Meddyliwch am y peth, cnafon bach rhyfeddol yw electronau a dweud y gwir. Does ganddyn nhw bron dim màs, dim maint a gwefr -if bychan bach. Yn y pen draw, oni bai eu bod yn sgrialu o gwmpas, fyddai dim atomau yn bod. Mae'n anhygoel.

Y Tri Math o Ymbelydreddd

Peidiwch â chymysgu rhwng ymbelydredd niwclear – sy'n beryglus – a phelydriad electromagnetig sydd fel arfer yn ddiniwed. Mae pelydriad gama yn cael ei gynnwys yn y ddau, wrth gwrs.

Ymbelydredd Niwclear: Alffa, Beta a Gama (α, β a γ)

Mae angen i chi gofio dau beth ynglŷn â phob math:

1) Beth yn union ydyn nhw   2) Pa mor dda maen nhw'n treiddio i bethau.

Gronynnau Alffa

1) Maen nhw'n gymharol fawr a thrwm ac yn symud yn araf.
2) Felly, dydyn nhw ddim yn treiddio i ddefnyddiau. Cânt eu rhwystro'n gyflym.
3) Niwclysau heliwm ydyn nhw: h.y. dau broton a dau niwtron.

Gronynnau Beta

1) Mae'r rhain rhwng alffa a gama. Maen nhw'n treiddio'n eithaf da, ond nid cystal â hynny.
2) Maen nhw'n symud yn eithaf cyflym ac maen nhw'n eithaf bach.
3) Electronau cyffredin ydyn nhw, heblaw eu bod yn symud yn gyflym iawn.

Pelydrau Gama

1) Dyma wrthwyneb gronynnau alffa mewn ffordd.
2) Maen nhw'n treiddio'n bell i ddefnyddiau heb gael eu rhwystro.
3) Tonnau EM egni uchel ydyn nhw, â thonfedd byr iawn.

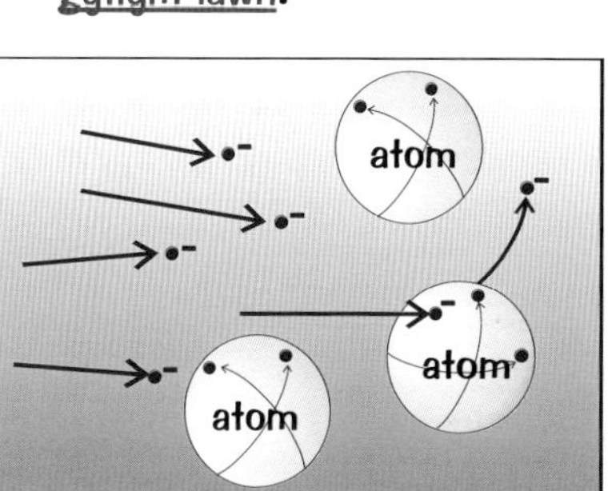

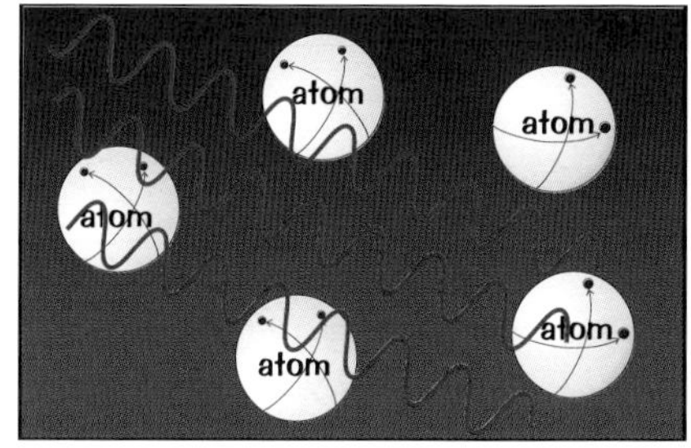

Cofiwch beth sy'n Rhwystro'r Tri Math o Ymbelydredd ...

Maen nhw'n hoff o hyn mewn Arholiadau, felly gwnewch yn siŵr eich bod yn gwybod beth sydd ei angen i rwystro'r tri math:

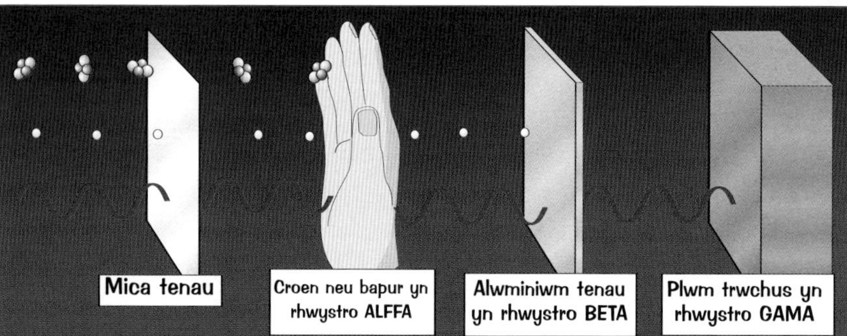

Caiff gronynnau alffa eu rhwystro gan groen neu bapur.
Caiff gronynnau beta eu rhwystro gan alwminiwm tenau.
Caiff pelydrau gama eu rhwystro gan blwm trwchus.

Wrth gwrs, bydd unrhyw beth cywerth hefyd yn eu rhwystro, e.e. bydd caws yn rhwystro alffa, ond nid y lleill; bydd llen denau o unrhyw fetel yn rhwystro beta; bydd concrit trwchus iawn yn atal gama yn union fel y mae plwm yn ei wneud.

Dysgwch y tri math o ymbelydredd – mae mor rhwydd ag abc ...

Alffa, beta a gama. Mae'n siŵr eich bod yn sylweddoli mae dyma tair llythyren gyntaf yr wyddor Groeg: α, β, γ - yn union fel a, b, c. Efallai eu bod yn swnio'n enwau cymhleth i chi, ond dim ond labeli hawdd oedden nhw ar y pryd. Fodd bynnag, dysgwch y ffeithiau i gyd amdanyn nhw – ac ysgrifennwch.

Canfod Ymbelydredd

Y Tiwb a'r Rhifydd Geiger-Müller

1) Dyma'r math mwyaf cyfarwydd o ganfodydd ymbelydredd. Fe'u gwelwch ar raglenni dogfen ar y teledu yn gwneud sŵn clic-clic-clic-clic, tra bo'r gohebydd sarrug yn traethu am gyflwr y blaned a diwedd y byd.
2) Dyma hefyd y math a ddefnyddir mewn arbrofion yn y labordy, gan fod y rhifydd yn eich caniatáu i gofnodi nifer y cyfrifau y funud.
3) Pan fydd ymbelydredd alffa, beta neu gama yn mynd i mewn i'r tiwb G-M, bydd yn ïoneiddio'r nwy y tu mewn ac yn cychwyn dadwefriad trydanol (gwreichionen). Dyma sy'n gwneud y sŵn clicio ac mae hefyd yn anfon signal bach i'r rhifydd electronig. Mae mor syml, gallwn i fod wedi meddwl amdano ... ond cefais fy ngeni'n rhy hwyr.

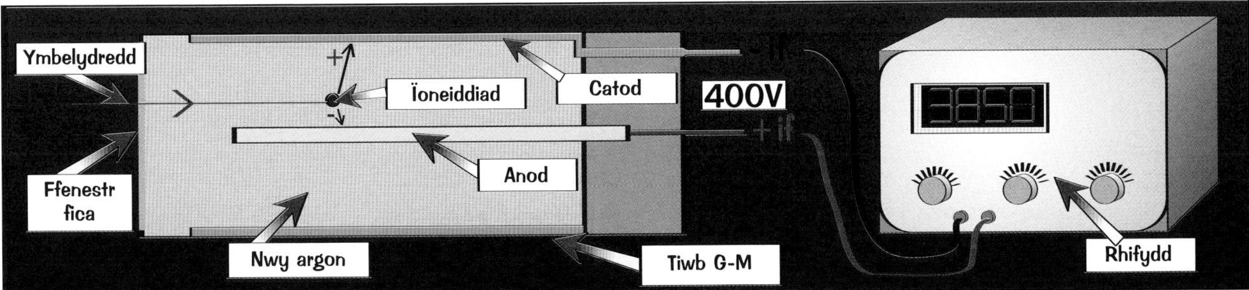

Rhaid tynnu'r Cyfrif Cefndir bob tro ...

(Gweler T.86)

Os ydych eisiau darganfod y gyfradd gyfrif o ffynhonnell benodol, rhaid i chi bob amser fesur y cyfrif cefndir yn gyntaf, (h.y. gwneud darlleniad heb y ffynhonnell yn bresennol). Yna rhaid tynnu'r gwerth hwn o bob darlleniad a wneir gyda'r ffynhonnell. Mae hyn yn arbennig o bwysig os ydych chi'n plotio'r gwerthoedd ar graff i ddarganfod yr hanner oes.

Caiff Ymbelydredd ei Fesur mewn Bequerelau, Bq

Yr uned a ddefnyddir i fesur ymbelydredd yw'r Bequerel (Bq). Un Bequerel yw un niwclews yn dadfeilio yr eiliad. Felly byddai cyfradd gyfrif o 60 cyfrif y funud (60 CYF) yn cynrychioli 1 Bq.

A dweud y gwir, mae'n lletchwith mesur union gryfder ffynhonnell ymbelydrol gan fod y darlleniad ar y tiwb/rhifydd G-M yn dibynnu'n fawr ar ba mor agos ydych chi at y ffynhonnell a maint ffenestr flaen y teclyn. Bydd darlleniad mewn Bequerelau dim ond yn rhoi mesur cymharol ac aneglur o faint o ymbelydredd sydd o gwmpas. Byddai tiwb G-M mwy neu symud yn nes at y ffynhonnell yn rhoi darlleniad tipyn yn fwy mewn cyfrifau yr eiliad (Bq). Fodd bynnag, cyn belled â'ch bod chi'n gwybod bod un Bequerel yn golygu un niwclews yn dadfeilio yr eiliad (ar gyfartaledd), byddwch chi'n iawn yn yr Arholiad.

Mae Ffilm Ffotograffig hefyd yn Canfod Ymbelydredd

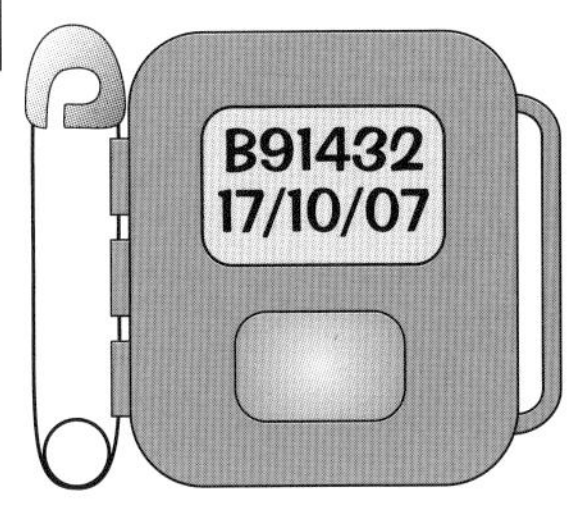

1) Darganfuwyd ymbelydredd yn ddamweiniol gan Henri Bequerel pan adawodd ychydig o wraniwm ar blatiau ffotograffig, a aeth yn "niwlog" o ganlyniad.
2) Erbyn heddiw mae ffilm ffotograffig yn ffordd ddefnyddiol o ganfod ymbelydredd.
3) Mae gweithwyr yn y diwydiant niwclear neu bobl sy'n defnyddio offer pelydrau X, megis deintyddion a radiograffwyr, yn gwisgo bathodynnau bach sydd â darn o ffilm ffotograffig ynddyn nhw.
4) Caiff y ffilm ei gwirio bob hyn a hyn i weld a yw wedi mynd yn niwlog yn rhy gyflym. Byddai hyn yn golygu bod y person yn cael ei ddinoethi i ormod o ymbelydredd.

Ni allwch ei weld, ei glywed na'i flasu – yn union fel y gwir ...

Gwnewch yn siŵr eich bod yn cofio'r ddwy ffordd o fesur ymbelydredd: tiwb G-M a ffilm ffotograffig, a chofiwch beth yw Bequerel. Mae'r dudalen hon yn ddelfrydol ar gyfer ysgrifennu traethawd byr, ond cofiwch gynnwys pob pwynt pwysig. Dysgwch ac ysgrifennwch.

Hanner oes

Mae Ymbelydredd Sampl bob amser yn Lleihau dros Amser

1) Mae hyn yn weddol amlwg, wrth feddwl amdano. Bob tro y mae dadfeiliad yn digwydd, ac mae alffa, beta neu gama yn cael ei allyrru, mae'n golygu bod un niwclews ymbelydrol arall wedi diflannnu.
2) Yn amlwg, wrth i'r niwclysau ansefydlog ddiflannu'n gyson, bydd yr actifedd cyffredinol yn lleihau. Felly po hynaf yw'r sampl, y lleiaf o ymbelydredd y bydd yn ei allyrru.

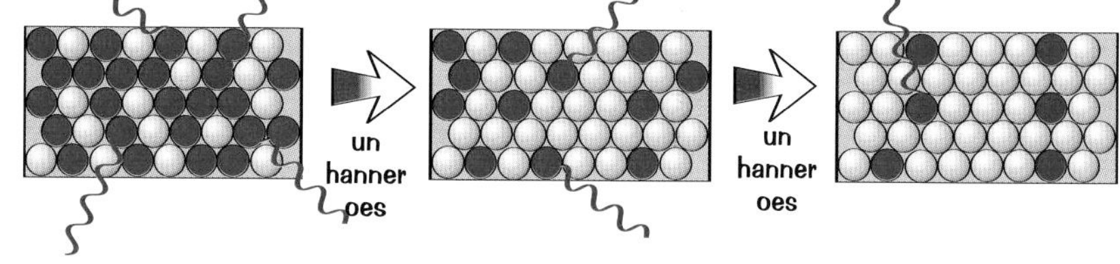

3) Mae pa mor gyflym mae'r actifedd yn diflannu yn amrywio'n fawr o un radio isotop i'r nesaf. Ar gyfer rhai, gall gymryd ychydig oriau yn unig cyn bo'r niwclysau ansefydlog bron i gyd wedi dadfeilio. Gall eraill barhau am filiynau o flynyddoedd.
4) Y broblem wrth geisio mesur hwn yw bod yr actifedd byth yn cyrraedd sero. Dyma pam mae'n rhaid defnyddio'r syniad o hanner oes i fesur pa mor gyflym mae'r actifedd yn diflannu.
5) Dysgwch y diffiniad pwysig hwn o hanner oes:

HANNER OES yw'r AMSER mae'n ei gymryd i HANNER yr atomau ymbelydrol sy'n bresennol nawr DDADFEILIO

Dyma ddiffiniad arall o hanner oes: "Yr amser mae'n ei gymryd i'r actifedd (neu'r gyfradd gyfrif) ddisgyn i hanner ei werth." Defnyddiwch y naill neu'r llall.

6) Mae hanner oes byr yn golygu bod yr actifedd yn disgyn yn gyflym, oherwydd bod nifer fawr o'r niwclysau'n dadfeilio'n gyflym.
7) Mae hanner oes hir yn golygu bod yr actifedd yn disgyn yn arafach oherwydd nad yw'r rhan fwyaf o'r niwclysau yn dadfeilio am amser hir – maen nhw'n eistedd yno'n asefydlog, yn aros am eu cyfle.

Defnyddio Graff i Fesur Hanner Oes Sampl

1) Ni ellir gwneud hyn oni bai eich bod yn cymryd sawl darlleniad o'r gyfradd gyfrif drwy ddefnyddio tiwb a rhifydd G-M.
2) Yna gellir plotio'r canlyniad ar ffurf graff. Bydd y siâp bob amser fel yr un isod.
3) Gellir darganfod yr hanner oes o'r graff drwy ddarganfod y cyfwng amser ar yr echelin waelod sy'n cyfateb i haneru'r actifedd ar yr echelin fertigol. Hawdd iawn.

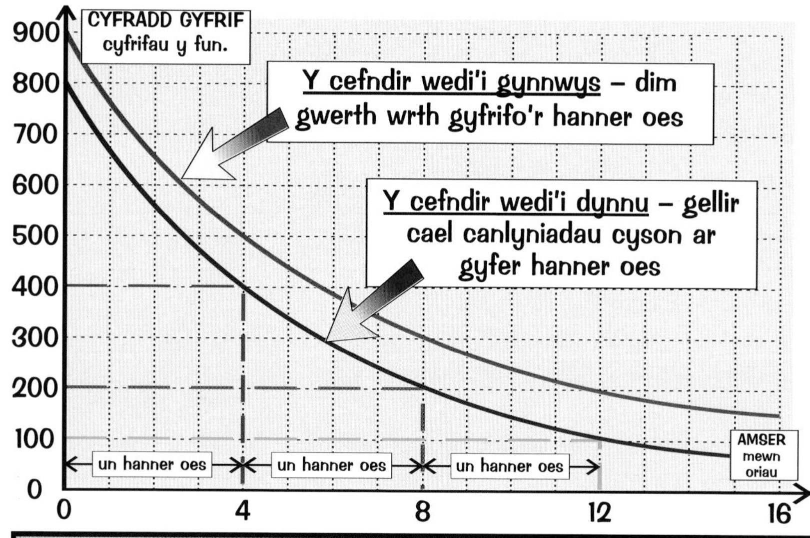

Un tric sydd raid i chi wybod amdano yw'r broblem fach o'r ymbelydredd cefndir, sydd hefyd yn mynd i mewn i'r tiwb G-M gan roi darlleniad ffals. Rhaid mesur y cyfrif cefndir yn gyntaf, ac yna'i dynnu o bob darlleniad a gewch cyn plotio'r canlyniadau ar y graff. A bod yn onest, y darn anodd yw cofio hyn yn yr Arholiad. Gallan nhw hefyd roi prawf ar hyn mewn cwestiwn cyfrifo, fel y rhai ar y dudalen nesaf.

Dysgwch ddiffiniad hanner oes

Mae pobl yn drysu gyda'r syniad o hanner oes. Cofiwch – fydd sampl ymbelydrol byth yn dadfeilio'n llwyr gan fod y swm sydd ar ôl yn haneru bob tro. Felly'r unig ffordd i fesur pa mor hir mae'n "parhau" yw i amseru pa mor hir mae'n cymryd i ddisgyn i hanner ei werth. Dyna'i gyd.

Cyfrifio Hanner oes: Cam wrth Gam

Efallai fod y syniad o hanner oes ychydig yn gymhleth, ond mae'r cyfrifiadau mewn Arholiadau yn eithaf syml cyn belled â'ch bod chi'n eu gwneud CAM WRTH GAM.

ENGHRAIFFT SYML IAWN: Actifedd radio-isotop yw 640 cyf (cyfrif y funud). Dwy awr yn ddiweddarach, mae wedi disgyn i 40 cyf. Darganfyddwch hanner oes y sampl.
ATEB: Rhaid i chi fynd ati mewn camau byr, syml, fel hyn:

Cyfrif CYCHWYNNOL:		ar ôl UN hanner oes:		ar ôl DAU hanner oes:		ar ôl TRI hanner oes:		ar ôl PEDWAR hanner oes:
640	$(\div 2)\rightarrow$	320	$(\div 2)\rightarrow$	160	$(\div 2)\rightarrow$	80	$(\div 2)\rightarrow$	40

Sylwch ar y dull cam wrth gam gofalus, sydd yn dweud ei fod yn cymryd pedwar hanner oes i'r actifedd ddisgyn o 640 i 40. Felly mae dwy awr yn cynrychioli pedwar hanner oes, ac mae'r hanner oes yn 30 munud.

Cyfrifiadau Carbon-14 – neu Ddyddio Radio-Carbon

Mae Carbon-14 yn ffurfio tua 1/10 000 000 (un deg-miliynfed) o garbon yr aer. Mae'r lefel hon yn aros yn weddol gyson yn yr atmosffer. Mae'r un gyfran o garbon-14 mewn pethau byw hefyd. Fodd bynnag, pan fyddan nhw'n marw, caiff yr C-14 ei ddal y tu mewn i'r pren neu'r gwlân neu beth bynnag. Mae hwn yn dadfeilio'n raddol â hanner oes o 5,600 o flynyddoedd. Trwy fesur cyfran yr C-14 sydd mewn hen goes bwyell, amwisg, ac ati, mae'n hawdd cyfrifo faint o amser yn ôl roedd y gwrthrych yn ddefnydd byw trwy ddefnyddio'r hanner oes hysbys.

ENGHRAIFFT: Darganfuwyd bod coes bwyell yn cynnwys 1 ran mewn 40 000 000 o Garbon-14. Cyfrifwch oedran y fwyell.

ATEB: Roedd yr C-14 yn 1 ran mewn 10 000 000 yn wreiddiol. Ar ôl un hanner oes fe fyddai i lawr i 1 ran mewn 20 000 000. Ar ôl dau hanner oes fe fyddai i lawr i 1 ran mewn 40 000 000. Felly, oedran y goes yw dau hanner oes carbon-14, h.y. $2 \times 5{,}600 = 11{,}200$ blwydd oed.
Sylwch ar yr un dull cam wrth gam, gan symud un hanner oes ar y tro.

Mae yna nifer fawr o gwestiynau hanner oes mewn Ffiseg – Y Darnau Fformiwla.

Cyfrifo Cyfrannau Cymharol – Hawdd os ydych chi wedi ei Ddysgu

Mae gan isotopau wraniwm hanner oes hir iawn, ac maen nhw'n dadfeilio drwy gyfres o ronynnau byrhoedlog i gynhyrchu isotopau sefydlog o blwm. Felly, gellir defnyddio cyfrannau cymharol yr wraniwm a'r plwm mewn sampl o graig igneaidd i ddyddio'r graig, drwy ddefnyddio hanner oes hysbys Wraniwm. Mae mor syml â hyn:

I gychwyn	Ar ôl un hanner oes	Ar ôl dau hanner oes	Ar ôl tri hanner oes
100% Wraniwm	50% Wraniwm	25% Wraniwm	12.5% Wraniwm
0% plwm	50% plwm	75% plwm	87.5% plwm

Cymhareb yr Wraniwm i'r plwm:

I gychwyn	Ar ôl un hanner oes	Ar ôl dau hanner oes	Ar ôl tri hanner oes
1:0	1:1	1:3	1:7

Yn yr un modd, gellir defnyddio cyfrannau potasiwm-40 a'i gynnyrch dadfeilio sefydlog, argon-40, i ddyddio craig igneaidd, cyn belled nad yw'r argon wedi medru dianc. Bydd y cyfrannau cymharol yn union yr un peth ag ar gyfer wraniwm a phlwm yn yr enghraifft uchod. Dysgwch y cymarebau hyn:

I gychwyn	Ar ôl un hanner oes	Ar ôl dau hanner oes	Ar ôl tri hanner oes
100% : 0%	50% : 50%	25% : 75%	12.5% : 87.5%
1:0	1:1	1:3	1:7

Dysgwch am Hanner oes – a dysgwch yn drylwyr ...

Mae'r cyfrifiadau hanner oes hyn yn eithaf syml. Rhowch gynnig arnyn nhw:
1) Mae gan isotop hanner oes o 12 munud. Pa mor hir bydd yn ei gymryd i ddisgyn o 840 cyf i 210 cyf?
2) Mae sampl o graig yn cynnwys Wraniwm a phlwm yn y gymhareb 75:525. Pa mor hen yw'r graig?

Ymbelydredd Cefndir

Mae Ymbelydredd yn Broses Gwbl Hap

Bydd niwclysau ansefydlog yn dadfeilio, ac yn y broses yn allyrru pelydriad. Mae'r broses hon yn gwbl hap. Mae hyn yn golygu, os oes gennych chi 1000 o niwclysau ansefydlog, ni allwch ddweud pryd y bydd unrhyw rai ohonyn nhw yn dadfeilio, ac ni allwch wneud unrhyw beth o gwbl i beri i'r dadfeiliad ddigwydd. Bydd pob niwclews yn dadfeilio'n ddigymell yn ei amser ei hun. Ni fydd amodau ffisegol megis tymheredd, na chwaith unrhyw fath o fondio cemegol, yn effeithio arno.

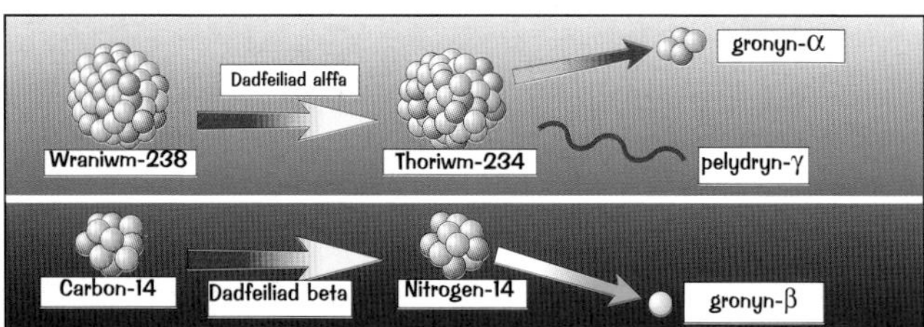

Pan yw'r niwclews yn dadfeilio, mae'n poeri allan un neu ragor o'r tri math o ymbelydredd, alffa, beta neu gama ac, yn y broses, bydd y niwclews yn newid yn elfen newydd.

Yn ogystal â'r dadfeiliad ymbelydrol naturiol hwn, gellir gwneud niwclysau sefydlog yn ansefydlog drwy danio niwtronau atyn nhw. Pan fydd niwtronau rhydd yn taro niwclews sefydlog, cânt eu hamsugno i mewn iddo a bydd hyn fel arfer yn ei newid yn isotop ansefydlog o'r un elfen. Bydd niwtronau rhydd yn digwydd, er enghraifft, pan fydd niwclysau wraniwm yn hollti'n ddau o ganlyniad i ymholltiad, fel y dangosir:

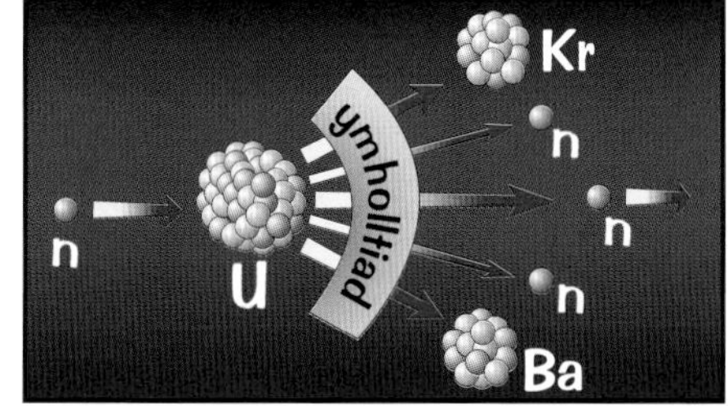

Daw Ymbelydredd Cefndir o Sawl Ffynhonnell

Daw ymbelydredd cefndir naturiol o:

1) Ymbelydredd isotopau ansefydlog naturiol sydd o'n cwmpas ymhobman – yn yr aer, mewn bwyd, mewn defnyddiau adeiladu ac yn y creigiau o dan ein traed.
2) Ymbelydredd o'r gofod, a elwir yn belydrau cosmig. Daw'r rhain yn bennaf o'r Haul.
3) Ymbelydredd o ganlyniad i weithgaredd pobl, h.y. llwch ymbelydrol o ffrwydradau niwclear neu wastraff niwclear. Ond cyfran fechan iawn yn unig o gyfanswm yr ymbelydredd cefndir yw hyn.

CYFRANNAU CYMHAROL yr ymbelydredd cefndir:

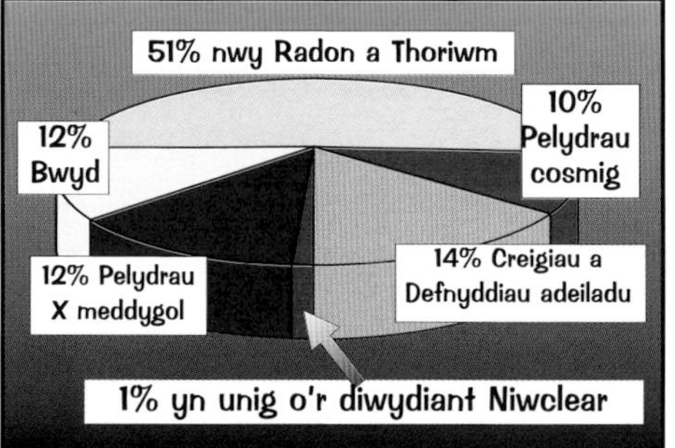

Mae Lefel yr Ymbelydredd Cefndir yn Newid y ôl Ble Rydych Chi

1) Ar uchderau uchel (e.e. mewn awyrennau jet) mae'n cynyddu oherwydd eich bod yn fwy agored i belydrau cosmig.
2) O dan ddaear mewn pyllau glo, ac ati, mae'n cynyddu oherwydd y creigiau sydd o gwmpas.
3) Gall rhai creigiau tanddaearol achosi lefelau uwch ar yr wyneb, yn enwedig os ydyn nhw'n rhyddhau nwy radon ymbelydrol, sy'n tueddu i gael ei ddal y tu mewn i dai pobl. Mae hyn yn amrywio'n fawr ar draws Prydain, yn ôl y math o graig, fel a ddangosir:

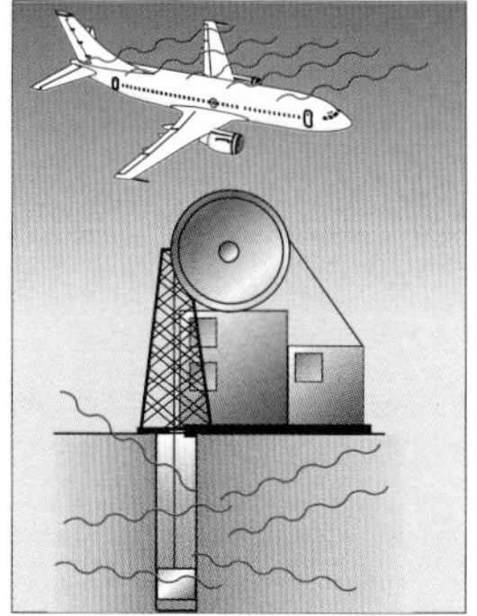

Darnau lliw yn dangos mwy o ymbelydredd o'r creigiau

Ymbelydredd Cefndir – does dim pwynt ceisio cuddio rhagddo ...

Ydi, mae ymbelydredd yn stwff rhyfedd iawn, mae hynny'n sicr. Mae'n ddirgelwch llwyr i rai, ond po fwyaf y dysgwch amdano, y lleiaf dirgel y bydd. Mae'r dudalen hon yn llawn dop o ffeithiau syml am ymbelydredd. Bydd tri thraethawd byr yn hen ddigon i ddysgu'r gwaith – am byth. Mwynhewch.

Peryglon Ymbelydredd a Diogelwch

Mae Ymbelydredd yn Niweidio Celloedd Byw

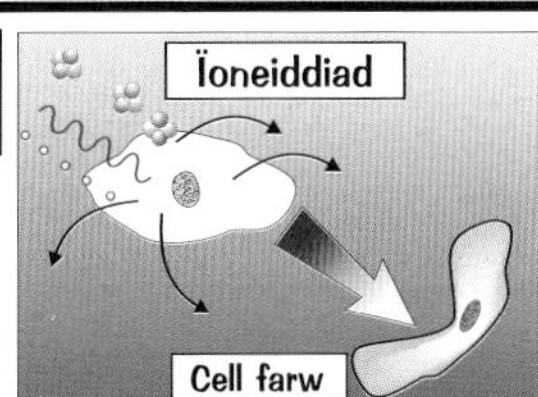

1) Bydd pelydriad alffa, beta a gama yn ddigon parod i fynd i mewn i gelloedd byw a tharo yn erbyn moleciwlau.
2) Mae'r gwrthdrawiadau hyn yn achosi ïoneiddiad, sy'n niweidio neu'n dinistrio'r moleciwlau.
3) Mae dosiau is yn tueddu i achosi niwed bach heb ladd y gell.
4) Mae hyn yn achosi celloedd mwtan sy'n rhannu allan o bob reolaeth. Dyma ganser.
5) Mae dosiau uwch yn tueddu i ladd celloedd yn llwyr, sy'n achosi salwch ymbelydredd os caiff nifer o gelloedd y corff eu heffeithio ar unwaith.
6) Mae maint yr effeithiau niweidiol yn dibynnu ar ddau beth:
   a) Faint o ymbelydredd sy'n eich taro.
   b) Egni a threiddiad y pelydriad a allyrwyd, gan fod rhai mathau yn fwy peryglus na'i gilydd, wrth gwrs.

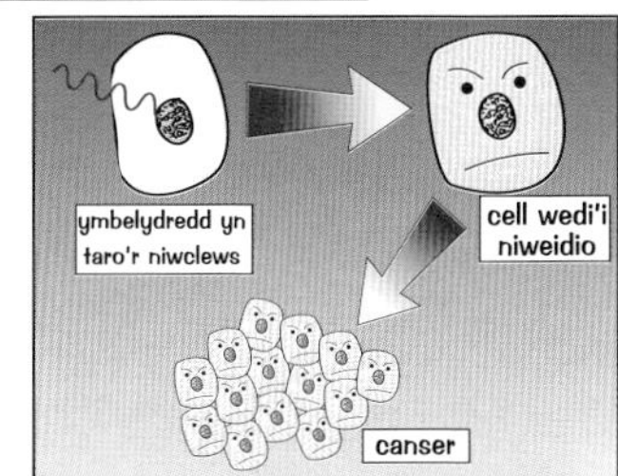

Mae hyn oherwydd y gall beta a gama fynd i mewn i'r corff at yr organau cain. Mae alffa dipyn yn llai peryglus oherwydd ni all dreiddio trwy'r croen.

Y Tu Mewn i'r Corff, Ffynhonnell α yw'r Mwyaf peryglus

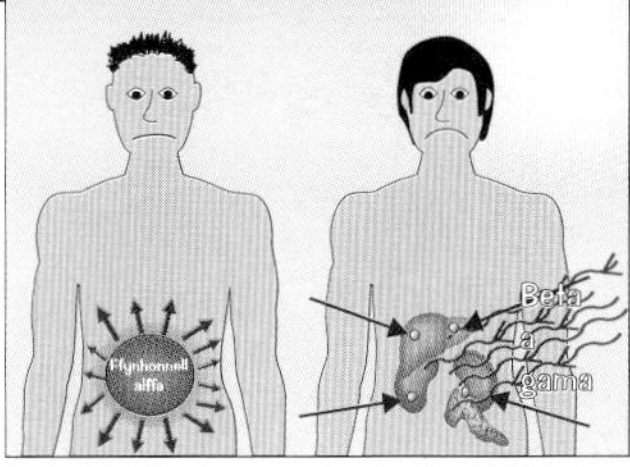

Y tu mewn i'r corff bydd ffynonellau alffa yn gwneud niwed mewn ardal leoledig iawn. Mae ffynonellau beta a gama, ar y llaw arall, yn llai peryglus y tu mewn i'r corff oherwydd eu bod gan amlaf yn mynd yn syth nôl allan heb wneud llawer o niwed.

Mae angen i chi Ddysgu am y Rhagofalon Diogelwch hyn

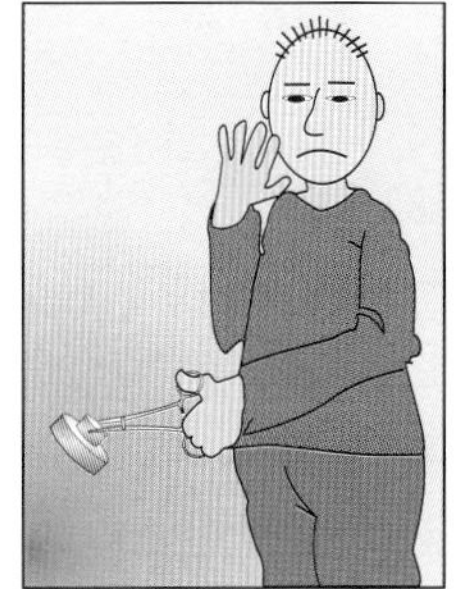

Os nad ydych chi eisoes yn gwybod bod angen trin defnyddiau ymbelydrol yn ofalus iawn, rhaid eich bod yn hollol dwp. Yn yr Arholiad, gallan nhw ofyn i chi restru rhai rhagofalon penodol y dylid eu cymryd wrth drin defnyddiau ymbelydrol. Os ydych chi eisiau'r marciau hawdd hyn, dysgwch y canlynol:

Yn Labordy'r Ysgol:

1) Peidiwch byth â gadael i ffynhonnell gyffwrdd â'ch croen. Rhaid defnyddio gefeiliau bob tro.
2) Cadwch y ffynhonnell hyd braich oddi wrthych i'w gadw mor bell â phosib o'r corff.
3) Cadwch y ffynhonnell yn wynebu i ffwrdd o'r corff a pheidiwch ag edrych yn uniongyrchol arno.
4) Cadwch y ffynhonnell mewn blwch plwm bob amser, a'i dychwelyd yno cyn gynted ag y mae'r arbrawf wedi dod i ben.

Rhagofalon Ychwanegol ar gyfer Gweithwyr yn y Diwydiant Niwclear:

1) Rhaid gwisgo siwt amddiffynnol lawn i atal gronynnau ymbelydrol bychan bach rhag cael eu hanadlu i mewn neu fynd yn sownd ar y croen neu o dan yr ewinedd ac ati.
2) Rhaid defnyddio siwtiau wedi'u leinio â phlwm a rhwystrau plwm/concrit a sgriniau plwm trwchus i arbed cysylltiad â phelydrau γ o ardaloedd sydd wedi'u halogi. (Gellir atal α a β tipyn yn haws.)
3) Rhaid defnyddio breichiau robot wedi'u rheoli o bell mewn ardaloedd ymbelydrol iawn.

Salwch Ymbelydredd – ydi, mae braidd yn ddiflas ...

Nifer o fanylion bach lletchwith fan hyn. Mae'n hawdd dweud wrth eich hun nad oes angen dysgu hwn i gyd. Wel, credwch fi, mae angen ei wybod i gyd a dim ond un ffordd sydd i ddarganfod a ydych wedi ei ddysgu. Ysgrifennwch dri thraethawd byr, gan gynnwys y manylion i gyd. Diolch.

Dibenion Defnyddiau Ymbelydrol

Dyma dudalen hawdd ei dysgu. Isod, dangosir saith prif ddiben isotopau ymbelydrol. Gwnewch yn siŵr eich bod yn dysgu'r manylion i gyd. Yn bennaf, gwnewch yn siŵr eich bod yn gwybod pam mae pob cymhwysiad yn defnyddio radio isotop penodol yn ôl ei hanner oes a'r math o ymbelydredd mae'n ei allyrru.

1) Olinyddion mewn Meddygaeth – allyrru γ, Hanner oes byr bob amser

1) Gellir chwistrellu rhai isotopau ymbelydrol penodol i mewn i bobl (neu gallan nhw eu llyncu) a gellir dilyn eu taith o amgylch y corff trwy ddefnyddio canfodydd (megis tiwb G-M). Bydd hwn yn dangos o ble y daw'r darlleniad cryfaf.
2) Mae Ïodin-131 yn enghraifft dda. Defnyddir hwn i wirio bod y chwarren thyroid yn y gwddf yn gweithio'n iawn.
3) Rhaid i bob isotop a roddir yn y corff fod yn GAMA neu'n BETA (byth alffa), fel bo'r ymbelydredd yn gadael y corff, a dylent bara am ychydig oriau yn unig fel bo'r ymbelydredd y tu mewn i'r claf yn diflannu'n gyflym. (h.y. dylai fod ganddo hanner oes byr.)

2) Olinyddion mewn Diwydiant – i Ddarganfod Gollyngiadau

1) Gellir defnyddio radio-isotopau i ganfod tyllau mewn pibellau.
2) Rhaid ei chwistrellu i mewn, yna symud ar hyd tu allan y bibell gyda chanfodydd i ddarganfod lleoedd lle mae'r ymbelydredd yn uchel iawn, sy'n dangos bod y sylwedd yn gollwng allan. Defnyddir hyn ar gyfer pibellau dan ddaear neu rai wedi'u cuddio, er mwyn arbed gorfod palu hanner y ffordd i fyny i geisio dod o hyd i'r twll.
3) Rhaid defnyddio isotop sy'n allyrru gama, er mwyn gallu canfod yr ymbelydredd hyd yn oed trwy'r metel neu'r pridd sydd o gwmpas y bibell. Ni fyddai pelydrau alffa na beta yn llawer o werth oherwyd byddai'r defnyddiau amgylchynol yn eu rhwystro'n hawdd.
4) Dylai fod ganddo hanner oes byr er mwyn peidio ag achosi perygl os yw'n cronni yn rhywle.

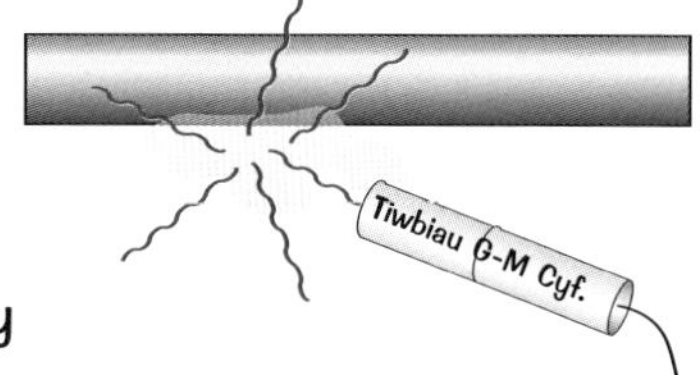

3) Diheintio Bwyd ac Offer Llawfeddygol drwy ddefnyddio Pelydrau γ

1) Gellir rhoi dos uchel o belydrau gama i fwyd, a bydd hyn yn lladd yr holl ficrobau gan gadw'r bwyd yn ffres am fwy o amser.
2) Gellir diheintio offer llawfeddygol yn yr un ffordd, yn lle eu berwi.
3) Mantais fawr arbelydriad, yn hytrach na berwi, yw nad oes angen tymheredd uchel felly gellir diheintio pethau megis afalau ffres ac offer plastig heb eu niweidio.
4) Nid yw'r bwyd yn ymbelydrol wedyn, felly mae'n ddiogel i'w fwyta.

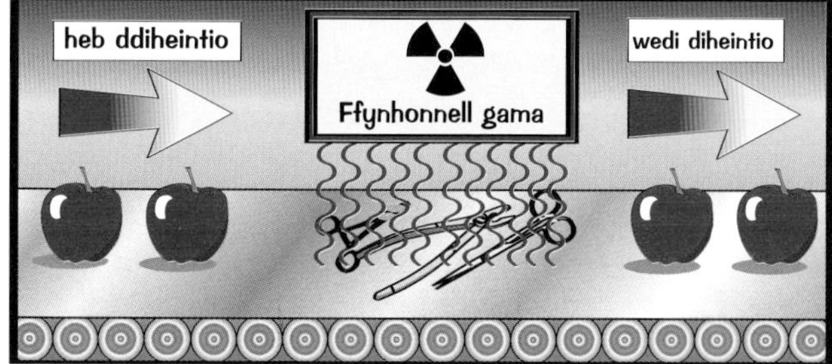

4) Radiotherapi – Trin Canser drwy ddefnyddio Pelydrau γ

1) Gan fod dosiau uchel o belydrau gama yn lladd celloedd byw, gellir eu defnyddio i drin canserau.
2) Rhaid cyfeirio'r dos union gywir o belydrau gama yn ofalus er mwyn lladd y celloedd canser heb niweidio gormod o gelloedd normal.
3) Fodd bynnag, mae'n anochel y bydd rhai celloedd normal yn cael eu niweidio, ac mae hyn yn gwneud i'r claf deimlo'n sal iawn. Ond os caiff y canser ei ladd yn llwyddiannus yn y diwedd, yna mae'n werth y drafferth.

Dibenion Defnyddiau Ymbelydrol

5) Rheoli Trwch Mewn Diwydiant ac wrth Weithgynhyrcu

Dyma gymhwysiad da, ac mae'n boblogaidd mewn Arholiadau. Mae'n syml a dweud y gwir.

1) Rhaid cyfeirio ymbelydredd o ffynhonnell drwy'r defnydd sy'n cael ei gynhyrchu – dalen di-dor o bapur, neu gerdyn neu fetel ac ati, fel arfer.

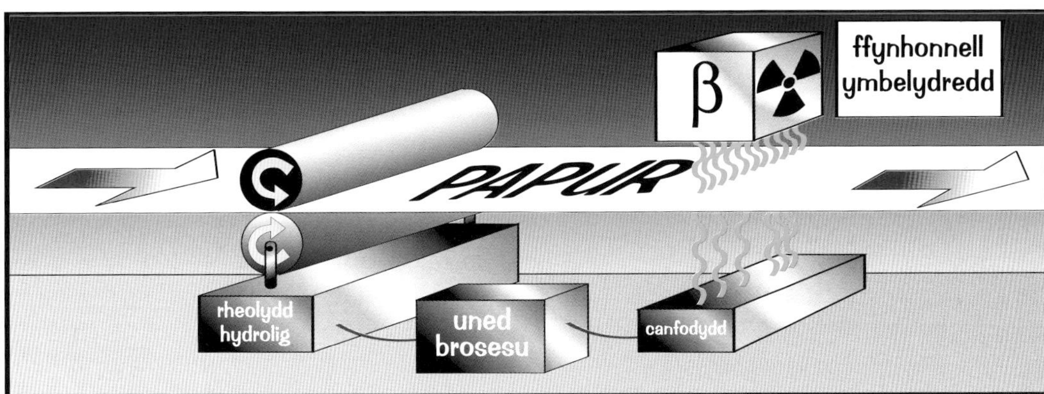

2) Mae'r canfodydd ar yr ochr arall, ac mae wedi'i gysylltu ag uned reoli.

3) Pan fydd swm yr ymbelydredd a ganfyddir yn disgyn, mae'n golygu bod y defnydd yn dod allan yn rhy drwchus. Felly, mae'r uned reoli yn tynhau'r rholeri i'w wneud yn denau eto.

4) Os yw'r darlleniad yn mynd yn fwy, mae'n golygu ei fod yn rhy denau, felly mae'r uned reoli yn agor y rholeri ychydig. Mae'n glyfar iawn ond y peth pwysicaf, fel arfer, yw'r dewis o isotop.

5) Yn gyntaf, rhaid iddo feddu ar hanner oes hir (sawl blwyddyn o leiaf!), neu byddai'r cryfder yn lleihau yn raddol a byddai'r uned reoli wirion yn tynhau'r rholeri er mwyn gwneud iawn am hyn.

6) Yn ail, rhaid defnyddio ffynhonell beta ar gyfer papur a cherdyn, neu ffynhonnell gama ar gyfer llenni metel. Mae hyn oherwydd rhaid i'r defnydd sy'n cael ei wneud rwystro'r ymbelydredd yn rhannol. Os yw'r cyfan yn mynd trwodd (neu dim ohono), yna ni fydd y darlleniad yn newid o gwbl wrth i'r trwch newid. Nid yw gronynnau alffa yn werth dim, gan y byddai'r defnydd yn eu rhwystro i gyd.

6) Dyddio Creigiau a Sbesimenau Archaeolegol drwy Ymbelydredd

1) Roedd darganfod ymbelydredd a hanner oes yn gyfle i wyddonwyr gyfrifo, yn fanwl gywir, oedran creigiau, ffosiliau a sbesimenau archaeolegol.
2) Trwy fesur swm yr isotop ymbelydrol sydd ar ôl mewn sampl, a thrwy wybod ei hanner oes, gellir cyfrifo pa mor hir mae'r peth wedi bod o gwmpas (gweler T.85).

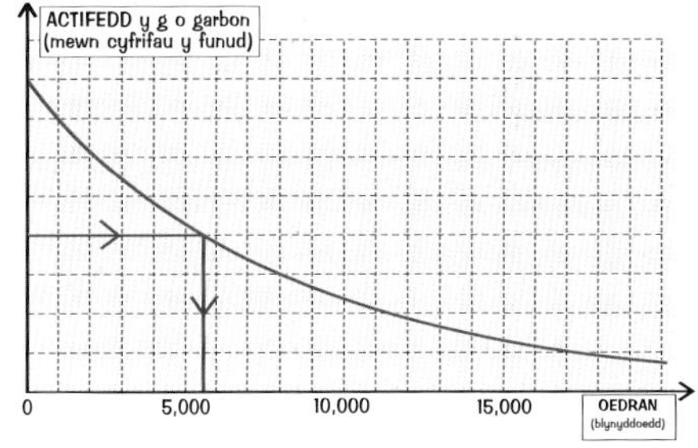

7) Cynhyrchu Pŵer o Danwydd Niwclear

1) Mae dadfeiliad ymbelydrol bob amser yn rhyddhau egni ar ffurf gwres.
2) Y dadfeiliad ymbelydrol y tu mewn i'r Ddaear sy'n gyfrifol am lawer o'r gwres sydd yno.
3) Trwy buro wraniwm, gallwn gychwyn adwaith cadwynol lle mae un dadfeiliad yn achosi un arall. Yn y modd hwn gallwn gynyddu cyfradd yr adwaith i gynhyrchu llawer o wres, ac yna ei ddefnyddio i gynhyrchu trydan. Dyma sy'n digwydd mewn atomfa (gweler T.75).

A fydd hyn yn eich Arholiad – rwy'n siŵr y bydd ...

Yn gyntaf, dysgwch y chwe phennawd nes y gallwch eu hysgrifennu oddi ar eich cof. Yna dechreuwch ddysgu'r manylion ar gyfer pob un. Fel arfer, y ffordd orau o wirio beth rydych yn ei wybod yw trwy ysgrifennu traethawd byr ar gyfer pob adran. Yna edrychwch yn ôl i weld beth rydych wedi ei golli. Hyfryd.

Crynodeb Adolygu Adran Chwech

Mae'n warth – mae cymaint o stwff i'w ddysgu. Gwaith, gwaith, gwaith – a dim amser am hwyl a sbri. Ond dyna realaeth yr 21ain ganrif – gwaith a mwy o waith. Rwy'n falch mod i wedi gorffen fy Arholiadau i gyd. Bydd y cyfan drosodd mewn ychydig fisoedd – wir. Mae angen i chi ymarfer y cwestiynau hyn dro ar ôl tro nes y gallwch eu hateb â'ch llygaid ar gau. Gwenwch a mwynhewch. ☺

1) Brasluniwch atom. Rhowch dri manylyn am y niwclews a thri manylyn am yr electronau.
2) Lluniwch dabl i ddangos masau a gwefrau'r tri phrif ronyn is-atomig.
3) Beth mae rhif màs a rhif atomig atom yn eu cynrychioli?
4) Beth yw isotopau?
5) Pa bâr o isotopau yw'r mwyaf cyfarwydd?
6) A yw'r mwyafrif o isotopau yn sefydlog ynteu'n ansefydlog? Beth sy'n digwydd i isotopau ansefydlog?
7) Beth oedd Model Pwdin Nadolig yr atom? Pwy roddodd stop ar y syniad hwn?
8) Disgrifiwch Arbrawf Gwasgaru Rutherford, gan gynnwys diagram i ddangos beth ddigwyddodd.
9) Beth oedd casgliad anochel yr arbrawf?
10) Beth yw'r prif wahaniaeth rhwng pelydriad EM ac ymbelydredd niwclear?
11) Disgrifiwch yn fanwl beth yw'r tri math o ymbelydredd, α, β a γ.
12) Cymharwch sut mae'r tri math yn treiddio i ddefnyddiau.
13) Rhestrwch sawl peth a fydd yn rhwystro pob un o'r tri math.
14) Beth yw pwrpas tiwb a rhifydd Geiger-Müller?
15) Gwnewch ddiagram wedi'i labelu o diwb Geiger-Müller, ac esboniwch yn fras sut mae'n gweithio.
16) Pa uned a ddefnyddir i fesur ymbelydredd? Sawl un o'r unedau hyn sy'n hafal i 120 cyf?
17) Beth yw'r ddau ddull cyffredin o ganfod ymbelydredd? Pa un yw'r symlaf?
18) Sut caiff ffilm ffotograffig ei defnyddio mewn bathodynnau bach i fonitro ymbelydredd?
19) Brasluniwch ddiagram i ddangos sut mae nifer y niwclysau ymbelydrol mewn sampl yn haneru.
20) Diffiniwch hanner oes yn gywir. Pa mor hir a pha mor fyr gall hanner oesoedd fod?
21) Brasluniwch graff nodweddiadol i ddangos sut mae actifedd sampl yn disgyn dros gyfnod o amser.
22) "Mae dadfeiliad ymbelydrol yn broses gwbl hap." Beth mae hyn yn ei feddwl?
23) A allwn ni wneud unrhyw beth i achosi i niwclews ddadfeilio'n ymbelydrol?
24) Brasluniwch siart cylch eithaf manwl gywir i ddangos chwe phrif ffynhonnell ymbelydredd cefndir.
25) Rhestrwch dri man lle mae lefel yr ymbelydredd cefndir yn uwch ac esboniwch pam.
26) Pa fath o niwed yn union y mae ymbelydredd yn ei achosi y tu mewn i gelloedd y corff?
27) Pa niwed mae dosiau isel yn ei achosi? Beth yw effaith dosiau uwch?
28) Rhestrwch bedwar o ragofalon diogelwch ar gyfer labordy ysgol, a thri yn rhagor ar gyfer gweithwyr niwclear.
29) Disgrifiwch, yn fanwl, sut caiff isotopau ymbelydrol eu defnyddio ym mhob un o'r canlynol:
    a) olinyddion mewn meddygaeth b) olinyddion mewn diwydiant c) diheintio
    ch) rheoli trwch d) trin canser dd) dyddio samplau o greigiau e) cynhyrchu pŵer.

Atebion

<u>T.14</u> <u>1)</u> 339.2 N <u>2)</u> 3Ω <u>3)</u> 106 J
<u>T.20</u> <u>Crynodeb Adolygu</u> <u>26)</u> <u>a)</u> 0.125 A <u>b)</u> 321 W <u>c)</u> 240 V <u>ch)</u> 10 A
<u>T.32</u> <u>Crynodeb Adolygu</u> <u>17)</u> 0.09 m/s <u>18)</u> 137 m <u>21)</u> 35 m/s^2 <u>22)</u> 4.4 m/s^2
<u>T.43</u> <u>1)</u> 330 m/s <u>2)</u> 200 kHz
<u>T.44</u> <u>1)</u> 264 m <u>2)</u> 490 m
<u>T.53</u> <u>Crynodeb Adolygu</u> <u>26)</u> 150 m/s <u>27)</u> 5×10^{-6} s <u>28)</u> 1980 m <u>29)</u> 0.86 s
<u>T.80</u> <u>Crynodeb Adolygu</u> <u>2)</u> 20 631 J <u>4)</u> 6420 J <u>6)</u> 2000 W, 1700 W <u>11)</u> <u>a)</u> 62.5% <u>b)</u> 16.8% <u>c)</u> 7.1%
<u>T.85</u> <u>1)</u> 24 munud <u>2)</u> 13.5 biliwn o flynyddoedd
<u>T.90</u> <u>Crynodeb Adolygu</u> <u>18)</u> 2 Bq

Mynegai

Mynegai